HIGH TOP

2권

중학교 과학 1

VII 태양계

Ⅰ. 과학과 인류의 지속가능한 삶 / Ⅱ. 생물의 구성과 다양성 / Ⅲ. 열 / Ⅳ. 물질의 상태 변화는 **1권**에 있습니다.

HIGH TOP과 내 교과서 비교하기

2권

활용 방법

❶ 내가 배우는 교과서의 출판사 이름을 찾는다.

❷ 출판사 이름에서 아래쪽으로 내려가면서 공부할 내용과 해당하는 쪽수를 찾는다.

❸ 찾은 쪽수에 해당하는 **High Top**은 몇 쪽인지 확인한다.

미래엔	비상교육	와이비엠	지학사	천재교과서 (임성숙)	천재교과서 (정대홍)
154~175	157~176	138~153	152~173	150~171	152~171
176~187	177~188	154~163	174~187	172~183	172~185
196~207	197~209	172~183	196~207	194~205	192~205
208~217	210~216	184~193	208~217	206~215	206~217
226~241	225~236	202~215	226~241	226~245	224~241
242~255	237~248	216~229	242~255	246~261	242~261

V

힘의 작용

1 여러 가지 힘

2 힘과 운동

초3_ 힘과 우리 생활

무거운 물체와 가벼운 물체를 밀거나 당길 때 드는 힘의 크기는 서로 다르다. 수평 잡기로 물체의 무게를 비교하고, 저울을 이용하여 물체의 무게를 측정한다.

중1_ 힘의 작용

"여러 가지 힘을 이해하고, 각 힘의 특징을 크기와 방향으로 설명한다. 또, 알짜 힘이 0이 아닐 때 물체의 운동 상태가 변하는 예를 조사하여 분류하고, 힘의 평형 관계를 설명한다."

『통합과학1』

시스템과 상호작용

중력이 작용하여 물체가 지표면으로 낙하하고 인공위성 등이 지구 주위를 공전한다. 두 물체가 충돌하면 속도가 변하며, 충돌과 관련된 물리량을 안전장치와 스포츠에 이용한다.

01 여러 가지 힘

줄다리기를 하는 두 팀이 줄을 잡아당겼더니 줄이 팽팽해지며 어느 쪽으로도 움직이지 않았다. 그 까닭은 무엇일까?

☐ **수평 잡기의 원리를 이용한 물체의 무게 비교**: 수평대에서 두 물체가 받침점으로부터 각각 같은 거리에 놓여 있을 때, 나무판이 기울어진 쪽 물체의 무게가 더 (작다, 크다).

☐ **용수철저울의 이용**: 용수철저울에 물체를 매달았을 때 용수철이 늘어나는 정도로 물체의 (무게, 부피)를 비교할 수 있다.

1 힘

힘의 다양한 의미
일상에서 힘은 능력이나 에너지, 정신적 노동, 국력, 다른 물체에 미치는 영향 등 다양한 의미로 사용한다. 그러나 과학에서는 물체의 모양이나 운동 상태가 변할 때 힘이 작용했다고 한다.

1. 힘 물체의 모양이나 운동 상태(운동 방향, 빠르기)를 변하게 하는 원인을 힘이라고 한다. 물체에 작용하는 힘의 크기에 따라 힘의 효과가 달라지는데, 힘의 크기가 클수록 물체의 모양, 운동 방향, 빠르기의 변화가 크다.

모양의 변화	운동 상태의 변화	모양과 운동 상태의 변화

점토를 누르면 점토의 모양이 변한다.	개가 썰매를 끌면 정지해 있던 썰매가 움직인다.	축구공을 발로 차는 순간 공이 찌그러지며 움직여 공의 운동 상태가 변한다.

힘의 작용선
힘이 작용하는 방향으로 연장한 직선이다. 같은 작용선상에서 같은 방향으로 작용하는 힘은 힘의 작용점이 달라도 그 효과는 같다.

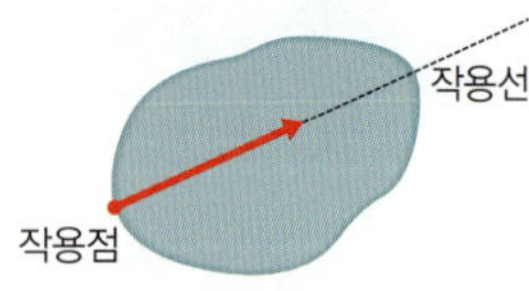

2. 힘의 표현 힘을 화살표로 나타내면 편리하다.

(1) **힘의 작용점**: 힘이 작용하는 지점으로, 화살표의 시작점으로 나타낸다.

(2) **힘의 크기**: 화살표의 길이로 나타내고, 화살표의 길이가 길수록 힘의 크기가 크다.

(3) **힘의 방향**: 힘이 작용하는 방향으로, 화살표가 가리키는 방향으로 나타낸다.

3. 힘의 단위 힘의 크기를 나타내는 단위는 N(뉴턴)을 사용한다.

힘의 단위 과학 용어 사전 146쪽
힘의 단위인 N(뉴턴)은 영국의 물리학자인 뉴턴(Newton, Isaac, 1642~1727)의 이름에서 유래하였다.

정답과 해설 060쪽

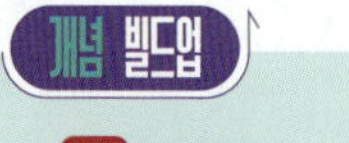

1. **핵심개념** 물체에 __________이/가 작용하면 물체의 모양 또는 운동 방향, 빠르기가 변한다.

2. 힘을 화살표로 나타낼 때 화살표의 시작점은 __________, 화살표의 길이는 __________, 화살표의 방향은 __________을/를 나타낸다.

1. 알짜힘과 힘의 합성

(1) **알짜힘(합력):** 한 물체에 여러 힘이 동시에 작용할 때 이 힘들과 같은 효과를 내는 하나의 힘이다.

집중분석 020쪽

(2) **힘의 합성:** 한 물체에 여러 힘이 동시에 작용할 때 알짜힘을 구하는 것이다.

구분	같은 방향으로 작용하는 두 힘	반대 방향으로 작용하는 두 힘
합성	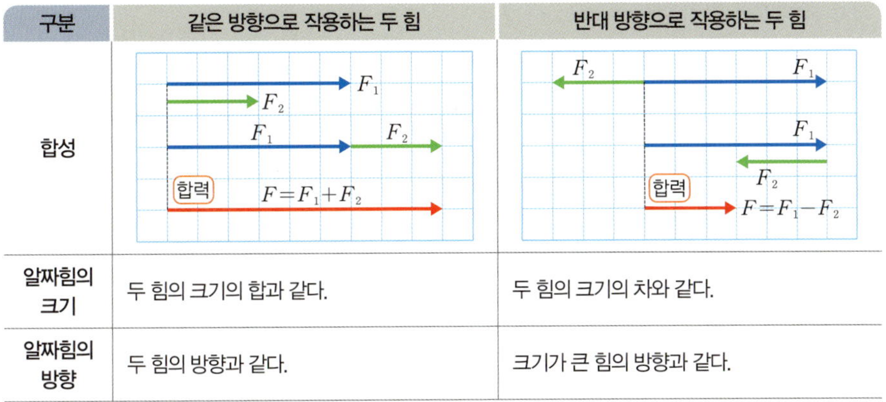	
알짜힘의 크기	두 힘의 크기의 합과 같다.	두 힘의 크기의 차와 같다.
알짜힘의 방향	두 힘의 방향과 같다.	크기가 큰 힘의 방향과 같다.

2. 힘의 평형

과학 용어 사전 146쪽

(1) **힘의 평형:** 한 물체에 여러 힘이 동시에 작용할 때 알짜힘이 0이어서 물체의 운동 상태가 변하지 않는 상태이다.

(2) **두 힘의 평형 조건:** 한 물체에 나란하게 작용하는 두 힘이 평형을 이루려면 두 힘의 크기는 같고, 서로 반대 방향으로 작용해야 한다.

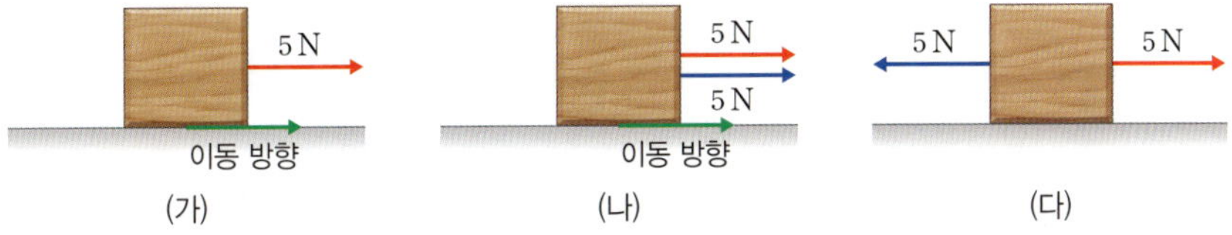

두 힘의 평형 조건 (가), (나)와 같이 힘이 한쪽에만 작용하거나 두 힘이 같은 방향으로 작용하면 물체는 힘의 방향으로 이동한다. (다)와 같이 정지하고 있는 물체에는 같은 크기의 두 힘이 서로 반대 방향으로 작용하면 물체는 정지해 있다.

정답과 해설 060쪽

개념 빌드업

1. **핵심개념** 한 물체에 여러 힘이 동시에 작용할 때 이 힘들과 같은 효과를 내는 하나의 힘을 _________(이)라고 한다.

2. 힘의 평형은 한 물체에 여러 힘이 동시에 작용할 때 알짜힘이 _________이어서 물체의 운동 상태가 변하지 않는 상태이다.

3. 한 물체에 5 N, 3 N인 두 힘이 각각 오른쪽 방향으로 작용할 때 알짜힘의 크기는 _________이고, 방향은 _________ 방향이다.

4. 한 물체에 나란하게 작용하는 두 힘의 크기가 같고, 서로 반대 방향으로 작용하면 _________을/를 이룬다.

진공 상태에서도 작용하는 중력

③ 중력

1. **중력** 지구가 물체를 당기는 힘이다. 과학 용어 사전 147쪽

(1) 중력의 작용

① 무거운 물체일수록 작용하는 중력의 크기가 크다.

② 지표면에 있는 물체뿐만 아니라 공중에 떠 있는 물체에도 작용한다.

③ 지구에서 멀리 떨어진 달에도 지구의 중력이 작용한다.

④ 지구뿐만 아니라 달이나 화성과 같은 다른 천체에서도 중력이 작용하며, 천체마다 중력의 크기가 다르다.

(2) **중력의 방향**: 연직 아래 방향, 즉 지구 중심 방향이다.

2. **중력에 의한 현상** 중력에 의해 지구상의 물체가 아래로 떨어진다. 또한 중력이 있어 우리가 지구에 머물러 살아갈 수 있고, 살아가는 데 필요한 공기와 물이 존재할 수 있다.

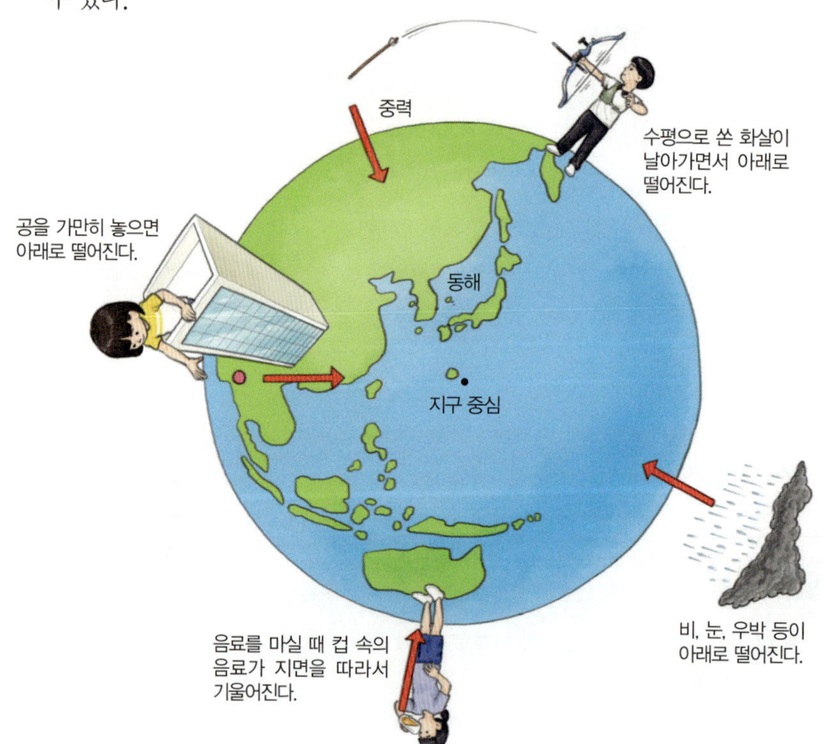

3. **무게** 물체에 작용하는 중력의 크기이다.

(1) **장소에 따른 물체의 무게:** 측정하는 장소에 따라 중력이 달라지면 무게도 달라진다.

(2) **단위:** 힘의 단위와 같은 N(뉴턴)을 사용한다.

(3) **측정 도구:** 용수철저울이나 가정용 저울 등을 사용한다.

진공 상태에서도 작용하는 중력

진공은 공기가 거의 존재하지 않는 상태로, 진공 상태에서도 중력은 작용한다. 따라서 우주나 달은 진공 상태이지만 중력이 작용한다.

여러 천체에서의 중력의 크기

지구를 기준으로 하였을 때 다른 천체에서 작용하는 중력의 상대적인 크기는 다음과 같다.

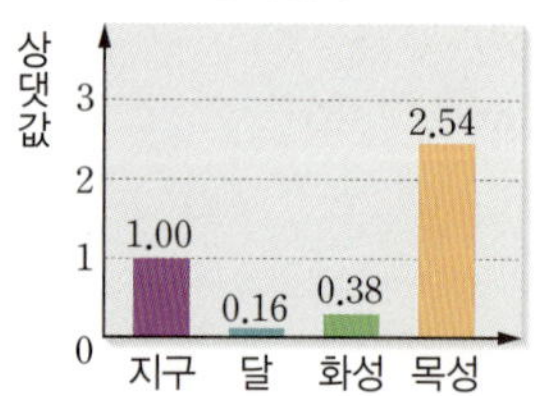

용어 연직 방향

추를 실에 매달아 늘어뜨릴 때 실이 나타내는 방향

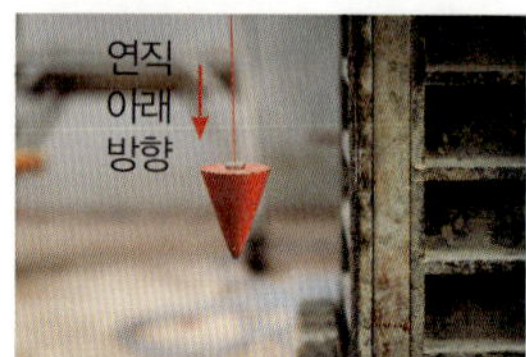

4. **질량** 물체를 구성하는 물질의 고유한 양이다.

(1) 장소에 따른 물체의 질량: 질량은 물질의 고유한 양이므로, 측정하는 장소가 달라져도 질량은 변하지 않는다.

(2) 단위: g(그램), kg(킬로그램)을 사용한다.

(3) 측정 도구: 양팔저울이나 윗접시저울 등을 사용한다.

5. **무게와 질량의 관계**

(1) 지구 표면에서 질량이 1 kg인 물체의 무게는 약 9.8 N이다.

(2) 같은 장소에서 측정한 물체의 무게는 질량에 비례한다.

6. **지구, 달, 우주 정거장에서의 질량과 무게** 질량은 물체의 고유한 양이므로 질량이 6 kg인 볼링공은 지구, 달, 우주 정거장에서 모두 질량이 6 kg으로 같다. 그러나 볼링공의 무게를 지구, 달, 우주 정거장에서 측정하면 무게가 모두 다르게 측정된다. 지구 표면에서는 질량이 1 kg인 물체의 무게가 약 9.8 N이므로 질량이 6 kg인 볼링공의 무게는 약 58.8 N이다. 그리고 이 볼링공의 무게를 달에서 측정할 경우, 달에서의 중력은 지구에서의 약 $\frac{1}{6}$이므로 볼링공의 무게는 약 9.8 N이다. 우주 정거장에서는 중력을 느낄 수 없으므로 볼링공의 무게는 0이다.

장소	지구	달	우주 정거장
	58.8 N	9.8 N	0
무게	달에서의 중력은 지구에서의 중력의 약 $\frac{1}{6}$이다. → 달에서 측정한 물체의 무게는 지구에서의 약 $\frac{1}{6}$이다.		우주 정거장에서는 중력을 느낄 수 없다. → 우주 정거장에서 측정한 물체의 무게는 0이다.
질량	달과 우주 정거장에서 측정한 물체의 질량은 지구에서 측정한 질량과 같다. → 질량은 6 kg이다.		

정답과 해설 060쪽

개념 빌드업

1. **핵심 개념** 지구가 물체를 당기는 힘을 ________(이)라고 하고, ________ 방향으로 작용한다.

2. 물체에 작용하는 중력의 크기를 ________(이)라고 한다.

3. 지구에서 질량이 30 kg인 물체를 달에 가져가면 질량이 ________ kg으로 측정되고, 무게는 ________ N으로 측정된다. (단, 지구에서 질량이 1 kg인 물체의 무게는 9.8 N이다.)

양팔저울이나 윗접시저울로 질량을 측정하는 원리

양팔저울이나 윗접시저울은 무게를 측정하는 것이 아니라 수평 잡기의 원리를 이용하여 분동과 물체에 작용하는 중력의 크기를 비교하는 것이다. 따라서 장소에 따라 분동의 무게와 물체의 무게가 달라져도 같은 비율로 달라지기 때문에, 장소와 관계없이 수평을 이룬다. 단, 중력이 작용하지 않는 곳에서는 무게를 측정할 수 없다.

일상생활에서 kg이나 g을 무게의 단위로 사용하는 까닭

일상생활에서는 가정용 저울로 무게를 측정할 때 질량의 단위인 kg이나 g을 사용한다. 그 까닭은 지구 표면에서 물체의 무게가 질량에 비례하므로 가정용 저울로 무게를 측정하면 질량의 단위로 환산할 수 있기 때문이다.

1. 탄성과 탄성력

용어 변형
모양이나 형태가 달라지거나 달라지게 하는 것

(1) 탄성: 힘을 받아 변형된 물체가 원래 모양으로 되돌아가려는 성질이다.
(2) 탄성체: 탄성을 가진 물체이다.
　　예 용수철, 고무줄, 고무 띠 등
(3) 탄성력: 변형된 물체가 원래 모양으로 되돌아가려는 힘이다.

2. 탄성력의 방향과 크기

(1) 탄성력의 방향
　① 탄성체에 작용하는 힘의 방향과 반대 방향으로 작용한다.
　② 탄성체를 변형시켰을 때 탄성체가 원래 모양으로 되돌아가려는 방향으로 작용한다.
(2) 탄성력의 크기
　① 탄성력의 크기는 탄성체에 작용한 힘의 크기와 같다.
　② 탄성력의 크기는 탄성체의 변형 정도가 클수록 커진다. → 탄성력의 크기는 탄성체의 변형 정도에 비례한다.

탄성 한계
물체에 작용하는 힘의 크기가 어느 한계 이상이 되면 작용한 힘이 없어져도 물체가 원래 모양으로 되돌아가지 못한다. 이때 물체가 원래 모양으로 되돌아갈 수 있는 힘의 한계를 탄성 한계라고 한다.

3. 용수철에 작용하는 탄성력

(1) 용수철을 손으로 잡아당기거나 누를 때
　① 용수철을 오른쪽으로 잡아당기면 탄성력의 크기는 당기는 힘의 크기와 같고, 탄성력의 방향은 왼쪽이다.

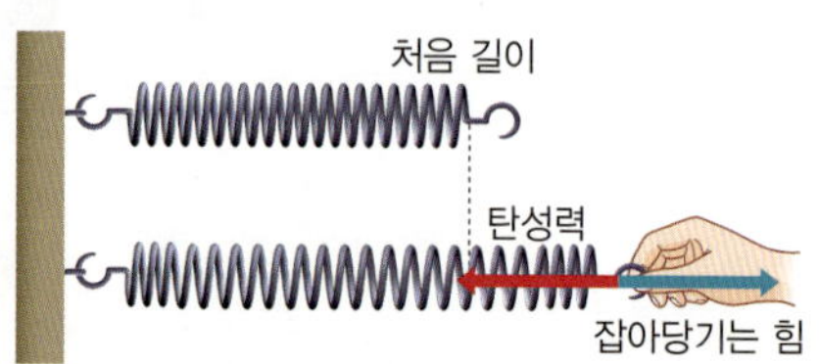

　② 용수철을 왼쪽으로 누르면 탄성력의 크기는 누르는 힘의 크기와 같고, 탄성력의 방향은 오른쪽이다.

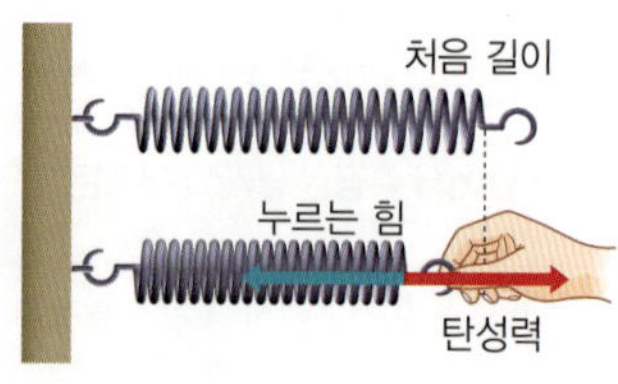

(2) 용수철에 추를 매달았을 때
　① 탄성력의 방향: 용수철에 추를 매달면 중력의 반대 방향으로 탄성력이 작용한다. 두 힘의 크기가 같으면 용수철이 더 이상 늘어나지 않고 추가 매달린 상태로 정지하게 된다.

용수철에 추를 매달면 용수철은 추에 작용하는 중력에 의해 아래 방향으로 늘어난다. 이때 용수철의 탄성에 의해 용수철이 원래 모양으로 되돌아가려고 하므로 탄성력은 중력의 반대 방향으로 작용한다.

② 용수철의 탄성력의 크기: 용수철에 추를 많이 매달수록 용수철이 많이 늘어난다. → **용수철이 늘어난 길이는 용수철의 탄성력의 크기에 비례한다.** 탐구 018쪽

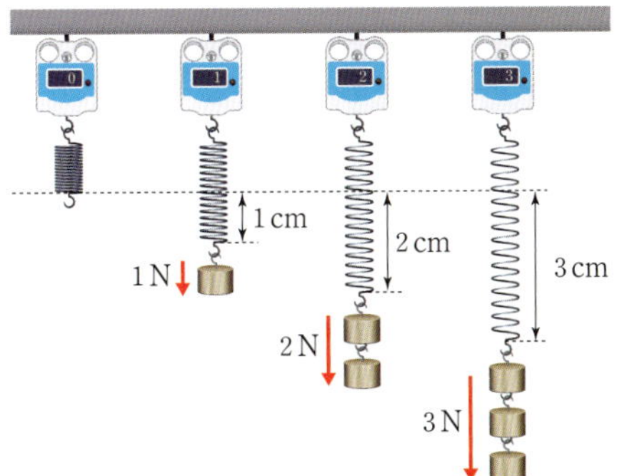

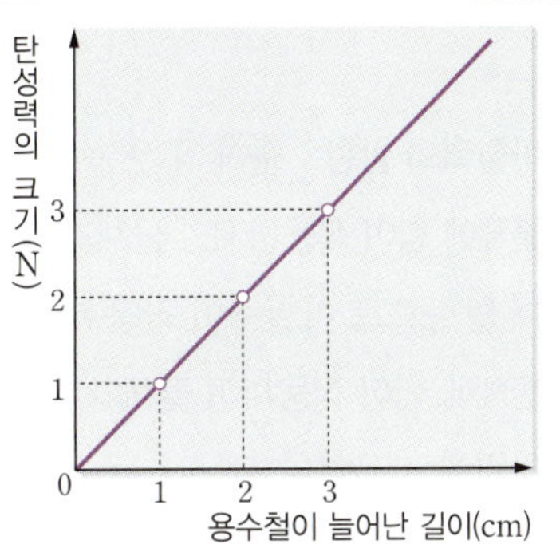

고무줄의 탄성력과 변형 정도의 관계

고무줄은 길이가 늘어날수록 굵기가 가늘어지므로, 고무줄의 탄성력은 늘어난 길이에 정비례하지 않고 늘어난 길이가 길수록 탄성력이 커지는 경향이 있다. 따라서 고무줄을 세게 당길수록 탄성력의 크기가 커지며, 탄성력의 방향은 고무줄을 당기는 힘의 방향과 반대 방향이다.

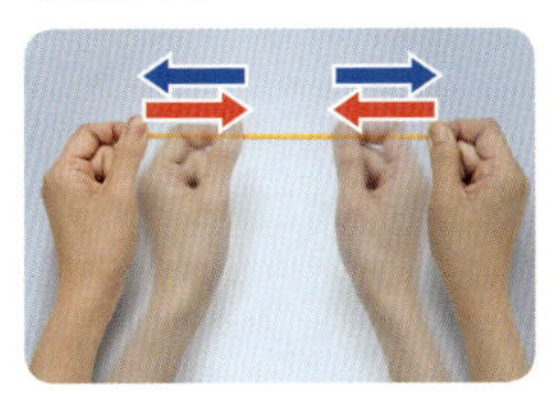

4. 탄성력의 이용 우리 주변에는 스포츠, 놀이기구, 문구류나 스마트 기기 거치대 등 다양한 방면에서 탄성과 탄성력을 많이 이용한다.

장대높이뛰기	집게

장대높이뛰기 선수는 장대의 탄성력을 이용하여 높이 뛰어오른다.	집게의 탄성력으로 많은 양의 종이를 묶음으로 보관할 수 있다.
트램펄린	스마트 기기 거치대
	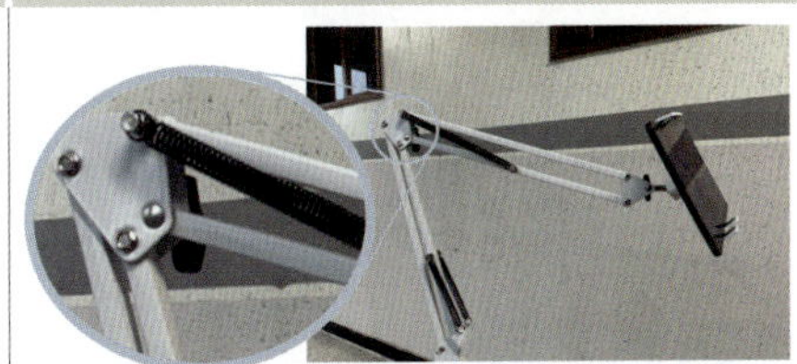
트램펄린 위에서 뛰면 탄성력에 의해 더 높이 뛸 수 있다.	용수철의 탄성력에 의해 스마트 기기를 다양한 각도로 단단하게 고정할 수 있다.

정답과 해설 060쪽

개념 빌드업

1.  핵심 개념 힘을 받아 변형된 물체가 원래 모양으로 되돌아가려는 성질을 _________이라고 하고, 원래 모양으로 되돌아가려는 힘을 _________(이)라고 한다.

2. 용수철을 5 N의 힘으로 오른쪽으로 당겼을 때, 용수철의 탄성력의 크기는 _________ N이고, 방향은 (오른쪽, 왼쪽)이다.

3. 용수철이 늘어난 길이는 용수철의 탄성력의 크기에 (비례, 반비례)한다.

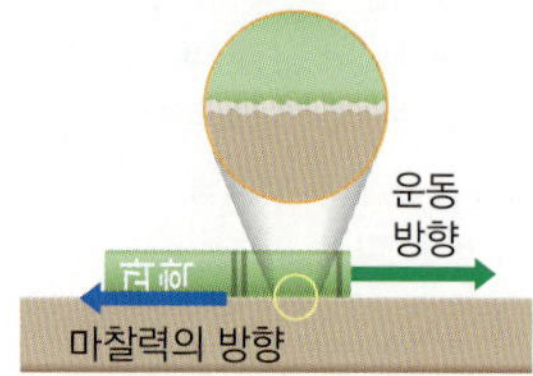

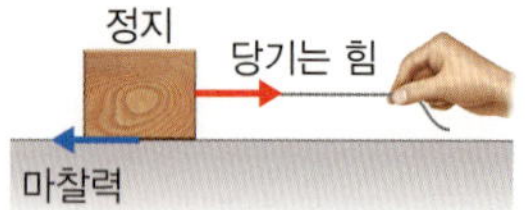

- 정지해 있는 경우: 물체에 작용
한 힘의 크기와 마찰력의 크기가
같다.
- 운동하는 경우: 물체가 움직이기
시작하는 순간 물체에 작용한
힘의 크기와 마찰력의 크기가
같다.

5 마찰력

1. 마찰력 두 물체의 접촉면에서 물체의 운동을 방해하는 힘이다.

2. 마찰력의 방향 물체의 운동을 방해하는 방향으로 작용한다.

(1) 물체에 힘이 작용하지만 물체가 움직이지 않는 경우: 물체에 작용하는 힘의 방향과 반대 방향으로 마찰력이 작용한다.

(2) 물체에 힘이 작용하여 물체가 운동하는 경우: 물체의 운동 방향과 반대 방향으로 마찰력이 작용한다.

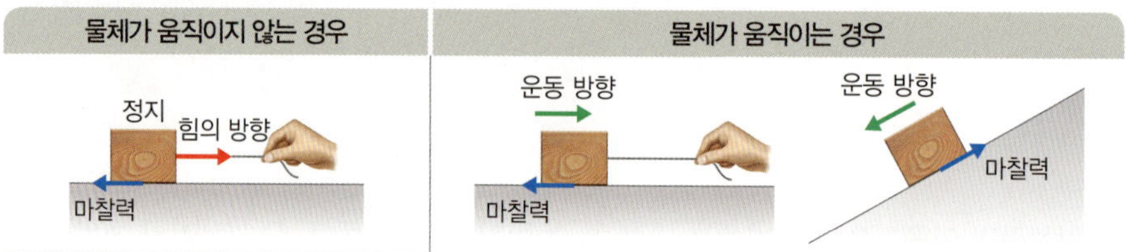

3. 마찰력의 크기 과학 용어 사전 147쪽

마찰력의 크기는 접촉면의 넓이와는 관계가 없다.

(1) 접촉면의 거칠기와 마찰력: 접촉면이 거칠수록 마찰력의 크기가 크다.

(2) 물체의 무게와 마찰력: 물체의 무게가 무거울수록 마찰력의 크기가 크다.

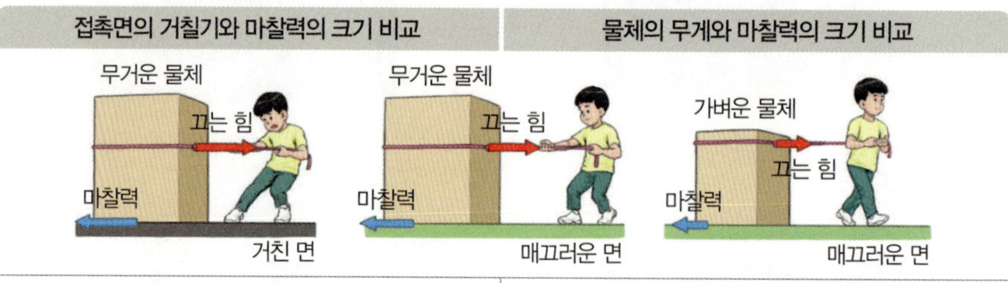

물체를 끌 때 매끄러운 면보다 거친 면에서 더 큰 힘을 작용해야 한다. ⟶ 접촉면이 거칠수록 물체에 작용하는 마찰력이 더 크기 때문이다.

가벼운 물체보다 무거운 물체를 끌 때 더 큰 힘을 작용해야 한다. ⟶ 물체가 무거울수록 물체에 작용하는 마찰력이 더 크기 때문이다.

탐구➕ 마찰력의 크기에 영향을 주는 요인

(가)~(라)와 같이 바닥면의 거칠기, 나무 도막의 개수, 접촉면의 넓이를 다르게 하고, 나무 도막을 용수철저울에 매달아 서서히 끌어당긴다. 나무 도막이 움직이기 시작할 때의 용수철저울의 눈금을 측정하였더니 다음과 같았다.

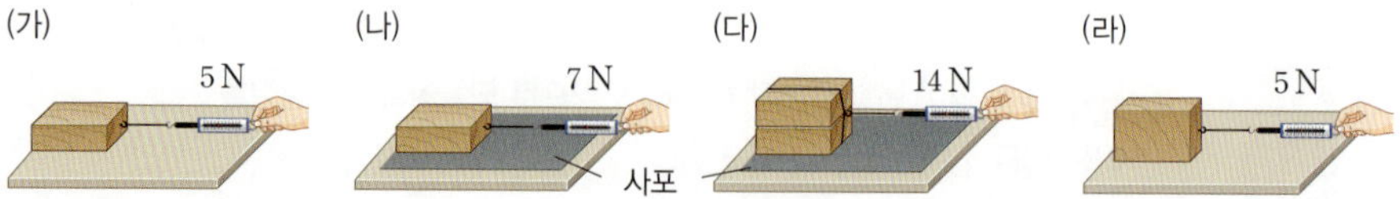

① (가)와 (나)에서 마찰력의 크기 비교: (가)<(나) ⟶ 접촉면이 거칠수록 마찰력이 크다.

② (나)와 (다)에서 마찰력의 크기 비교: (나)<(다) ⟶ 물체의 무게가 무거울수록 마찰력이 크다.

③ (가)와 (라)에서 마찰력의 크기 비교: (가)=(라) ⟶ 마찰력의 크기는 접촉면의 넓이와 관계없다.

4. 마찰력의 이용

(1) 마찰력이 커야 편리한 경우

① 자전거 제동 장치를 작동시키면 마찰력이 커져 자전거 바퀴가 멈춘다.

② 자동차 바퀴에 스노우 체인을 감으면 마찰력이 커져 눈길에서 잘 미끄러지지 않는다.

③ 등산화 바닥은 울퉁불퉁해 마찰력이 크므로 잘 미끄러지지 않는다.

④ 겨울철 눈이 쌓이거나 얼음이 덮인 길에 모래를 뿌리면 마찰력이 커져 잘 미끄러지지 않는다.

(2) 마찰력이 작아야 편리한 경우

① 스노보드 바닥에 왁스를 바르면 마찰력이 작아져 눈 위에서 더 잘 미끄러진다.

② 컬링 경기에서 브러시로 얼음판을 문질러 마찰력을 조절하여 스톤을 과녁에 넣는다.

③ 자전거 체인과 같이 기계끼리 닿아 움직이는 부분에 윤활유를 칠하면 마찰력이 작아져 잘 움직인다.

④ 미끄럼틀에 물을 흘려주면 마찰력이 작아져 잘 미끄러진다.

등산화 바닥 마찰력을 크게 하기 위해 바닥이 울퉁불퉁하다.

컬링 경기 브러시로 얼음판의 마찰력을 조절한다.

컬링화는 짝짝이라고?
컬링화는 양쪽 바닥의 재질을 다르게 하여 빙판 위에서 자유롭게 미끄러지고 멈출 수 있게 한다. 디딤발은 미끄러지지 않도록 특수 고무로, 반대 발은 잘 미끄러지도록 테프론 소재로 만든다.

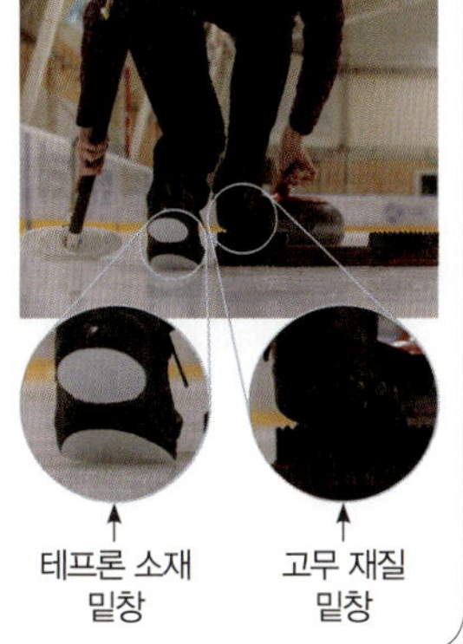

용어 윤활유

기계가 맞닿은 부분의 마찰을 줄이기 위하여 쓰는 기름

자료+ 미끄러지는 물체에 작용하는 마찰력

물체는 미끄러지는 동안 미끄러지는 방향과 반대 방향으로 마찰력이 작용한다. 미끄러지는 물체에 마찰력이 계속 작용하면 결국 정지한다. 이때 물체가 미끄러지는 동안 접촉면이 거칠수록 마찰력이 크게 작용하여 미끄러진 거리가 짧다.

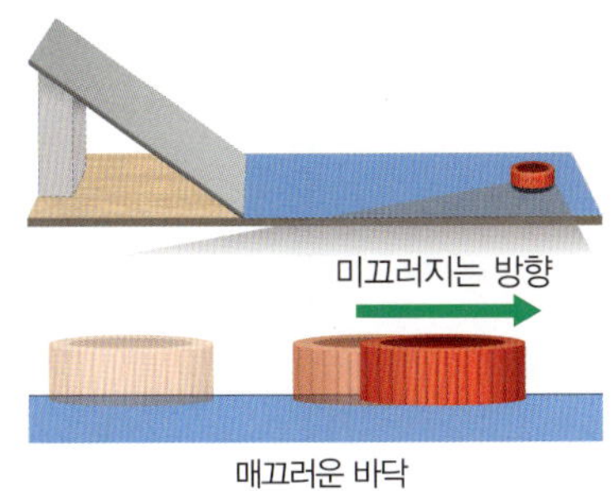

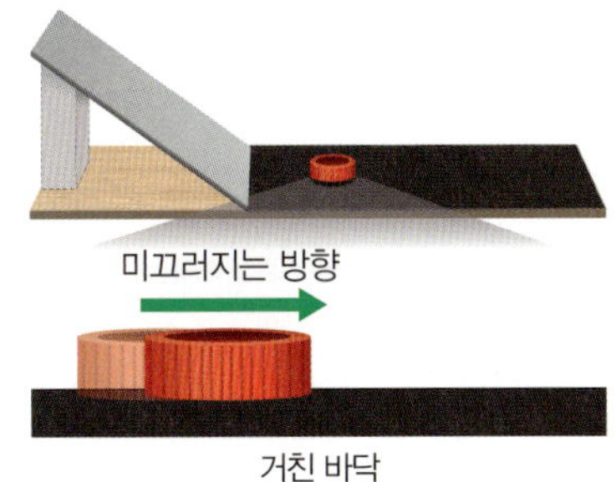

정답과 해설 060쪽

개념 빌드업

1. **핵심 개념** 두 물체의 접촉면에서 물체의 운동을 방해하는 힘을 __________(이)라고 한다.

2. 힘이 작용하여도 정지해 있는 물체에는 힘의 방향과 (같은, 반대) 방향으로 마찰력이 작용한다.

3. 물체의 무게가 (가벼울수록, 무거울수록), 접촉하는 면이 (매끄러울수록, 거칠수록) 물체에 작용하는 마찰력이 크다.

부력은 물속에서만 작용하는 것이 아니라 공기 중에서도 작용한다. 우리는 공기 중에서 생활하므로 우리 몸에도 항상 부력이 작용하고 있다. 다만 같은 물체에 작용하는 부력의 크기는 공기 중에서보다 물속에서 약 816배 크다.

부력의 크기를 측정하는 다른 방법

물이 가득 든 비커에 물체를 넣었을 때 넘친 물의 무게는 물체에 작용하는 부력의 크기와 같다.
└── 아르키메데스의 원리

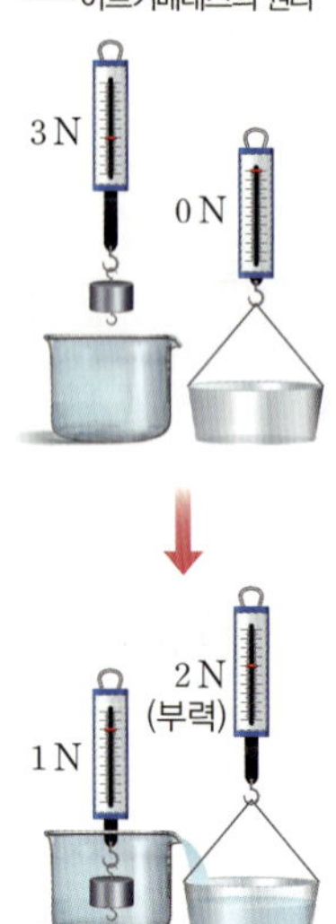

화물선의 물에 잠긴 부피 비교

6 부력

1. 부력 액체나 기체가 그 속에 있는 물체를 위로 밀어 올리는 힘이다.

2. 부력의 방향 물체를 밀어 올리는 방향, 즉 중력과 반대 방향으로 작용한다.

탐구+ 부력의 방향

막대 양쪽 끝에 동일한 추를 매달아 수평을 맞춘 뒤 추를 컵에 각각 넣고, 한쪽 컵에만 추가 물에 잠길 때까지 물을 넣으면 물속에 잠긴 추 쪽의 나무 막대가 올라간다.

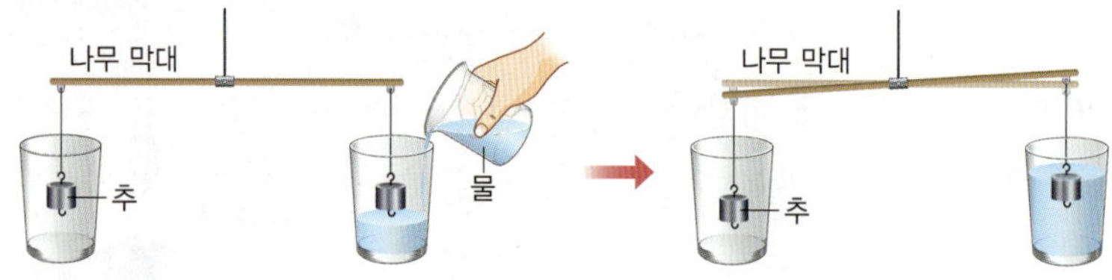

• 물속에 잠긴 추에 물이 위로 밀어 올리는 힘이 작용한다. ⟶ 부력은 물체를 위로 밀어 올리는 방향, 즉 중력과 반대 방향으로 작용한다.

3. 부력의 크기

(1) **부력의 크기 측정**: 용수철저울로 측정할 때 물체에 작용하는 부력의 크기는 물체가 물에 잠기기 전후 용수철저울의 눈금 값의 차와 같다. 탐구 019쪽

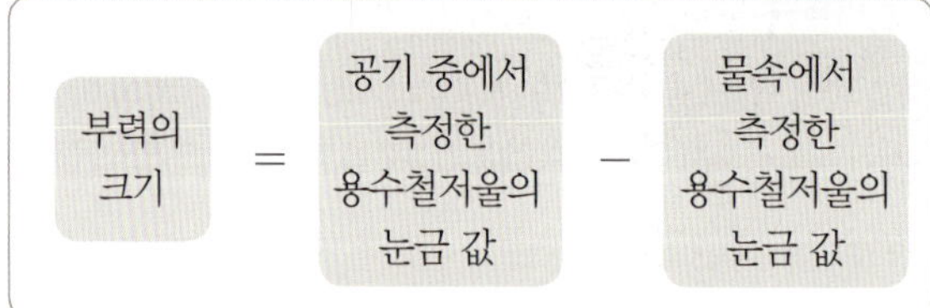

(2) **물에 잠긴 물체의 부피가 클수록 물체에 작용하는 부력의 크기가 더 크다.**

① 용수철저울에 매단 물체에 작용하는 부력의 크기: 용수철저울에 10 N의 물체를 매달고 물에 일부만 담갔을 때((가))와 물에 모두 담갔을 때((나)) 용수철저울의 눈금이 다르다. 물체를 물에 일부만 담갔을 때보다 모두 담갔을 때 물체에 작용하는 부력의 크기가 더 크다.

② 화물선에 작용하는 부력의 크기: 짐을 싣지 않은 화물선은 물속에 잠긴 부피가 작지만, 짐을 가득 실은 화물선은 물속에 잠긴 부피가 크므로 부력이 더 크게 작용한다.

공기 중에서 측정한 물체의 무게가 10 N이고 물속에서 측정한 물체의 무게가 6 N이므로 물체에 작용하는 부력의 크기는 10 N−6 N=4 N이다.

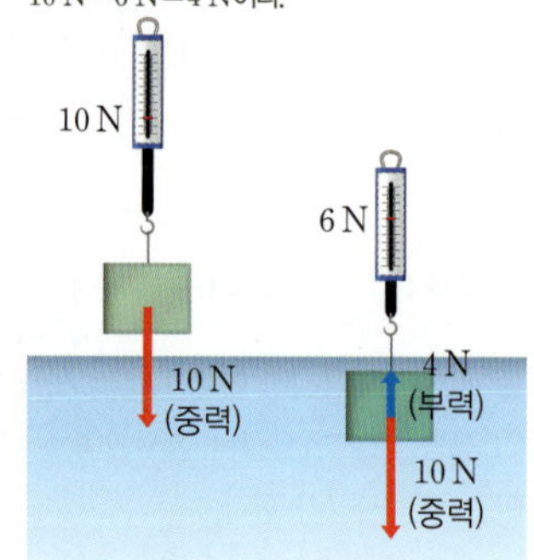

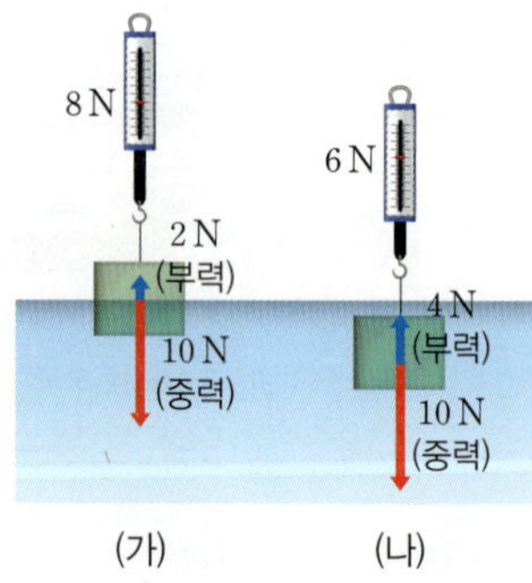

같은 무게의 금속이라도 덩어리를 물에 넣으면 물에 잠긴 부피가 작아서 부력의 크기가 작아 물속에 가라앉지만, 배로 만들면 물에 잠긴 부피가 커져 부력의 크기가 커지므로 물 위에 뜬다.

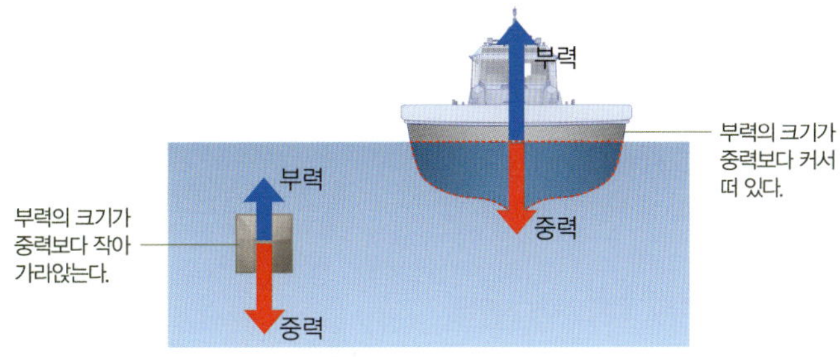

4. 부력의 이용

(1) 액체 속에서 받는 부력

과학 용어 사전 **148쪽**

튜브	테왁	잠수함

튜브는 부력을 받아 물에 쉽게 뜰 수 있다.	테왁이 받는 부력 때문에 해녀는 테왁을 잡고 잠시 쉴 수 있다.	잠수함은 부력과 중력을 이용해 물에 뜨고 가라앉을 수 있다.

(2) 기체 속에서 받는 부력

헬륨 풍선	풍등	열기구

헬륨 풍선이 부력을 받아 위로 올라간다.	풍등이 부력을 받아 하늘 위로 올라간다.	열기구 안의 공기가 뜨거워지면 부력을 받아 하늘 위로 올라간다.

알면 바다 과학

다이버는 중성 부력을 연습한다고?

적은 에너지로 물속에서 효율적으로 유영하기 위해 다이버는 중성 부력을 연습한다. 중성 부력은 중력과 부력의 크기가 같아 물에 뜨지도, 가라앉지도 않는 상태이다. 다이버는 부력 조절 장치, 무게 추 벨트, 호흡을 이용해 중력과 부력의 크기를 조절하며 스쿠버다이빙을 즐긴다.

정답과 해설 060쪽

개념 빌드업

1. **핵심 개념** 액체나 기체가 그 속에 있는 물체를 위로 밀어 올리는 힘을 ________(이)라고 한다.

2. 액체나 기체 속에 잠긴 물체의 부피가 (클수록, 작을수록) 부력이 크다.

3. 무게가 10 N인 물체를 용수철저울에 매달아 물속에 넣었을 때 용수철저울의 눈금이 7 N이라면, 이때 물체에 작용하는 부력의 크기는 ________ N이다.

실험 영상

용수철의 탄성력 측정하기

목표 | 용수철을 이용하여 탄성력의 크기를 측정할 수 있다.

과정 

❶ 그림과 같이 역학 장치, 용수철, 힘 센서를 설치한다.

❷ 용수철을 당겨 용수철이 늘어난 길이가 각각 2 cm, 4 cm, 6 cm, 8 cm, 10 cm일 때의 힘의 크기를 측정하고, 용수철이 늘어난 길이를 센서 분석 앱에 입력한다.

❸ 센서 분석 앱에 그려진 용수철이 늘어난 길이와 힘의 크기 사이의 관계 그래프를 확인한다.

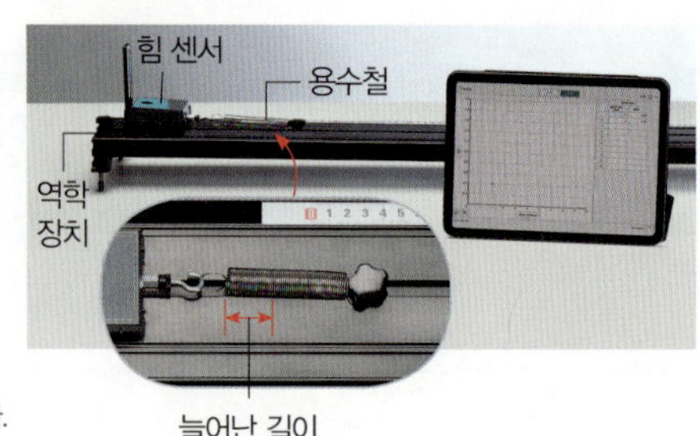

유의점 ✔ 용수철이 늘어난 길이는 늘어난 용수철의 전체 길이에서 처음 길이를 뺀 값과 같다.

결과 및 정리 

용수철이 늘어난 길이(cm)	2	4	6	8	10
힘의 크기(N)	0.2	0.4	0.6	0.8	1.0

탄성력의 크기는 용수철이 늘어난 길이에 비례한다.

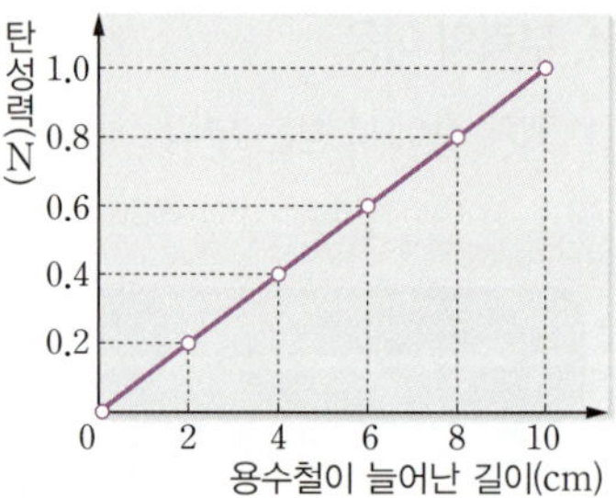

용수철을 당기는 힘과 용수철의 탄성력

용수철은 당기는 힘에 의해 길이가 늘어나며, 용수철이 정지해 있을 때 탄성력의 크기는 당기는 힘의 크기와 같지만 반대 방향으로 작용한다.

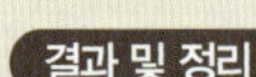

같은 주제 다른 탐구

과정 스탠드에 용수철과 자를 설치하고, 용수철에 질량이 50 g인 추를 한 개씩 걸 때마다 용수철이 늘어난 길이를 각각 측정한다. 추의 무게와 용수철이 늘어난 길이 사이의 관계를 확인한다.

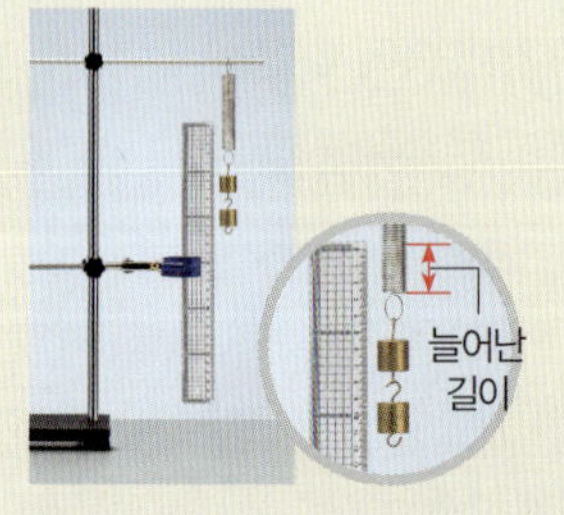

결과 및 정리 추의 무게와 용수철이 늘어난 길이는 비례한다.

└→ 탄성력의 크기는 용수철이 늘어난 길이에 비례한다.

탐구 확인 문제

정답과 해설 060쪽

1 빈칸에 알맞은 말을 고르시오.

(1) 용수철을 당기는 힘이 클수록 용수철이 늘어난 길이가 (작다, 크다).

(2) 용수철을 당기는 힘의 크기 (>, =, <) 용수철의 탄성력의 크기

(3) 용수철의 탄성력은 용수철이 늘어난 길이에 (비례, 반비례)한다.

2  적용 그림은 용수철의 탄성력과 용수철이 늘어난 길이 사이의 관계를 나타낸 것이다. 용수철을 당겨 용수철이 12 cm 늘어났다면 용수철의 탄성력의 크기는 몇 N인지 구하시오.

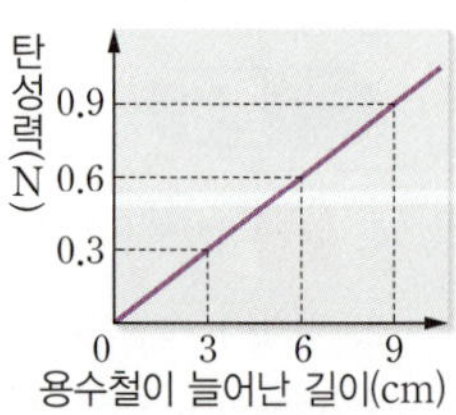

물속에서 부력 측정하기

실험 영상

목표 | 물속에 있는 물체에 작용하는 부력의 크기를 측정하고 부력이 작용하는 방향과 부력의 크기에 영향을 주는 요인을 설명할 수 있다.

과정
❶ 용수철저울에 추를 매달고 용수철저울의 눈금을 읽는다.
❷ 추를 물에 반쯤 잠기게 넣고, 용수철저울의 눈금을 읽는다.
❸ 추를 물속에 완전히 잠기게 넣고, 용수철저울의 눈금을 읽는다.

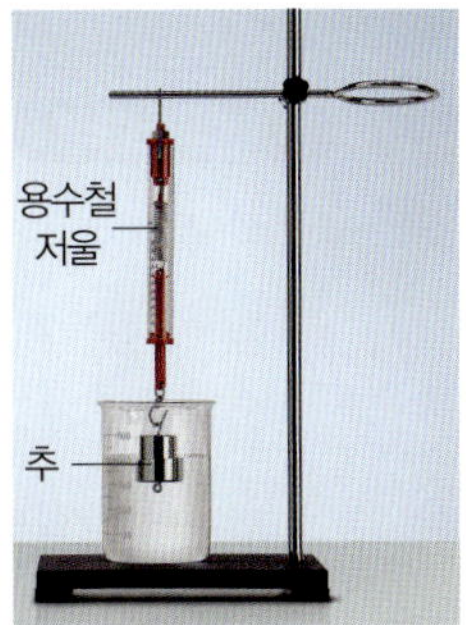

결과 및 정리

과정	❶ 추가 물에 잠기기 전	❷ 추가 물에 반쯤 잠겼을 때	❸ 추가 물에 완전히 잠겼을 때
측정 값	2 N	1.85 N	1.7 N
감소한 값	0	0.15 N	0.3 N

1 추가 물에 잠겼을 때 용수철저울의 눈금 값이 감소하므로 물체를 밀어 올리는 방향, 즉 중력과 반대 방향으로 힘이 작용한다.

2 추가 물에 잠겼을 때 감소한 용수철저울의 눈금 값은 추를 밀어 올리는 힘인 부력의 크기이다.

3 과정 ❷보다 과정 ❸에서 감소한 용수철저울의 눈금 값이 더 크므로 물속에 잠긴 물체의 부피가 클수록 물체에 작용하는 부력이 크다.

용수철저울의 눈금 값과 부력의 크기
부력의 크기 = 공기 중에서 용수철저울의 눈금 값 − 물속에서 용수철저울의 눈금 값

같은 주제 다른 탐구

과정 물이 담긴 수조에 풍선을 띄우고, 저울로 풍선을 눌러 물에 조금씩 밀어 넣는다. 이때 저울의 바늘이 가리키는 눈금이 어떻게 변하는지 관찰한다.
→ 물속에 잠긴 풍선의 부피가 커질수록 저울의 눈금이 커진다.

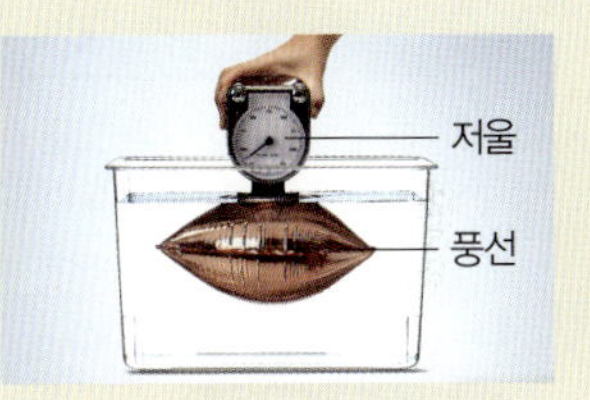

결과 및 정리 물속에 잠긴 물체의 부피가 클수록 물체에 작용하는 부력이 크며, 부력은 물체를 위로 밀어 올리는 방향, 즉 중력과 반대 방향으로 작용한다.

탐구 확인 문제

정답과 해설 060쪽

1 위 탐구에 대한 설명으로 옳은 것은 ○, 옳지 <u>않은</u> 것은 × 로 표시하시오.

(1) 추가 물에 잠겼을 때 용수철저울의 눈금 값이 감소하는 까닭은 부력이 중력과 반대 방향으로 작용하기 때문이다. ··· (　　)

(2) 추가 물에 잠겼을 때 측정한 용수철저울의 눈금 값은 추에 작용한 부력의 크기이다. ··················· (　　)

(3) 물속에 잠긴 추의 부피가 클수록 부력이 크다.
·· (　　)

2 적용 그림과 같이 용수철저울에 추를 매달았더니 물 밖에서 용수철저울의 눈금 값이 20 N, 물속에서 17 N이었다. 이때 추에 작용하는 부력의 크기를 쓰고, 부력의 방향을 화살표로 표현하시오.

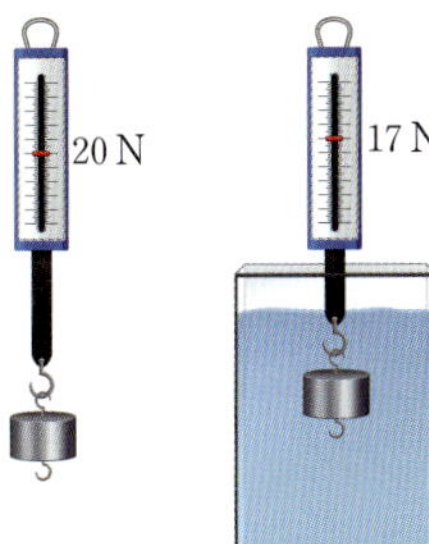

힘의 합성과 분해

힘은 방향과 크기를 갖는 물리량으로 힘을 합성할 때는 일반적으로 더하고 빼는 연산의 방법으로 계산할 수 없다. 여러 개의 힘을 기하학적으로 합성하고, 하나의 힘을 분해하는 방법을 익혀 보자.

정답과 해설 060쪽

① 힘의 합성

한 물체에 나란하지 않은 여러 힘이 작용할 때 이 힘들과 같은 효과를 내는 하나의 힘인 알짜힘(합력)을 구하는 방법으로 평행사변형법과 삼각형법이 있다. 두 방법으로 구한 알짜힘은 같다.

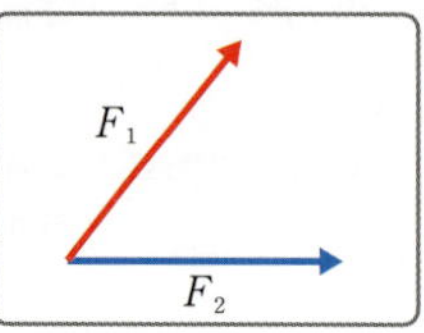

평행사변형법

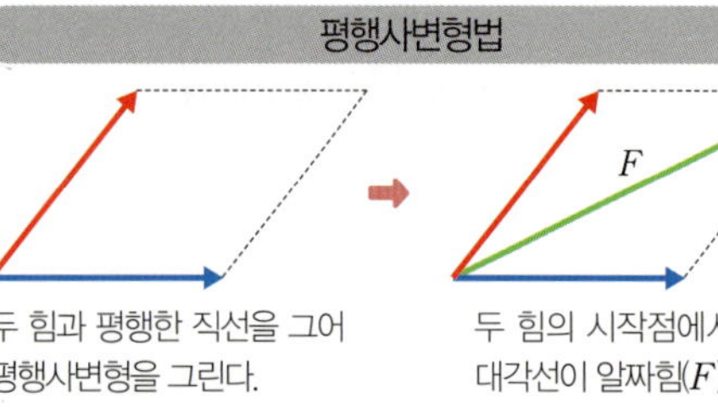

두 힘과 평행한 직선을 그어 평행사변형을 그린다.

두 힘의 시작점에서 그린 대각선이 알짜힘(F)이다.

삼각형법

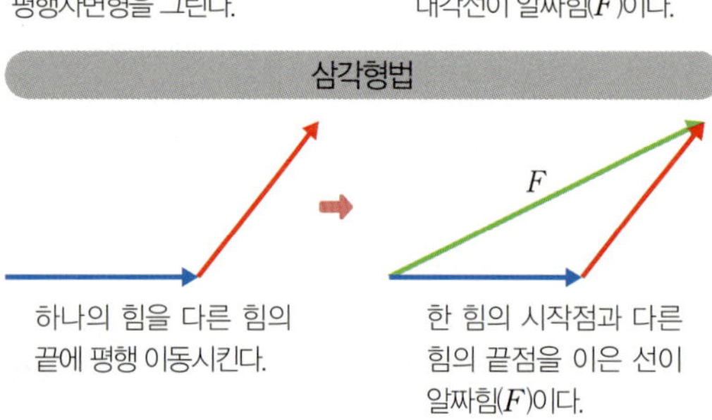

하나의 힘을 다른 힘의 끝에 평행 이동시킨다.

한 힘의 시작점과 다른 힘의 끝점을 이은 선이 알짜힘(F)이다.

연습 문제

①-1 두 힘 F_1과 F_2가 한 점에 동시에 작용하고 있다. 알짜힘의 크기와 방향을 구하시오. (단, 눈금 1칸은 1 N이다.)

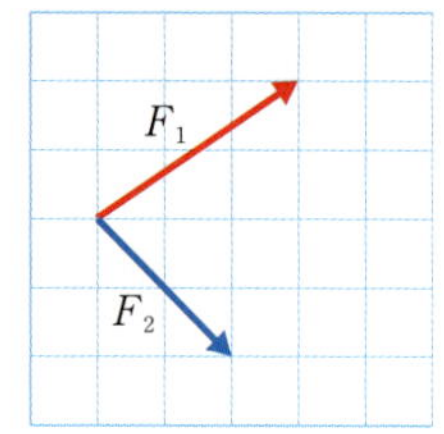

①-2 한 물체에 3 N과 5 N의 힘이 동시에 작용할 때 알짜힘의 최댓값과 최솟값을 구하시오.

② 힘의 분해

힘의 합성과 반대로 하나의 힘을 두 개 이상으로 분해하는 것으로, 여러 가지 방법으로 분해할 수 있지만 일반적으로 수직 성분과 수평 성분으로 나눈다.

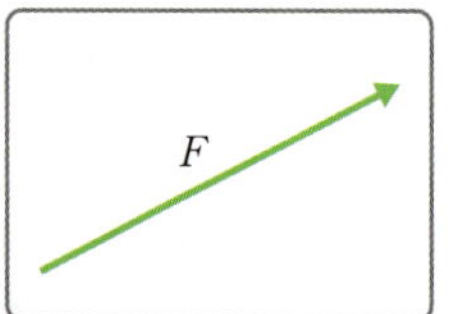

F를 평행사변형으로 분해하는 방법

F를 수직 성분과 수평 성분으로 분해하는 방법

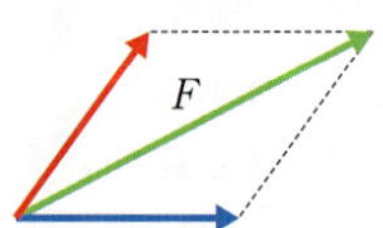

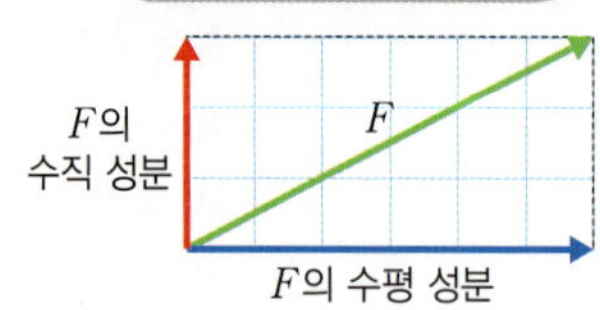

평행사변형을 그려 다른 방향, 다른 크기의 힘으로 분해할 수 있다.

직사각형을 그려서 수직 성분과 수평 성분으로 분해할 수 있다.

연습 문제

② 그림과 같이 힘이 작용하고 있다. (단, 눈금 1칸은 1 N이다.)

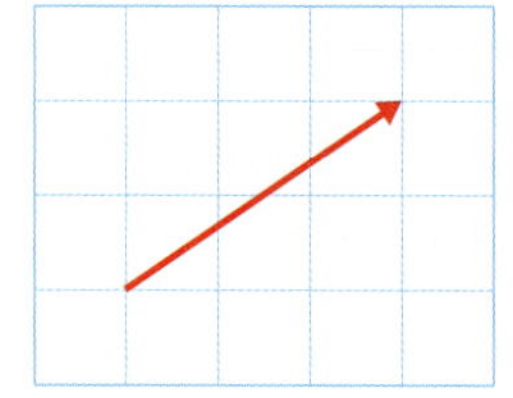

(1) 이 힘의 수평 성분의 힘의 크기를 구하시오.

(2) 이 힘의 수직 성분의 힘의 크기를 구하시오.

탄성력과 부력에 영향을 주는 요인

탄성력의 크기는 탄성체가 많이 변형될수록 크고, 부력의 크기는 물체의 부피가 클수록 크다. 탄성력과 부력의 크기에 영향을 주는 요인에는 무엇이 더 있는지 찾아보자.

1 탄성력에 영향을 주는 요인

탄성력은 물체에 힘이 작용하여 물체가 변형되었을 때 원래 모양으로 되돌아가려는 힘으로, 물체에 작용한 힘의 방향과 반대 방향으로 작용한다. 탄성력의 크기는 물체에 작용한 힘의 크기와 같으며, 탄성체의 변형 정도에 비례한다.

예를 들어 용수철을 잡아당겼을 때 용수철에 작용하는 탄성력 F의 크기와 용수철이 변형된 길이 x는 다음과 같은 비례 관계가 있다.

$$F = kx \quad [k: \text{용수철 상수(단위: N/m)}]$$

이를 훅의 법칙(Hook's Law)이라고 한다. 용수철 상수는 용수철의 종류에 따라 다르며, 값이 커질수록 변형되기 어렵다는 것을 의미한다.

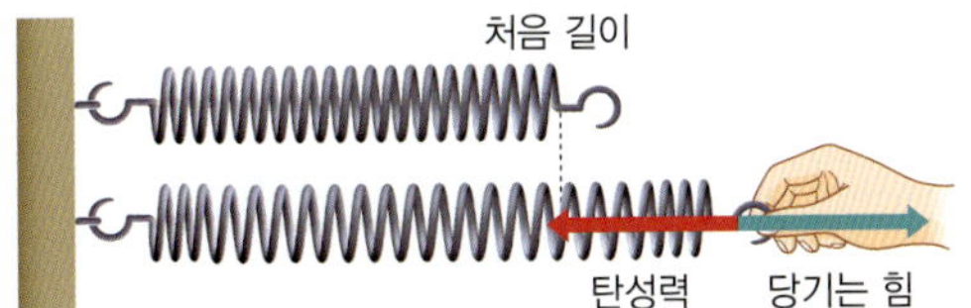

용수철을 잡아당겼을 때 용수철이 늘어난 길이
용수철을 잡아당겼을 때 용수철이 늘어난 만큼 탄성력이 커진다. 만약 그림의 용수철을 10 N의 힘으로 잡아당기고 있고, 용수철 상수가 100 N/m라면 용수철이 늘어난 길이 x는 10 N = 100 N/m × x에서 $x = 0.1$ m이다.

2 부력에 영향을 주는 요인

액체나 기체와 같은 유체 속에 있는 물체는 압력을 받는다. 압력은 단위 면적에 수직으로 작용하는 힘이다. 예를 들어 정육면체의 물체가 물속에 있을 때 물속 깊은 곳으로 갈수록 압력이 높아진다. 이때 물체의 윗면에 작용하는 압력보다 아랫면에 작용하는 압력이 커서 물체는 위쪽으로 힘을 받는데, 이 힘을 부력이라고 하고 크기(F_b)는 다음과 같다.

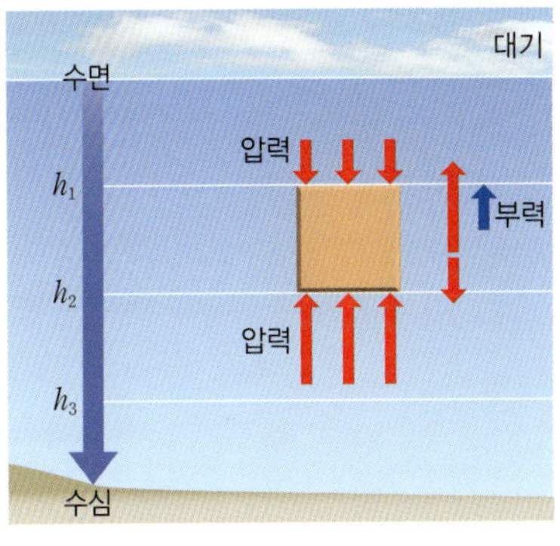

$$F_b = \rho g V \quad (\text{유체의 밀도 } \rho, \text{ 중력 가속도 } g, \text{ 물체가 유체에 잠긴 부피 } V)$$

즉, 부력의 크기는 물체가 잠긴 유체의 밀도가 클수록, 유체에 잠긴 부피가 클수록 크다. 또한 중력이 없다면 중력 가속도가 0이므로 부력이 작용하지 않는다.

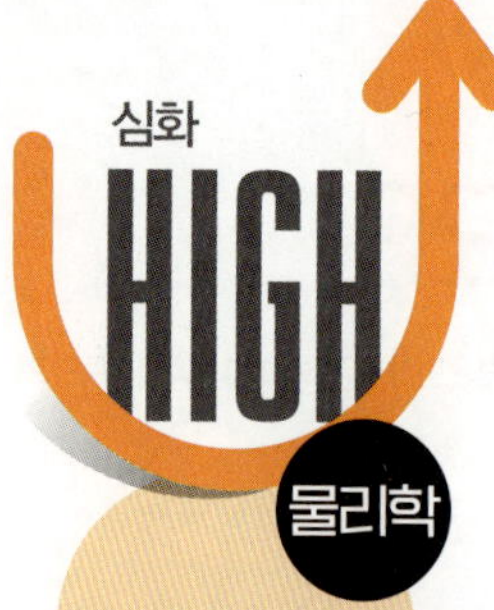

힘을 이용한 도구

힘의 크기를 바꾸거나 힘의 방향을 바꾸어 힘을 효과적으로 이용할 수 있게 해 주는 지레와 도르래의 원리를 알아보자.

1 힘을 이용한 도구

가정용 저울은 수평 잡기의 원리를 이용한다. 받침점으로부터 같은 거리만큼 떨어진 양쪽에 같은 무게의 물체를 달면 저울이 수평이 된다. 만약 받침점으로부터 한쪽의 거리가 짧아지면 짧아진 쪽에 달린 물체의 무게가 반대쪽보다 무거워야 수평이 된다. 이것을 활용하여 받침점으로부터의 거리를 변화시켜서 작용하는 힘의 크기나 방향을 바꾸는 도구들이 있다. 그 중에서 지레는 받침과 지렛대를 사용하여 물체를 움직이는 장치로, 물체를 움직이는 데 필요한 힘의 크기나 방향을 바꿀 수 있다. 지레에는 지레를 받치는 받침점, 힘이 작용하는 힘점, 물체에 힘이 작용하는 작용점이라는 요소가 있으며, 이 세 요소의 위치에 따라 세 종류로 나뉜다.

구분	1종 지레	2종 지레	3종 지레
특징	힘점과 받침점 사이의 거리가 작용점과 받침점 사이의 거리보다 커 힘이 적게 든다.		작용점과 받침점 사이의 거리가 힘점과 받침점 사이의 거리보다 커 힘이 더 들지만 정교하고 세밀한 작업을 하거나 물체를 빨리 움직일 수 있다.
예시	가위, 장도리, 시소, 펜치 등	병따개, 호두까기, 작두 등	핀셋, 젓가락, 집게, 낚싯대 등

물체를 움직일 때 힘의 방향을 바꾸거나 힘의 크기를 변화시키는 도구로 도르래가 있다. 도르래는 축을 중심으로 돌 수 있게 만든 홈이 패어 있는 바퀴이다.

고정 도르래는 도르래가 고정되어 있으며 줄을 당기면 물체를 당기는 힘의 방향과 반대 방향으로 물체가 이동하므로 힘의 방향이 바뀐다. 줄과 같은 물체의 양쪽 끝이 힘을 받아 팽팽할 때 그 줄의 각 점에 작용하는 당기는 힘을 장력이라고 하는데, 도르래와 실의 질량 및 마찰을 무시할 때 고정 도르래에서 줄을 당겨 물체를 들어 올린 상태로 정지해 있으면 물체에 작용한 중력과 물체에 작용하는 장력이 평형을 이룬다.

반면 움직 도르래는 줄을 당기면 도르래가 움직이며 물체가 장력과 같은 방향으로 이동하므로 힘의 방향을 바꿀 수는 없다. 하지만 도르래 양쪽에서 장력이 작용하여 물체를 움직이는 데 필요한 힘의 크기를 절반으로 줄일 수 있다.

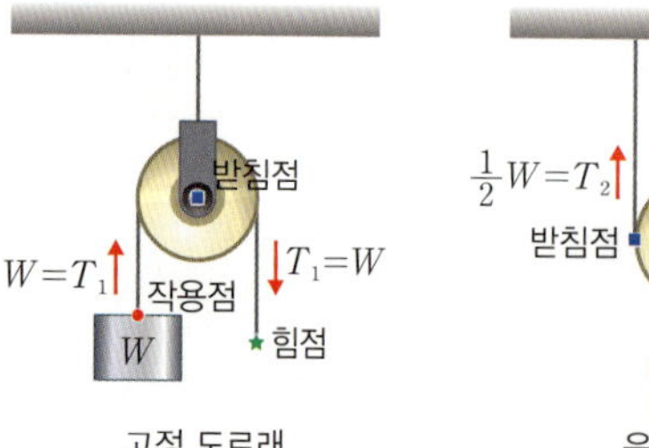

고정 도르래와 움직 도르래 고정 도르래는 1종 지레의 형태이고 움직 도르래는 2종 지레의 형태이다. 무게가 W인 물체를 천천히 들어 올리려면 고정 도르래로는 W의 힘으로 당기면 되고, 움직 도르래는 $\frac{1}{2}W$의 힘으로 당기면 된다.

비주얼 Visual 핵|심|정|리

1 힘

① **힘**: 물체의 모양이나 운동 상태(운동 방향, 빠르기)를 변하게 하는 원인

② **힘의 표현**: 힘의 작용점은 화살표의 시작점으로, 힘의 크기는 화살표의 길이로, 힘의 방향은 화살표가 가리키는 방향으로 나타낸다.

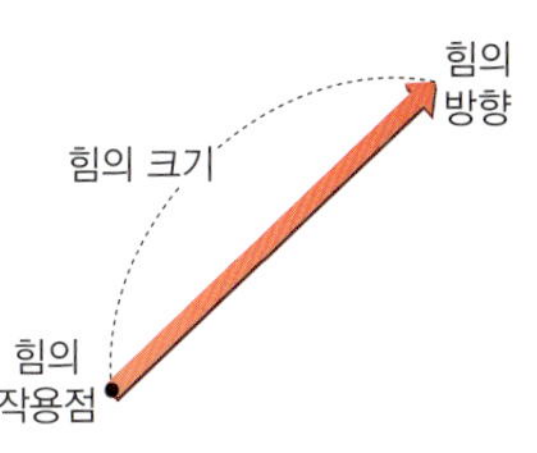

2 힘의 평형

① **알짜힘(합력)**: 한 물체에 여러 힘이 동시에 작용할 때 이 힘들과 같은 효과를 내는 하나의 힘

② **힘의 합성**: 한 물체에 여러 힘이 동시에 작용할 때 **알짜힘**을 구하는 것

③ **힘의 평형**: 한 물체에 여러 힘이 동시에 작용할 때 **알짜힘이 0**이어서 물체의 운동 상태가 변하지 않는 상태

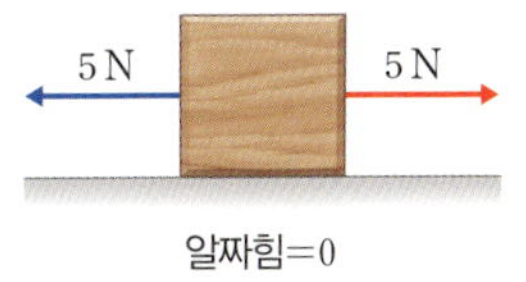

3 ~ 6 중력, 탄성력, 마찰력, 부력

① **중력**: 지구가 물체를 당기는 힘

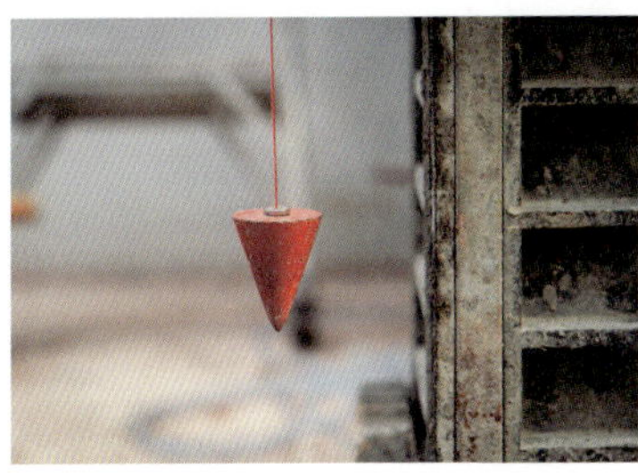

② **탄성력**: 변형된 물체가 원래 모양으로 되돌아가려는 힘

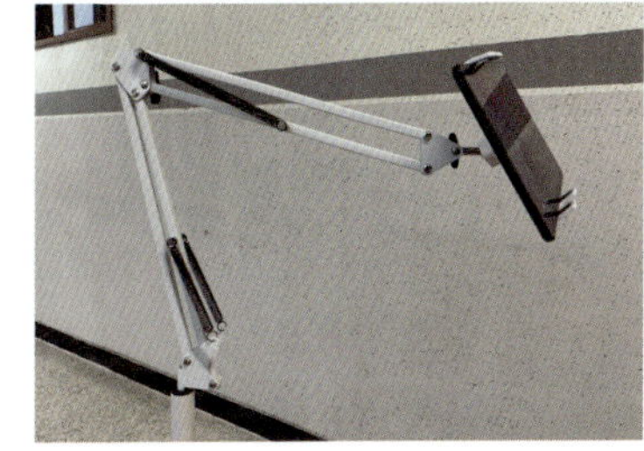

③ **마찰력**: 두 물체의 접촉면에서 물체의 운동을 방해하는 힘

④ **부력**: 액체나 기체가 그 속의 물체를 위로 밀어 올리는 힘

01 밑줄 친 '힘' 중에서 과학에서 말하는 힘을 뜻하는 것으로 가장 적절한 것은?

① 칭찬은 힘이 된다.

② 동생보다 형의 힘이 더 세다.

③ 힘을 주어 책가방을 들어 옮겼다.

④ 부모님의 격려로 다시 힘을 내었다.

⑤ 친구의 힘을 빌려 수학 문제를 풀 수 있었다.

02 [중요] 다음은 세 학생이 물체에 힘이 작용할 때 일어날 수 있는 변화에 대해 이야기한 것이다.

옳은 설명을 한 학생을 모두 고른 것은?

① A   ② B   ③ A, B

④ B, C   ⑤ A, B, C

03 그림은 굴러온 공을 반대 방향으로 찰 때 공에 작용하는 힘을 화살표로 나타낸 것이다. 이 힘에 대한 설명으로 옳지 <u>않은</u> 것은?

① 공의 운동 방향을 변화시킨다.

② 공의 속력은 변화시키지 않는다.

③ 화살표의 방향이 힘의 방향이다.

④ 화살표의 시작점이 힘의 작용점이다.

⑤ 공에 작용하는 힘이 클수록 화살표의 길이가 길다.

04 그림과 같이 힘을 화살표로 나타내었다.

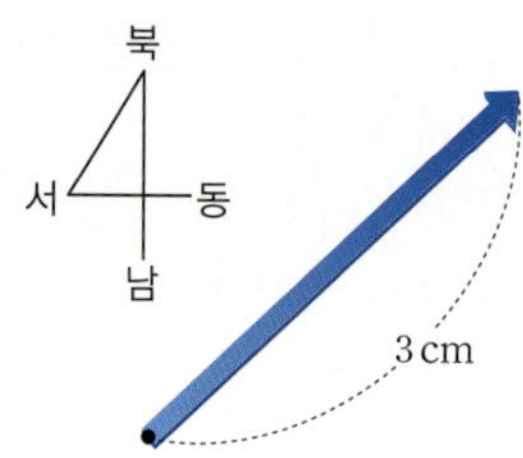

1 cm 길이의 화살표가 1 N의 힘을 나타낼 때, 힘의 크기와 방향을 구하시오.

05 [중요] 그림 (가)~(다)와 같이 마찰이 없는 수평면에 놓인 물체에 수평 방향으로 두 힘이 각각 작용하고 있다.

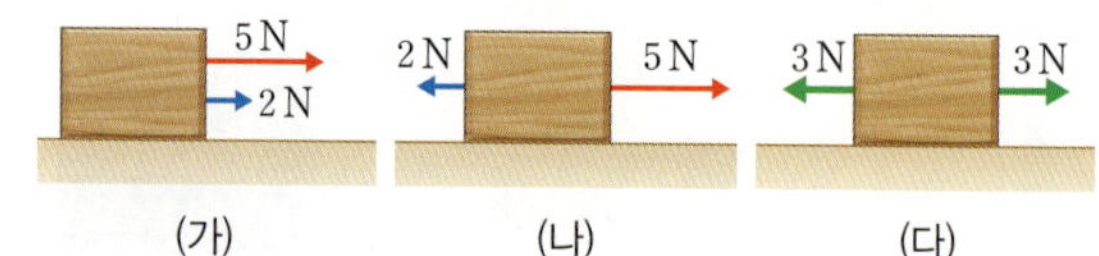

물체에 작용한 알짜힘의 크기를 옳게 비교한 것은?

① (가)＞(나)＞(다)   ② (가)＝(나)＞(다)

③ (나)＞(가)＝(다)   ④ (나)＞(가)＞(다)

⑤ (다)＞(나)＞(가)

06 그림과 같이 마찰이 없는 수평면에 놓인 물체에 두 힘 A, B가 동시에 작용하여 물체가 힘의 평형을 이루고 있다. A의 크기가 6 N이고, 오른쪽으로 작용하고 있을 때 A와 평형을 이루는 힘 B를 그리시오.

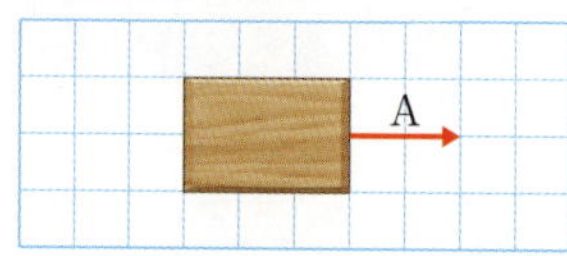

07 그림과 같이 마찰이 없는 수평면 위에 놓인 물체에 30 N과 20 N의 힘이 작용하였다.

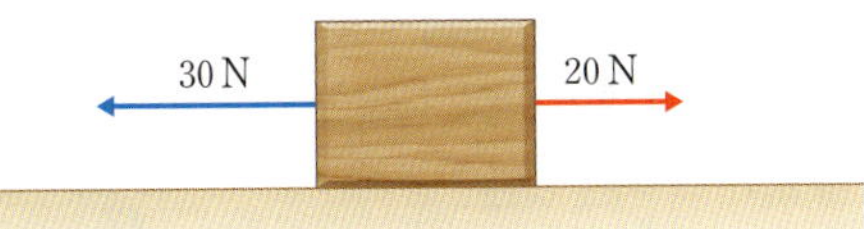

이에 대한 설명으로 옳은 것을 보기에서 모두 고른 것은?

보기

ㄱ. 물체는 정지해 있다.

ㄴ. 물체에 작용하는 알짜힘의 방향은 왼쪽이다.

ㄷ. 물체에 작용하는 알짜힘의 크기는 10 N이다.

① ㄱ　　　　② ㄷ　　　　③ ㄱ, ㄴ

④ ㄴ, ㄷ　　　⑤ ㄱ, ㄴ, ㄷ

중요

08 다음은 물체에 힘이 작용하여 나타나는 현상의 예이다.

(가) 공이 지면으로 떨어진다.　(나) 아이가 미끄럼틀을 타고 내려온다.　(다) 스카이다이빙을 하면 아래로 떨어진다.

중력이 작용하여 나타나는 현상을 모두 고른 것은?

① (가)　　　　② (다)　　　　③ (가), (나)

④ (나), (다)　　⑤ (가), (나), (다)

09 무게와 질량에 대한 설명으로 옳은 것은?

① 질량은 측정 장소에 따라 달라진다.

② 무게는 물체가 가진 물질의 고유한 양이다.

③ 중력이 작용하는 곳에서 질량이 클수록 무게도 크다.

④ 질량은 용수철저울로, 무게는 윗접시저울로 측정할 수 있다.

⑤ 질량의 단위는 N(뉴턴), 무게의 단위는 kg(킬로그램)을 주로 사용한다.

[10~11] 그림과 같이 달에서 한 개의 질량이 50 g인 추 여섯 개와 수평을 이루는 사과가 있다. (단, 지구에서 질량이 1 kg인 물체의 무게는 9.8 N이고, 달의 중력은 지구 중력의 $\frac{1}{6}$이다.)

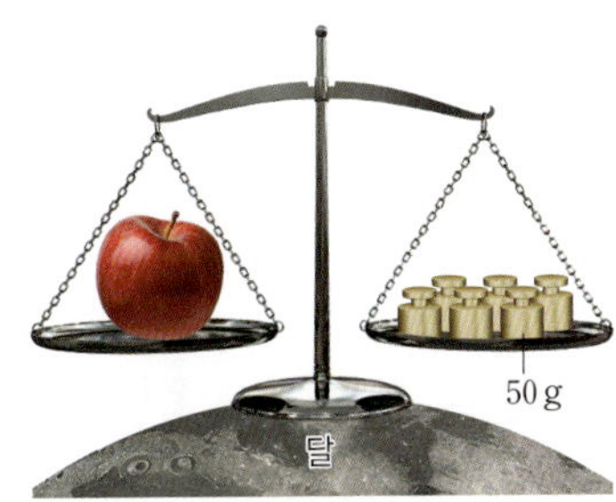

10 이 사과를 지구에 가져와서 질량을 측정하였을 때 그 크기는?

① 0 g　　　　② 50 g　　　　③ 180 g

④ 300 g　　　⑤ 1800 g

11 지구에서와 달에서 이 사과의 무게의 비(지구에서의 무게 : 달에서의 무게)를 쓰시오.

중요

12 그림 (가)는 벽에 고정된 용수철을 왼쪽으로 누르는 모습이고 (나)는 동일한 용수철을 오른쪽으로 잡아당기는 모습이다. (가)와 (나)에서 용수철이 변형된 길이 x는 같다.

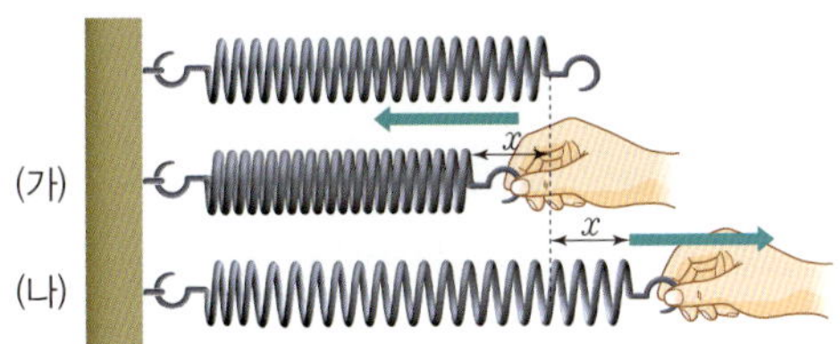

이에 대한 설명으로 옳은 것을 보기에서 모두 고른 것은?

보기

ㄱ. (가)에서 누르는 힘이 탄성력보다 크다.

ㄴ. (가)와 (나)에서 탄성력의 방향은 반대이다.

ㄷ. (가)에서 탄성력의 크기는 (나)에서보다 크다.

① ㄱ　　　　② ㄴ　　　　③ ㄷ

④ ㄱ, ㄴ　　　⑤ ㄴ, ㄷ

13 용수철 끝을 잡고 잡아당겼을 때 용수철이 늘어난 길이와 용수철에 작용하는 탄성력의 관계를 나타낸 그래프로 옳은 것은?

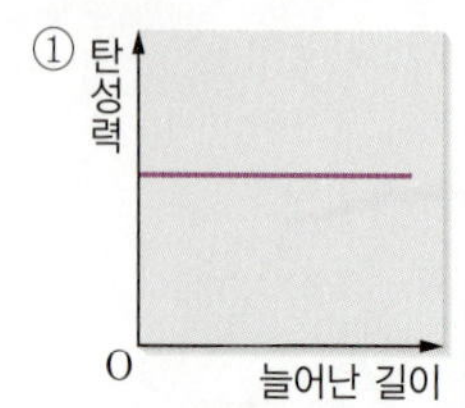
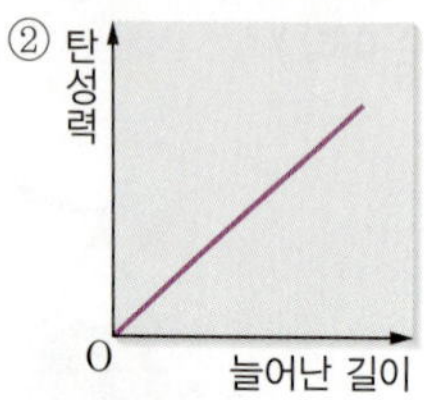
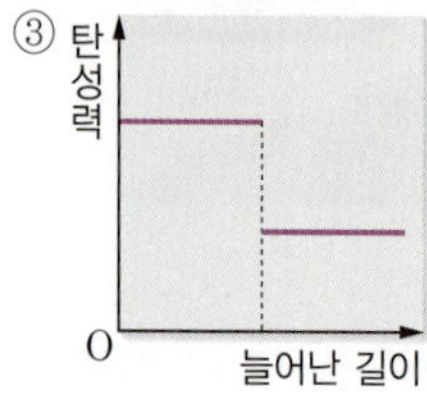
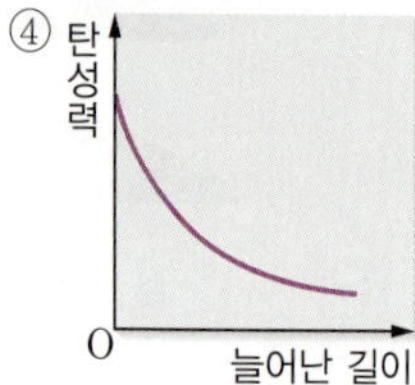
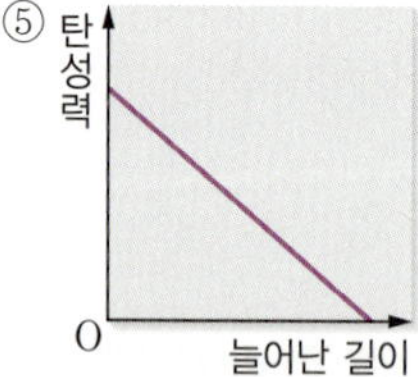

중요

14 그림과 같이 무게가 1 N인 추를 용수철에 매달았을 때, 매단 추의 개수와 용수철이 늘어난 길이가 표와 같았다.

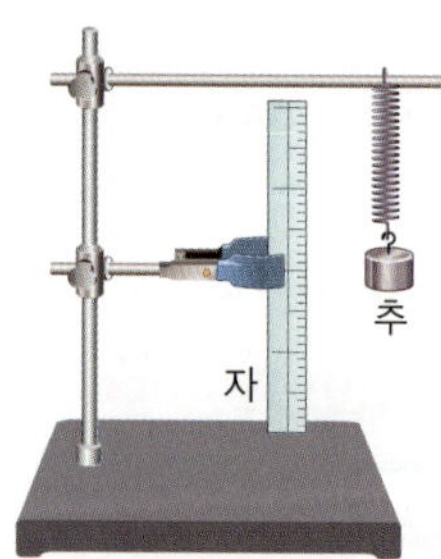

추의 개수 (개)	용수철이 늘어난 길이(cm)
1	3
2	6
3	9
4	12

이에 대한 설명으로 옳은 것을 보기에서 모두 고른 것은?

보기
ㄱ. 용수철이 늘어난 길이와 추의 무게는 비례한다.
ㄴ. 추에 작용하는 중력과 추에 작용하는 용수철의 탄성력은 힘의 평형을 이룬다.
ㄷ. 추를 매달았을 때 용수철이 늘어난 길이가 15 cm라면 용수철 탄성력의 크기는 5 N이다.

① ㄱ　　　　② ㄴ　　　　③ ㄷ
④ ㄴ, ㄷ　　　⑤ ㄱ, ㄴ, ㄷ

15 그림과 같이 용수철에 매단 추를 물속에 넣었더니 완전히 잠겼다. 용수철에 작용하는 탄성력의 방향, 추에 작용하는 부력의 방향, 중력의 방향을 옳게 짝 지은 것은?

	탄성력의 방향	부력의 방향	중력의 방향
①	↓	↓	↓
②	↓	↑	↑
③	↑	↓	↓
④	↑	↑	↑
⑤	↑	↑	↓

중요

16 마찰력에 대한 설명으로 옳은 것을 보기에서 모두 고른 것은?

보기
ㄱ. 무게가 무거울수록 크다.
ㄴ. 접촉면의 넓이가 넓을수록 크다.
ㄷ. 접촉한 두 물체 사이에서 작용한다.
ㄹ. 운동 방향과 같은 방향으로 작용한다.

① ㄱ, ㄴ　　　② ㄱ, ㄷ　　　③ ㄷ, ㄹ
④ ㄱ, ㄴ, ㄹ　　⑤ ㄴ, ㄷ, ㄹ

17 그림은 수평면에서 물체가 미끄러지다가 정지한 것을 나타낸 것이다.

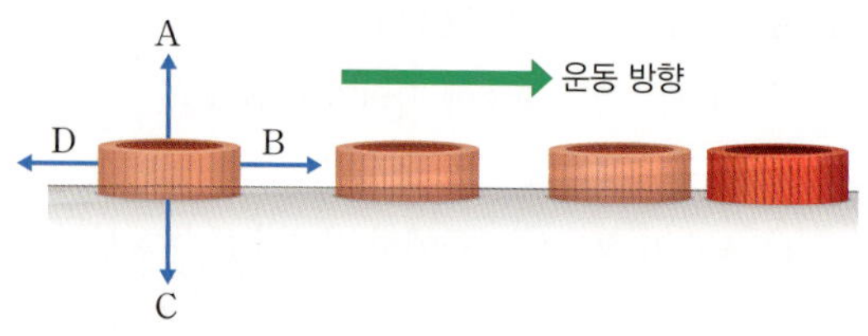

물체에 작용하는 마찰력의 방향은?

① A　　　　② B　　　　③ C
④ D　　　　⑤ 작용하지 않음.

18 다음은 마찰력의 크기에 영향을 미치는 요인을 알아보기 위한 실험이다.

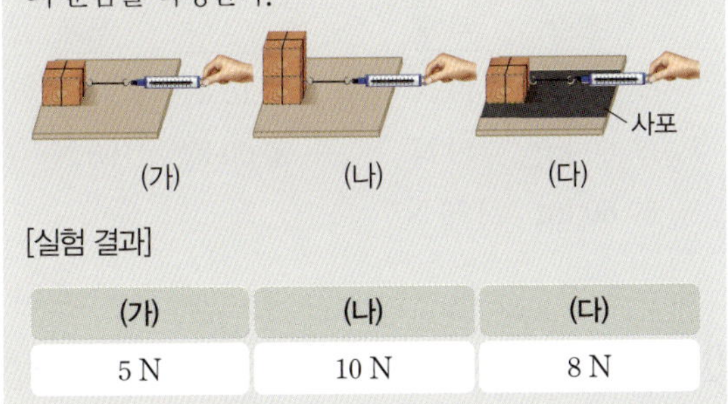

(가)	(나)	(다)
5 N	10 N	8 N

실험 결과를 바탕으로 마찰력의 크기에 영향을 미치는 요인 두 가지를 쓰시오.

____

19 그림과 같이 부피가 같은 물체 A~C를 물속에 넣었더니 A는 바닥에 가라앉았고, B는 잠겨 떠 있었으며, C는 반쯤 잠긴 채 떠 있었다.

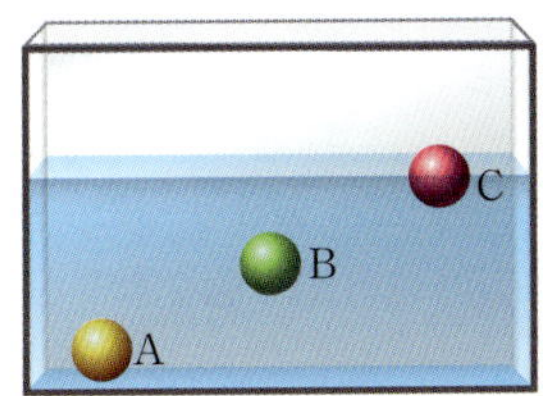

물체 A~C에 작용하는 부력의 크기와 물체의 무게를 각각 비교하시오.

부력: ______________________________

무게: ______________________________

[20~21] 그림은 용수철저울에 무게가 15 N인 추를 매달아 물속에 넣었을 때 용수철저울이 10 N을 가리키는 모습을 나타낸 것이다. (단, 공기의 부력은 무시한다.)

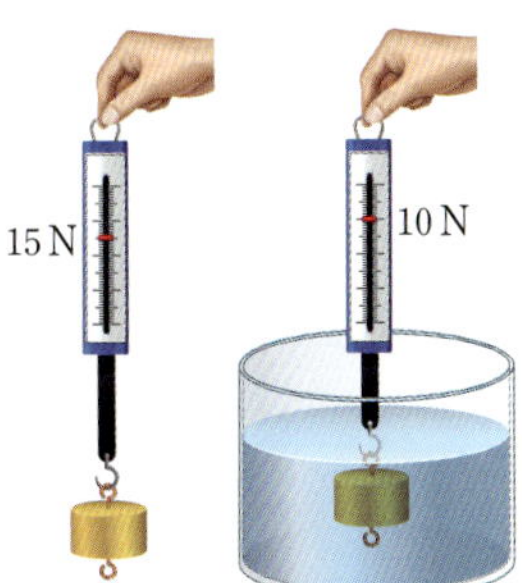

20 이에 대한 설명으로 옳은 것을 보기에서 모두 고른 것은?

보기
ㄱ. 추에 작용하는 부력의 방향은 위쪽이다.
ㄴ. 추에 작용하는 부력과 중력의 방향은 같다.
ㄷ. 물속에서 추에 작용하는 중력의 크기는 15 N이다.

① ㄱ   ② ㄴ   ③ ㄱ, ㄷ
④ ㄴ, ㄷ   ⑤ ㄱ, ㄴ, ㄷ

중요
21 추에 작용하는 부력의 크기는?

① 5 N   ② 10 N   ③ 15 N
④ 20 N   ⑤ 25 N

22 힘의 종류와 그와 관련된 현상을 옳게 연결한 것을 보기에서 모두 고른 것은?

보기
ㄱ. 중력 – 바닥에서 굴러가던 공이 멈춘다.
ㄴ. 마찰력 – 눈과 비가 아래로 떨어진다.
ㄷ. 탄성력 – 고무줄로 머리카락을 묶는다.
ㄹ. 부력 – 물속에 몸을 담그면 가볍게 느껴진다.

① ㄱ, ㄴ   ② ㄱ, ㄷ   ③ ㄴ, ㄷ
④ ㄴ, ㄹ   ⑤ ㄷ, ㄹ

01 그림 (가)~(다)는 마찰이 없는 수평면에 놓인 물체에 동시에 여러 힘이 작용한 것을 나타낸 것이다.

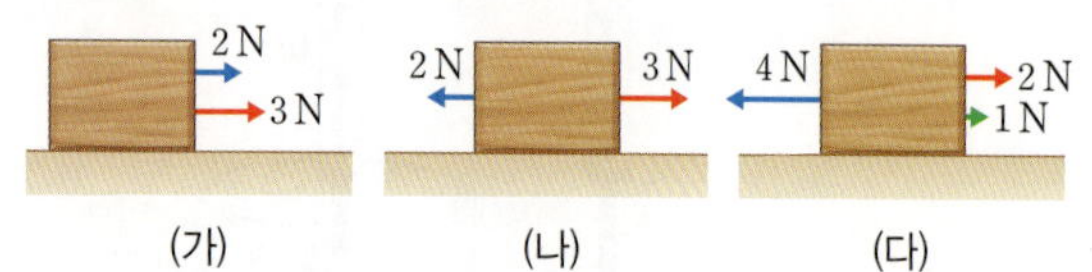

이에 대한 설명으로 옳은 것을 보기에서 모두 고른 것은?

> **보기**
>
> ㄱ. (가)에서 알짜힘의 크기는 1 N이다.
> ㄴ. (가)와 (나)에서 알짜힘의 방향은 같다.
> ㄷ. (나)와 (다)에서 알짜힘의 크기는 같다.

① ㄱ   ② ㄴ   ③ ㄱ, ㄷ

④ ㄴ, ㄷ   ⑤ ㄱ, ㄴ, ㄷ

02 그림과 같이 지구 표면으로부터 같은 거리만큼 떨어진 곳에 두 물체 (가), (나)를 가만히 놓았다.

두 물체가 떨어지는 방향을 옳게 짝 지은 것은?

	(가)	(나)		(가)	(나)
①	A	A	②	A	C
③	C	A	④	D	B
⑤	D	D			

03 지구에서 질량이 60 kg인 물체를 달에 가져갔을 때, 달에서 측정한 물체의 질량과 무게로 옳은 것은? (단, 지구에서 질량이 1 kg인 물체의 무게는 9.8 N이고, 달 중력은 지구 중력의 $\frac{1}{6}$이다.)

	질량	무게		질량	무게
①	10 kg	49 N	②	10 kg	98 N
③	60 kg	49 N	④	60 kg	98 N
⑤	60 kg	196 N			

04 그림은 지구에서 무게가 147 N인 물체 A와 달에서 무게가 147 N인 물체 B를 나타낸 것이다.

이에 대한 설명으로 옳은 것을 보기에서 모두 고른 것은? (단, 지구에서 질량이 1 kg인 물체의 무게는 9.8 N이고, 달 중력은 지구 중력의 $\frac{1}{6}$이다.)

> **보기**
>
> ㄱ. A를 달에 가져갔을 때의 질량은 90 kg이다.
> ㄴ. 달이 B를 당기는 힘의 크기는 147 N이다.
> ㄷ. B를 지구에 가져왔을 때의 무게는 A보다 크다.

① ㄱ   ② ㄷ   ③ ㄱ, ㄴ

④ ㄴ, ㄷ   ⑤ ㄱ, ㄴ, ㄷ

05 서로 다른 용수철에 질량이 다른 추를 매달았더니 그림과 같이 용수철이 늘어났다. 용수철의 탄성력이 가장 큰 것은?

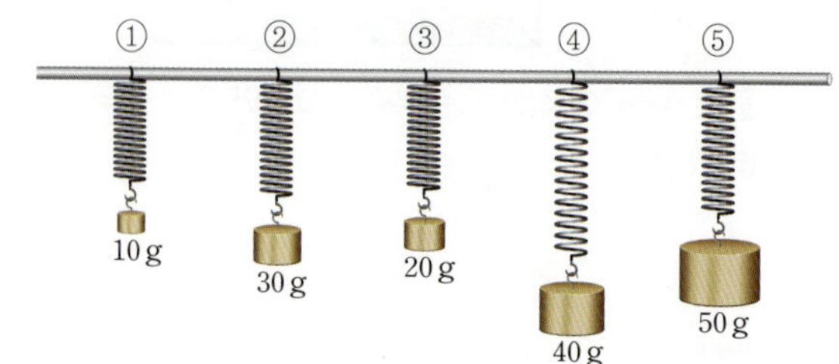

06 그림과 같이 동일한 나무 도막을 아크릴판 위에서 끄는 경우보다 사포 위에서 끄는 경우 나무 도막에 작용하는 마찰력의 크기가 크다.

이러한 원리로 설명할 수 있는 현상이 <u>아닌</u> 것은?

① 겨울철 빙판길에 모래를 뿌린다.

② 자전거의 제동 장치를 작동시킨다.

③ 등산화 바닥을 울퉁불퉁하게 만든다.

④ 작은 승용차보다 큰 화물차를 밀기가 어렵다.

⑤ 눈길에서 자동차 바퀴에 스노우 체인을 감는다.

07 그림 (가)는 천장에 고정된 용수철에 무게가 9 N인 쇠구슬을 매달았더니 길이가 3 cm 늘어난 것을, (나)는 동일한 용수철에 쇠구슬을 매달고 아래쪽에 자석을 가까이 가져갔더니 용수철이 1 cm 더 늘어난 것을 나타낸 것이다.

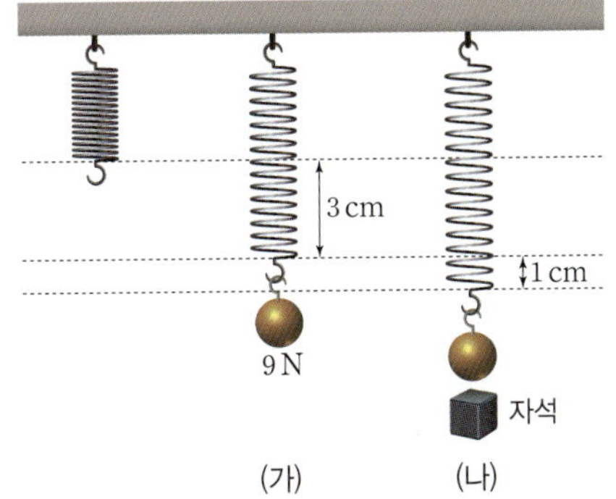

(나)에서 용수철에 작용하는 탄성력의 크기는?

① 1 N   ② 3 N   ③ 4 N

④ 6 N   ⑤ 12 N

08 그림 (가)는 용수철저울에 매달린 추가 물에 절반 정도 잠긴 채 정지해 있는 모습을, (나)는 (가)의 추가 물에 완전히 잠긴 채 정지해 있는 모습을 나타낸 것이다.

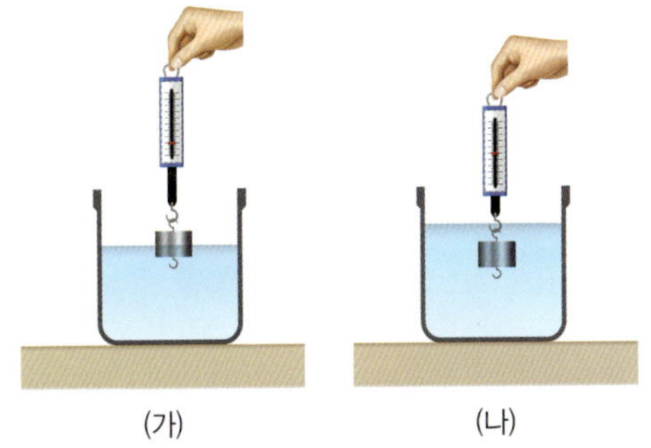

(나)에서의 크기가 (가)에서의 크기보다 큰 것을 보기에서 모두 고른 것은? (단, 공기의 부력은 무시한다.)

> **보기**
>
> ㄱ. 추에 작용하는 중력
>
> ㄴ. 추에 작용하는 부력
>
> ㄷ. 용수철저울로 측정한 힘

① ㄴ   ② ㄷ   ③ ㄱ, ㄴ

④ ㄱ, ㄷ   ⑤ ㄱ, ㄴ, ㄷ

09 그림은 질량이 같은 두 물체 A, B를 막대에 매달았을 때 막대가 수평을 유지하는 모습을 나타낸 것이다. 부피는 B가 A보다 크다.

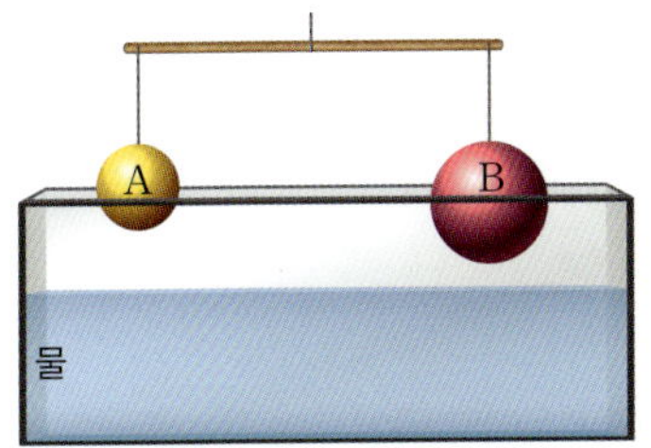

물이 든 수조에 넣어 두 물체가 물에 완전히 잠기게 하였을 때 막대는 어느 쪽으로 기울어지는지 그 까닭과 함께 설명하시오. (단, 공기의 부력은 무시한다.)

☞ 제시된 Keyword를 이용하여 문제를 해결해 보자.

1 그림은 마찰이 없는 수평면 위에 놓인 물체에 두 힘 F_1과 F_2가 동시에 작용하였지만 물체가 움직이지 않고 정지해 있는 것을 나타낸 것이다.

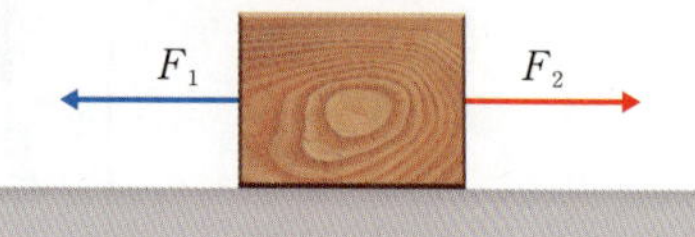

물체에 힘이 작용하지만 움직이지 않고 정지해 있는 까닭을 설명하시오.

Keyword 힘의 크기, 힘의 방향, 알짜힘, 힘의 평형

2 그림은 비스듬히 차 올린 공이 운동하는 모습을 나타낸 것이다.

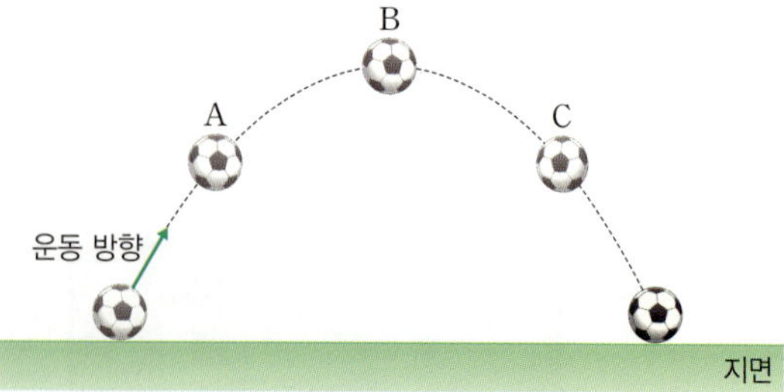

A~C 지점에서 공에 작용하는 중력의 방향을 그리고, 그렇게 생각한 까닭을 설명하시오.

Keyword 지구 중심 방향

3 그림과 같이 지구에서 어떤 용수철에 물체를 매달았더니 용수철의 길이가 18 cm 늘어났다.

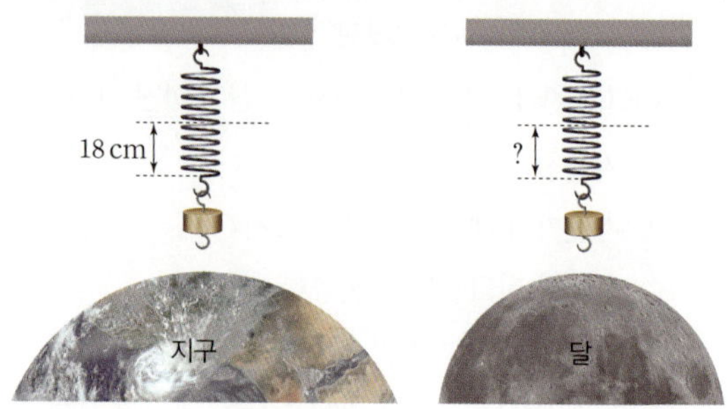

이 물체와 용수철을 달에 가져가서 용수철에 물체를 매달았을 때 용수철이 늘어난 길이를 구하고, 그렇게 생각한 까닭을 설명하시오. (단, 용수철의 무게는 무시하고, 달 중력은 지구 중력의 $\frac{1}{6}$ 이다.)

Keyword 중력, 무게, 비례

4 그림은 고무 띠를 이용하여 운동하는 모습을 나타낸 것이다.

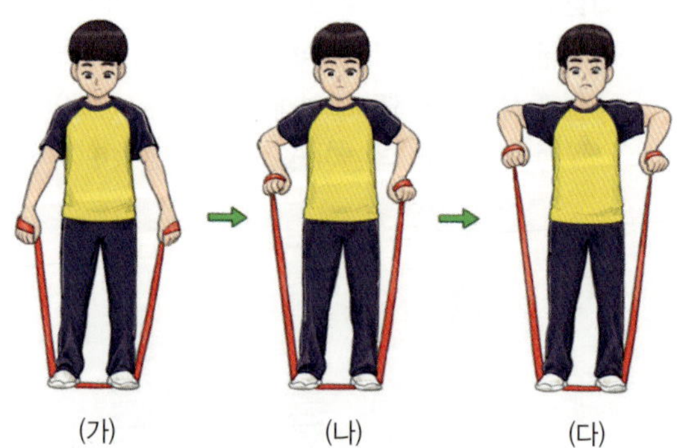

(가)~(다) 중 탄성력이 가장 크게 작용하는 경우를 고르고, 그렇게 생각한 까닭을 설명하시오.

Keyword 늘어난 길이

5 그림과 같이 빗면에서 동일한 나무 도막을 미끄러지게 하여 사포를 붙인 바닥과 책상 면에서 각각 미끄러진 거리를 관찰하였다. 이때 (가)와 (나)의 빗면의 높이와 기울기는 같고, 빗면에서 나무 도막에 작용하는 마찰력의 크기는 같다.

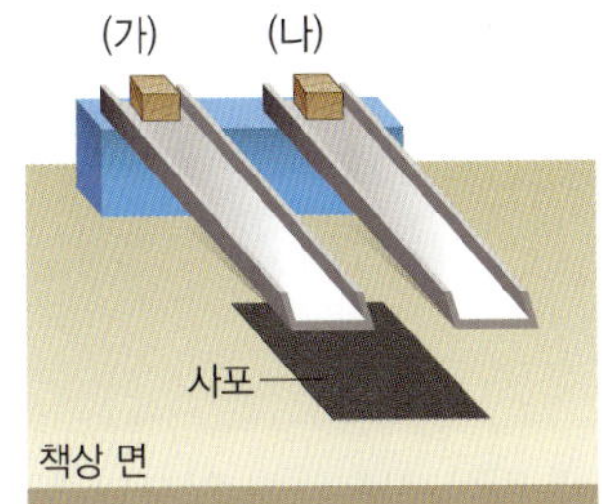

(가)와 (나) 중 나무 도막이 미끄러진 거리가 더 긴 것은 무엇인지 쓰고, 그렇게 생각한 까닭을 설명하시오.

Keyword 마찰력, 접촉면의 거칠기

---

6 그림 (가)와 같은 잠수함에는 (나)와 같은 공기탱크가 있다. 공기탱크에는 공기와 바닷물이 드나든다.

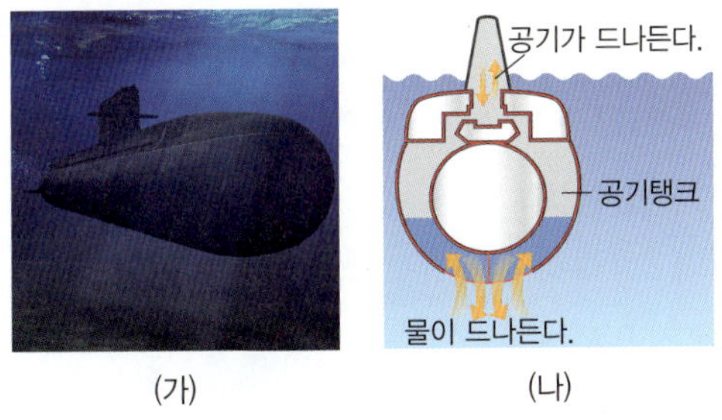

잠수함이 더 깊은 곳으로 내려가기 위한 방법과 그 까닭을 잠수함에 작용하는 중력과 부력의 크기를 비교하여 설명하시오.

Keyword 공기탱크, 물, 중력, 부력

---

7 다음은 물속에 있는 추의 부력을 측정하기 위한 실험이다.

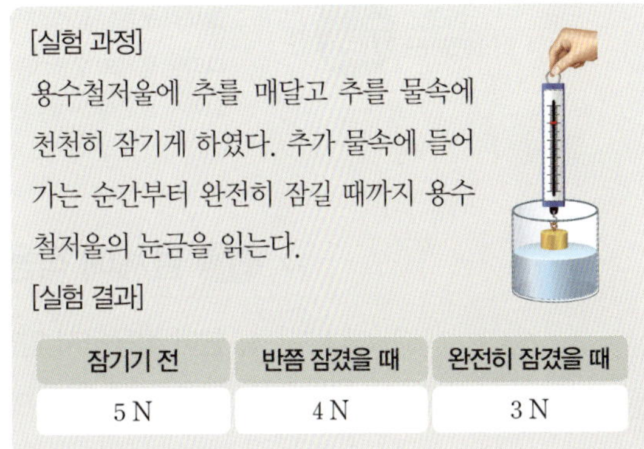

[실험 과정]
용수철저울에 추를 매달고 추를 물속에 천천히 잠기게 하였다. 추가 물속에 들어가는 순간부터 완전히 잠길 때까지 용수철저울의 눈금을 읽는다.

[실험 결과]

잠기기 전	반쯤 잠겼을 때	완전히 잠겼을 때
5 N	4 N	3 N

(1) **[자료 분석]** 용수철저울에 매단 추를 물속에 잠기게 하였을 때 감소한 용수철저울의 눈금 값이 의미하는 것이 무엇인지 설명하시오.

Keyword 부력, 중력, 반대 방향

---

(2) **[문제 해결]** 물속에 완전히 잠긴 추에 작용하는 부력의 크기를 그 까닭과 함께 설명하시오.

Keyword 용수철저울의 눈금 값

---

(3) **[가산점 줍줍!]** 추가 반쯤 잠겼을 때 용수철저울의 눈금 값과 추가 완전히 잠겼을 때 용수철저울의 눈금 값을 비교하여 부력에 영향을 주는 요인은 무엇인지 설명하시오.

Keyword 물에 잠긴 부피, 부력

02 힘과 운동

지구는 태양 주위를 벗어나지 않고 일정하게 공전하고 있다. 지구가 일정하게 공전할 수 있는 까닭은 무엇일까?

이전에 배웠어요 Check

- [ ] **물체의 운동**: 시간이 지남에 따라 물체의 (위치 , 상태)가 변할 때 물체가 운동한다고 말한다.
- [ ] **다양한 물체의 운동**: 에스컬레이터를 타고 내려가는 사람은 빠르기가 (감소하는 , 일정한) 운동을 한다. 버스 정류장에서 출발하는 버스는 빠르기가 (증가하는 , 일정한) 운동을 한다.

① 물체에 작용하는 힘과 운동

1. 힘이 작용하지 않을 때 물체의 운동 물체에 힘이 작용하지 않으면 물체의 운동 상태가 유지된다. 이를 관성 법칙이라고 한다.

(1) 정지한 물체: 정지 상태를 계속 유지한다.

(2) 운동하는 물체: 운동 방향과 속력을 일정하게 유지한다.

힘이 작용하지 않을 때 정지한 축구공과 운동하는 축구공 마찰력이 없는 얼음판 위에 놓인 축구공에 힘이 작용하지 않을 때 같은 시간 간격으로 사진을 찍는 다중 섬광 사진으로 보면, (가)와 같이 정지한 축구공은 계속 정지해 있고, (나)와 같이 움직이는 축구공은 운동하던 방향으로 계속 운동한다.

2. 힘이 작용할 때 물체의 운동 물체에 힘이 작용하면 속력 또는 운동 방향이 변하거나, 속력과 운동 방향이 동시에 변하는 운동을 한다. 탐구 035쪽

(1) 운동 방향과 나란한 방향으로 힘이 작용할 때: 운동 방향과 같은 방향으로 힘이 작용하면 물체의 속력이 일정하게 빨라진다. 반대로 운동 방향과 반대 방향으로 힘이 작용하면 물체의 속력이 일정하게 느려진다.

가만히 놓은 공과 위로 던진 공 (가)와 같이 높은 곳에서 가만히 놓은 공은 중력이 공의 운동 방향과 같은 방향으로 작용하므로 공의 속력이 일정하게 빨라진다. 그러나 (나)와 같이 위로 던진 공은 중력이 공의 운동 방향과 반대 방향으로 작용하므로 공의 속력이 일정하게 느려진다.

중력 가속도
물체가 운동할 때 중력의 작용으로 생기는 속도의 변화량으로, 일반적으로 기호 g를 사용한다. 물체에 작용하는 중력의 크기는 물체의 질량과 중력 가속도의 곱과 같다.

알면 쉬운 과학

쇼트트랙 주자를 교체할 때 왜 뒤에서 밀까?
국제빙상연맹 규정에는 '교대는 터치로 이루어진다.'고 나와 있다. 그런데 거의 모든 선수들이 교대를 할 때 뒤에서 앞 선수를 민다. 그 까닭은 달리던 선수의 추진력을 이용하여 정지해 있던 교대 선수의 속력을 빠르게 높일 수 있기 때문이다.

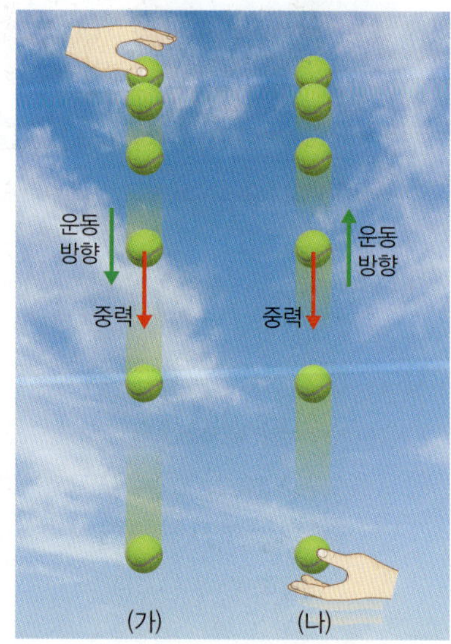

(2) 운동 방향과 나란하지 않게 힘이 작용할 때: 물체
의 운동 방향이 변하거나, 속력과 운동 방향이
모두 변한다.

① 운동 방향과 수직으로 힘이 작용할 때: 물체
의 속력은 변하지 않고, 운동 방향만 변한다.

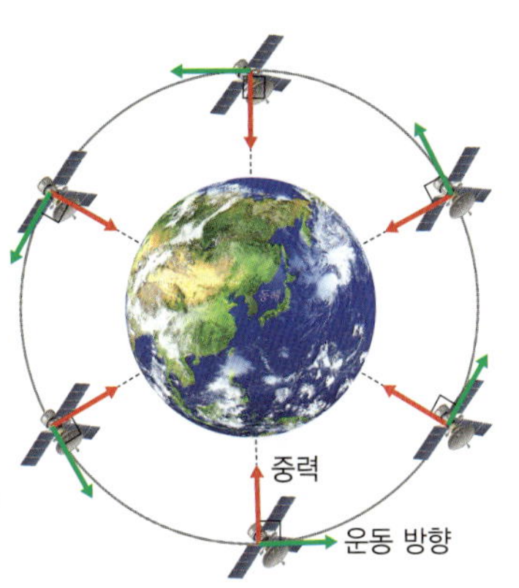

인공위성의 공전   중력이 인공위성의 운동 방향에
수직으로 작용하기 때문에 인공위성의 속력은 변하
지 않고, 운동 방향만 계속 변한다.

② 운동 방향과 비스듬하게 힘이 작용할 때: 물체의 속력과 운동 방향이 모두 변한다.

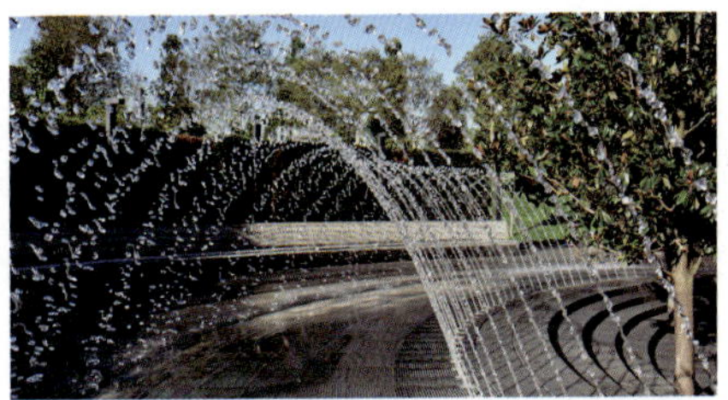

비스듬히 던진 농구공   중력이 농구공의 운동 방향과
비스듬한 방향으로 작용하기 때문에 농구공의 속력과
운동 방향이 모두 변한다.

비스듬히 쏘아 올린 물줄기   중력이 쏘아 올린 물줄
기의 운동 방향과 비스듬한 방향으로 작용하기 때문에
물줄기의 속력과 운동 방향이 모두 변한다.

진자 운동
줄 끝에 추를 매달아 좌우로 왔다
갔다 하게 만든 진자는 중력과 줄
이 추를 당기는 힘에 의해 속력과
운동 방향이 모두 변한다.

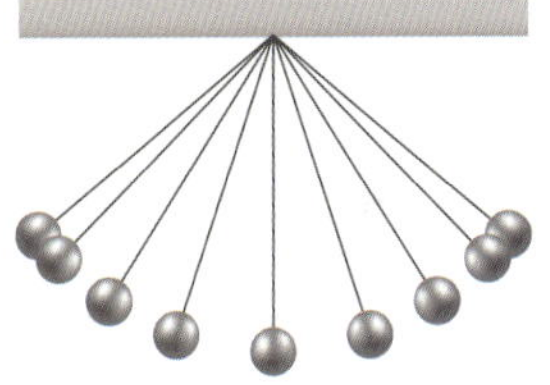

탐구 ➕ 물체의 운동 상태 변화

운동하는 탁구공에 휴대용 선풍기로 바람을 불어 줄 때 바람의 방향에 따라 탁구공의 운동 상태가 서로 다르
게 변한다.

공의 운동 방향과 같은 방향일 때	공의 운동 방향과 반대 방향일 때	공의 운동 방향과 수직일 때	공의 운동 방향과 비스듬한 방향일 때
속력이 일정하게 증가한다.	속력이 일정하게 감소한다.	속력이 일정하다.	속력이 변한다.
운동 방향이 변하지 않고 일정하다.		운동 방향이 변한다.	

정답과 해설 064쪽

개념 빌드업

1. **핵심개념** 운동 방향과 나란한 방향으로 힘이 작용할 때 (속력만, 운동 방향만, 속력과 운동 방향
이 모두) 변한다.

2. 운동 방향과 _________(으)로 힘이 작용할 때 운동 방향만 변한다.

3. 운동 방향과 비스듬하게 힘이 작용할 때 (속력만, 운동 방향만, 속력과 운동 방향이 모두) 변
한다.

Check 이전에 배웠어요

☐ 위치
☐ 일정한, 증가하는

힘의 작용점 표시

손으로 상자를 밀 때 힘의 작용점은 상자의 표면에, 상자와 바닥 사이의 마찰력은 상자와 바닥의 경계면에 표시한다.

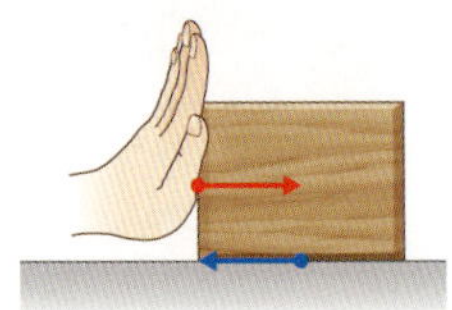

두 힘이 모두 상자의 가운데 지점인 질량 중심에 작용한다고 표시하면 힘의 합성과 평형 관계를 쉽게 이해할 수 있다.

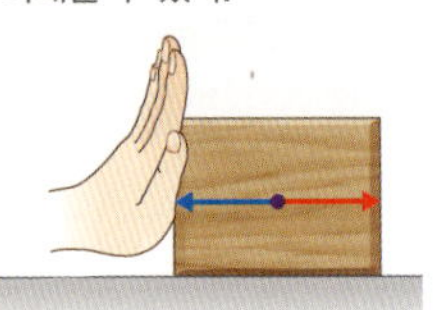

힘의 평형과 힘의 작용 반작용

과학 용어 사전 148쪽

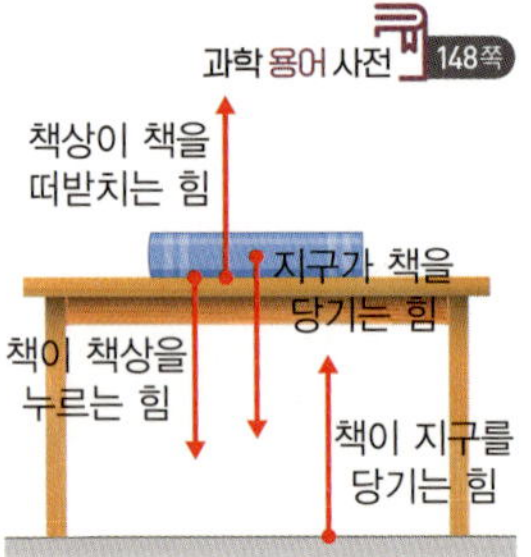

힘의 평형과 작용 반작용은 같은 크기의 힘이 반대 방향으로 작용한다는 공통점이 있다. 하지만 힘의 평형은 한 물체에 두 힘이 서로 반대 방향으로 작용하고, 작용 반작용은 두 힘이 서로 다른 물체에 작용한다.

1. 힘의 평형 한 물체에 크기가 같고, 서로 반대 방향으로 작용하는 두 힘은 평형을 이룬다. 힘이 평형을 이루면 물체에 작용하는 알짜힘이 0이므로 물체의 운동 상태가 유지된다.

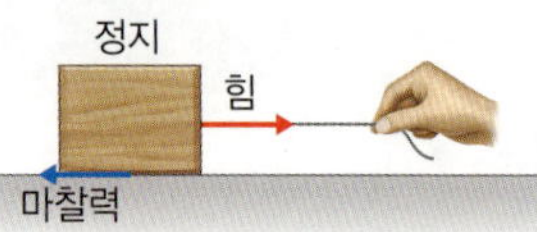

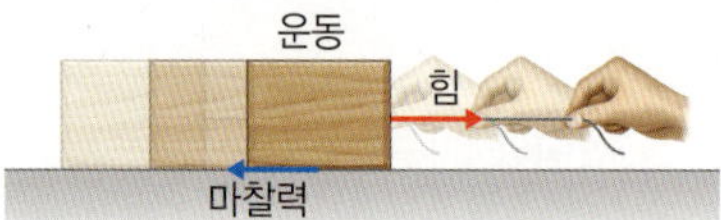

정지한 물체 정지해 있는 물체를 당기는 힘과 마찰력이 평형을 이루면 물체는 계속 정지해 있다.

운동하는 물체 운동하고 있는 물체를 당기는 힘과 마찰력이 평형을 이루면 물체는 운동 방향으로 일정한 속력으로 운동한다.

2. 여러 가지 힘이 평형을 이룬 예 과학 용어 사전 148쪽

줄다리기	용수철저울에 매단 추	밀고 있지만 움직이지 않는 상자
	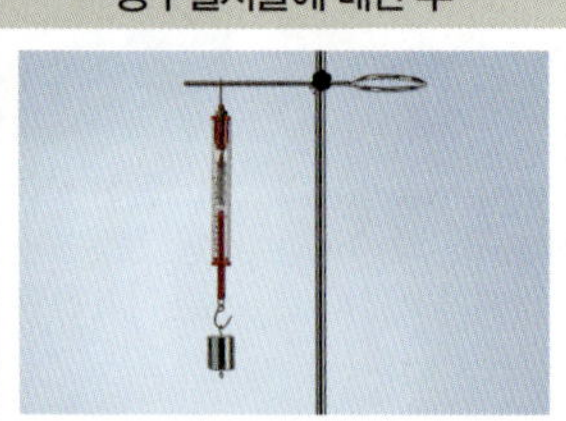	
양쪽에서 줄을 당기는 힘이 평형을 이룬다.	추에 작용하는 중력과 용수철의 탄성력이 평형을 이룬다.	상자를 미는 힘과 상자에 작용하는 마찰력이 평형을 이룬다.
호수에 떠 있는 튜브	책상 위에 놓인 화분	수직추
		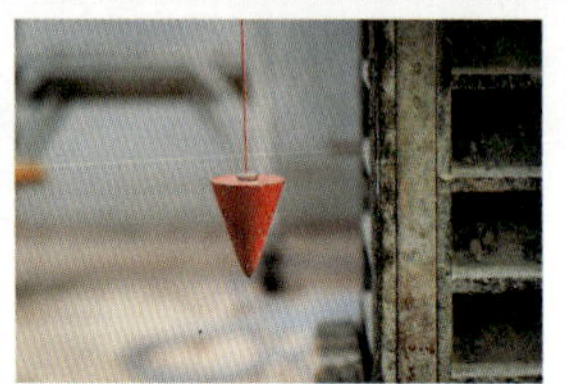
튜브에 작용하는 중력과 부력이 평형을 이룬다.	화분에 작용하는 중력과 책상이 화분을 떠받치는 힘이 평형을 이룬다.	수직추에 작용하는 중력과 실이 추를 당기는 힘이 평형을 이룬다.

정답과 해설 064쪽

개념 빌드업

1. **핵심개념** 물 위에 가만히 떠 있는 튜브에 작용하는 ________와/과 ________은/는 힘의 평형을 이룬다.

2. 책상 위에 놓인 책에 작용하는 중력의 크기가 5 N일 때, 책상이 책을 떠받치는 힘의 크기는 ________ N이다.

3. 물체에 작용하는 알짜힘의 크기가 0이면, 물체의 운동 상태가 (유지된다, 변한다).

힘이 작용한 물체의 운동 상태 탐구하기

목표 | 알짜힘이 0이 아닐 때 물체의 운동 상태가 변하는 예를 조사하고, 분류할 수 있다.

과정

❶ 물체에 힘이 작용할 때 물체의 운동 상태가 어떻게 변하는지 이야기해 본다.

❷ 놀이기구 중에서 힘이 작용하여 운동 상태가 변하는 예를 조사한다.

❸ 놀이기구의 운동을 속력만 변하는 경우, 운동 방향만 변하는 경우, 속력과 운동 방향이 모두 변하는 경우로 분류해 본다.

결과 및 정리

놀이기구		놀이기구의 움직임	속력 변화	운동 방향 변화
	자이로드롭	높은 곳에서 아래로 떨어지면서 속력이 점점 빨라진다.	변한다.	변하지 않는다.
	롤러코스터	레일을 따라 오르락내리락하며 속력이 느려졌다 빨라진다.	변한다.	변한다.
	관람차	일정한 속력으로 원을 그리며 움직인다.	변하지 않는다.	변한다.
	바이킹	앞뒤로 올라가면서 속력이 느려졌다 내려오면서 빨라진다.	변한다.	변한다.

탐구 확인 문제

정답과 해설 064쪽

1 알짜힘이 0이 아닐 때 다음의 물체는 각각 어떤 운동을 하는지 선으로 연결하시오.

(1) 골대를 향해 비스듬히 던진 농구공 •

(2) 마찰이 없는 빗면에서 미끄러져 내려오는 공 •

(3) 일정한 속력으로 지구 주위를 도는 인공위성 •

• ㉠ 속력만 변하는 운동

• ㉡ 운동 방향만 변하는 운동

• ㉢ 속력과 운동 방향이 모두 변하는 운동

2 힘과 운동에 대한 설명으로 옳은 것을 보기에서 모두 고르시오.

보기

ㄱ. 운동하는 물체에 작용하는 알짜힘이 0이면 물체의 속력은 일정하게 감소한다.

ㄴ. 운동 방향과 나란한 방향으로 알짜힘이 작용하면 물체의 운동 방향만 변한다.

ㄷ. 운동 방향과 비스듬한 방향으로 알짜힘이 작용하면 물체의 속력과 운동 방향이 모두 변한다.

뉴턴의 운동 법칙

힘은 물체의 속력이나 운동 방향과 같은 운동 상태를 변하게 하는 원인이다. 힘과 운동의 관계를 좀 더 깊이 있게 공부해 보자.

1 뉴턴 운동 제1법칙(관성 법칙)

과학 용어 사전 149쪽

알짜힘이 0일 때 물체의 운동 상태는 변하지 않는다. 즉, 정지해 있던 물체는 계속 정지 상태를 유지하고, 운동하던 물체는 속력과 운동 방향이 일정한 등속 직선 운동을 한다. 이를 관성 법칙이라고 한다. 관성은 현재의 운동 상태를 그대로 유지하려는 성질로, 질량이 클수록 관성이 크다.

버스가 갑자기 출발하면 몸이 뒤로 기운다.

버스가 갑자기 정지하면 몸이 앞으로 기운다.

2 뉴턴 운동 제2법칙(가속도 법칙)

힘을 받은 물체는 운동 상태가 변한다. 물체의 운동 방향과 알짜힘의 방향이 나란하면 물체가 가속되어 속력이 변한다. 단위 시간당 속력 변화를 가속도라고 하는데, 물체에 작용하는 알짜힘이 클수록, 물체의 질량이 작을수록 가속도가 크다. 이를 가속도 법칙이라고 한다.

(가)

(나)

(다)

(가)와 같이 물체에 힘을 작용하면 물체의 속력이 변한다. 이때 (나)와 같이 물체에 더 큰 힘을 작용하면 물체의 속력 변화가 크며, (다)와 같이 같은 크기의 힘을 작용할 때 물체의 질량이 더 크면 물체의 속력 변화가 작다.

3 뉴턴 운동 제3법칙(작용 반작용 법칙)

힘은 두 물체 사이에서 일어나는 상호작용이다. 만약 물체 A가 물체 B에 힘을 작용하면 물체 B도 물체 A에 크기가 같고 방향이 반대인 힘을 작용한다. 이를 작용 반작용 법칙이라고 한다.

육상 선수가 스타팅 블록을 뒤로 밀면, 스타팅 블록도 선수를 앞으로 민다.

수영 선수가 벽을 뒤로 밀면, 벽도 선수를 앞으로 민다.

비주얼 Visual 핵|심|정|리

1 물체에 작용하는 힘과 운동

① 힘이 작용하지 않을 때 물체의 운동: 물체의 운동 상태가 유지된다.

정지한 물체는 정지 상태를
계속 유지한다.

운동하는 물체는 운동 방향과
속력이 일정하게 유지된다.

② 힘이 작용할 때 물체의 운동: 물체의 속력이나 운동 방향이 변한다.

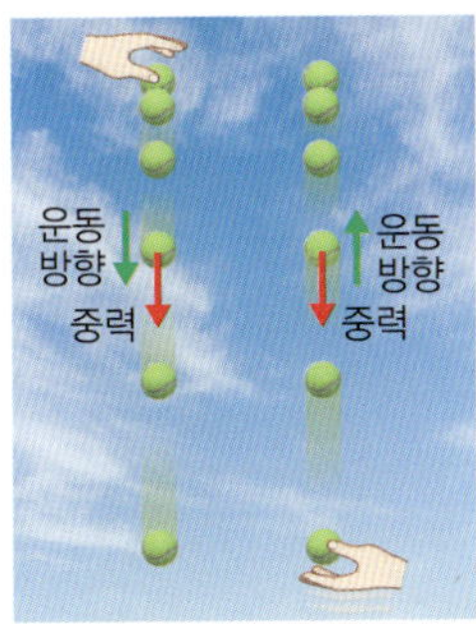

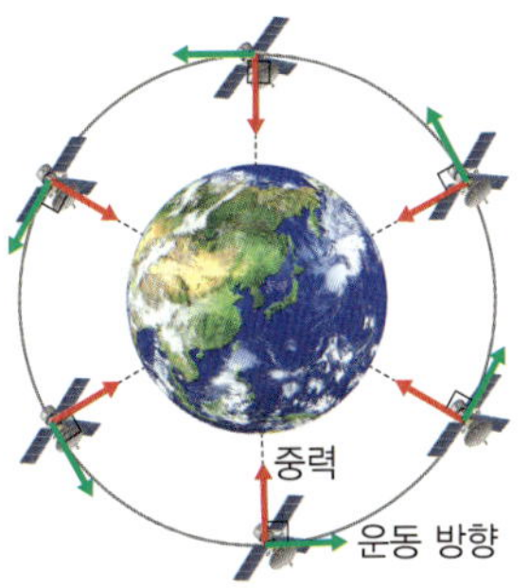

힘이 운동 방향과 나란할 때
속력만 변한다.

힘이 운동 방향과 수직일 때
운동 방향만 변한다.

힘이 운동 방향과 비스듬한 방향일 때
속력과 운동 방향이 모두 변한다.

2 여러 가지 힘의 평형

① 여러 가지 힘의 평형: 한 물체에 크기가 같고, 서로 반대 방향으로 작용하는 두 힘은 평형을 이룬다.

줄다리기

호수에 떠 있는 튜브

책상 위에 놓인 화분

수직추

② 힘의 평형과 물체의 운동: 알짜힘이 0이므로 물체의 운동 상태가 유지된다.

01 그림은 마찰이 없는 수평면에 놓인 물체에 두 힘이 동시에 작용했을 때, 물체가 움직이지 않는 것을 본 세 학생의 대화를 나타낸 것이다.

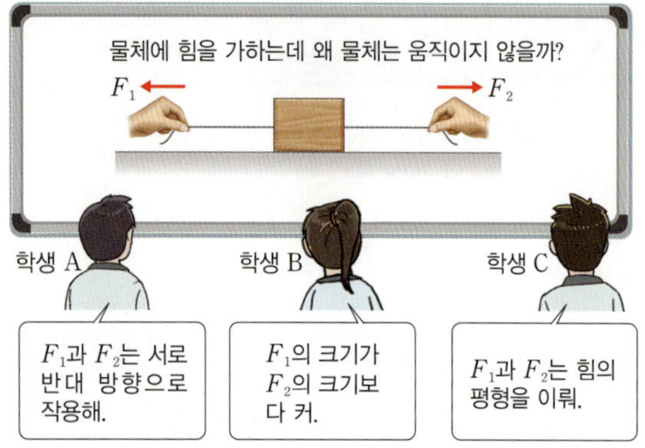

제시한 의견이 옳은 학생을 모두 고른 것은?

① A   ② B   ③ A, C
④ B, C   ⑤ A, B, C

02 그림은 무게가 10 N인 물체를 용수철에 매달았을 때 용수철이 늘어난 채로 정지한 것을 나타낸 것이다.

(1) 물체에 작용하는 중력의 크기는 몇 N이며, 어느 방향으로 작용하는지 쓰시오.

(2) 물체에 작용하는 용수철의 탄성력의 크기는 몇 N이며, 어느 방향으로 작용하는지 쓰시오.

(3) 물체에 작용하는 알짜힘의 크기는 몇 N인지 쓰시오.

03 그림과 같이 물체를 10 N의 힘으로 오른쪽으로 끌어당겼지만 물체가 움직이지 않았다.

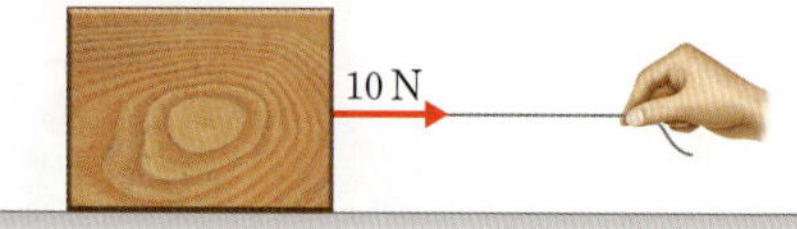

이에 대한 설명으로 옳은 것을 보기에서 모두 고른 것은?

보기
ㄱ. 물체에 작용하는 마찰력의 방향은 오른쪽이다.
ㄴ. 물체에 작용하는 마찰력의 크기는 10 N이다.
ㄷ. 물체를 당기는 힘과 마찰력은 평형을 이룬다.

① ㄱ   ② ㄷ   ③ ㄱ, ㄴ
④ ㄴ, ㄷ   ⑤ ㄱ, ㄴ, ㄷ

04 그림은 고무 오리가 물에 떠서 정지해 있는 것을 나타낸 것이다.

이에 대한 설명으로 옳은 것을 보기에서 모두 고른 것은?

보기
ㄱ. 고무 오리에는 중력과 부력이 작용한다.
ㄴ. 고무 오리에 작용하는 알짜힘은 0이다.
ㄷ. 고무 오리에 작용하는 부력의 방향은 중력과 반대 방향이다.

① ㄱ   ② ㄴ   ③ ㄱ, ㄷ
④ ㄴ, ㄷ   ⑤ ㄱ, ㄴ, ㄷ

05 그림 (가)~(라)는 마찰이 없는 바닥에서 오른쪽으로 운동하는 공에 각각 다른 방향의 힘이 작용하는 모습을 나타낸 것이다.

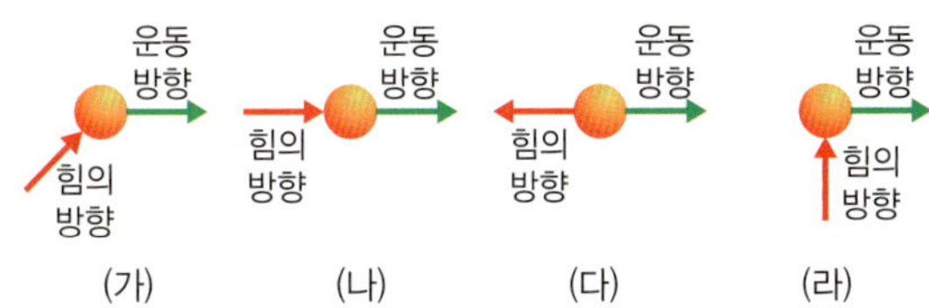

공의 운동 상태에 대한 설명으로 옳은 것은?

① (가)에서는 속력만 변한다.

② (나)에서는 속력이 점점 증가한다.

③ (다)에서는 운동 방향만 변한다.

④ (라)에서는 속력과 운동 방향이 모두 변한다.

⑤ (가)~(라)에서는 모두 운동 상태가 변하지 않는다.

06 물체가 운동하는 동안 속력만 변하는 예로 가장 적절한 것은?

① 에스컬레이터를 타고 올라갔다.

② 손에 들고 있던 공을 가만히 놓았다.

③ 회전목마가 일정한 빠르기로 회전했다.

④ 날아오는 야구공을 야구 방망이로 쳤다.

⑤ 비스듬히 위로 던진 농구공이 골대에 들어갔다.

07 그림은 일정한 속력으로 회전하는 관람차 A, 앞뒤로 왕복 운동하는 바이킹 B, 직선 레일에서 속력이 점점 빨라지는 기차 C의 운동을 나타낸 것이다.

A~C 중 속력과 운동 방향이 모두 변하는 운동을 하는 것을 모두 고른 것은?

① A   ② B   ③ A, C

④ B, C   ⑤ A, B, C

08 그림 (가)~(다)는 놀이공원에서 볼 수 있는 여러 가지 놀이 기구를 나타낸 것이다.

놀이기구가 운동하는 동안의 (가)~(다)에 대한 설명으로 옳은 것을 보기에서 모두 고른 것은?

> **보기**
>
> ㄱ. (가)의 속력은 변한다.
>
> ㄴ. (나)는 중력에 의해 운동 상태가 변한다.
>
> ㄷ. (다)는 속력은 변하지 않고 운동 방향만 변한다.

① ㄱ   ② ㄴ   ③ ㄱ, ㄷ

④ ㄴ, ㄷ   ⑤ ㄱ, ㄴ, ㄷ

09 그림 (가)는 컬링 스톤 A가 직선 운동을 하다가 정지한 모습을, (나)는 비스듬히 던진 농구공 B가 골대에 들어가는 모습을 나타낸 것이다.

이에 대한 설명으로 옳은 것은?

① A는 속력이 감소한다.

② A에 작용하는 알짜힘은 0이다.

③ B는 운동 방향만 변하는 운동을 한다.

④ B의 운동 방향과 힘의 방향이 같다.

⑤ B에 작용하는 힘들은 매순간 평형을 이룬다.

01 그림 (가)는 진자 운동을 하는 추를, (나)는 지구 주위를 공전하는 달을 나타낸 것이다.

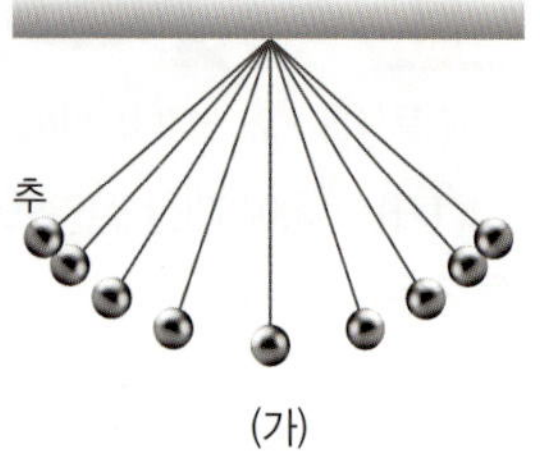

(가)와 (나)의 운동의 공통점으로 옳은 것을 보기에서 모두 고른 것은?

> **보기**
>
> ㄱ. 속력이 변하는 운동을 한다.
> ㄴ. 운동 방향이 변하는 운동을 한다.
> ㄷ. 운동 방향과 나란하게 알짜힘이 작용한다.

① ㄱ   ② ㄴ   ③ ㄱ, ㄷ
④ ㄴ, ㄷ   ⑤ ㄱ, ㄴ, ㄷ

02 마찰이 없는 수평면 위에 정지해 있는 무게가 20 N인 물체에 힘을 작용하였다.

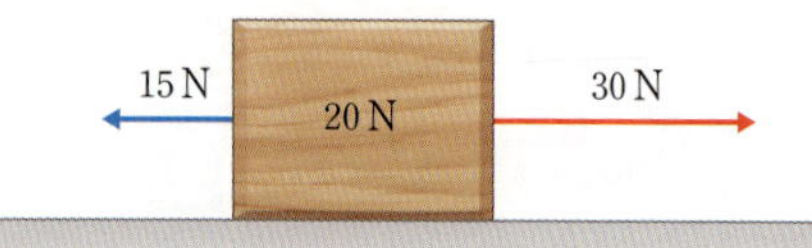

이에 대한 설명으로 옳지 <u>않은</u> 것은?

① 물체는 일정한 속력으로 운동을 한다.
② 물체에 작용하는 중력의 크기는 20 N이다.
③ 물체에 작용하는 알짜힘의 크기는 15 N이다.
④ 물체에 작용하는 알짜힘의 방향은 오른쪽이다.
⑤ 수평면이 물체를 떠받치는 힘의 크기는 20 N이다.

[03~04] 그림은 나무 막대에 무게가 각각 5 N, 15 N, 10 N인 세 물체 A, B, C가 매달려 수평을 이루고 있는 모습을 나타낸 것이다. 물체 B는 물속에 완전히 잠겨 있다.

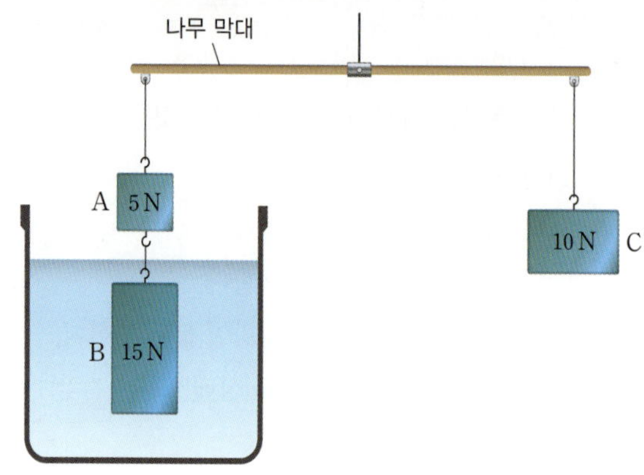

03 A, B, C에 관한 설명으로 옳은 것을 보기에서 모두 고른 것은?

> **보기**
>
> ㄱ. A에 작용하는 중력의 크기는 10 N이다.
> ㄴ. B에 작용하는 중력과 부력의 합력의 크기는 5 N이다.
> ㄷ. C에 작용하는 중력의 크기는 20 N이다.

① ㄱ   ② ㄴ   ③ ㄱ, ㄷ
④ ㄴ, ㄷ   ⑤ ㄱ, ㄴ, ㄷ

04 물속에서 B가 받는 부력의 크기를 쓰시오. (단, 공기의 부력은 무시한다.)

 **서술형 문제**  힘과 운동

☞ 제시된 Keyword를 이용하여 문제를 해결해 보자.

1 그림과 같이 동일한 용수철 A와 B를 연직 아래로 같은 길이만큼 늘어나게 잡아당겼다. 이때 왼손이 A를 직접 당기는 힘과 오른손이 B에 매달린 추를 당기는 힘의 크기는 각각 f_A와 f_B이고, 용수철 A와 B에 작용하는 탄성력의 크기는 각각 F_A와 F_B이다.

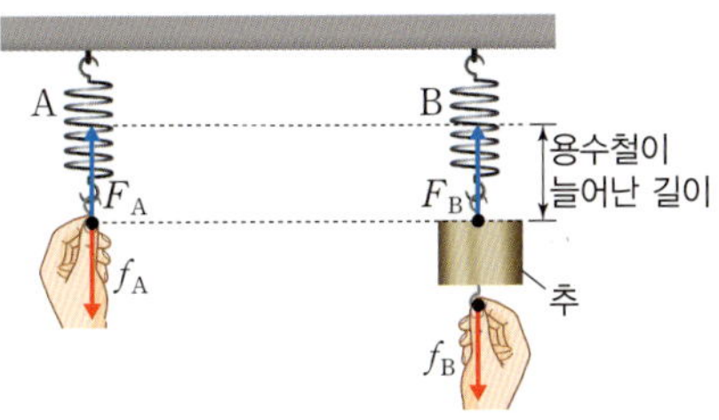

F_A, F_B, f_A, f_B의 크기를 등호 또는 부등호로 비교하고 그 까닭을 설명하시오.

Keyword 용수철이 늘어난 길이, 힘의 평형

____

____

2 그림은 달이 지구 주위를 공전하는 모습을 나타낸 것이다.

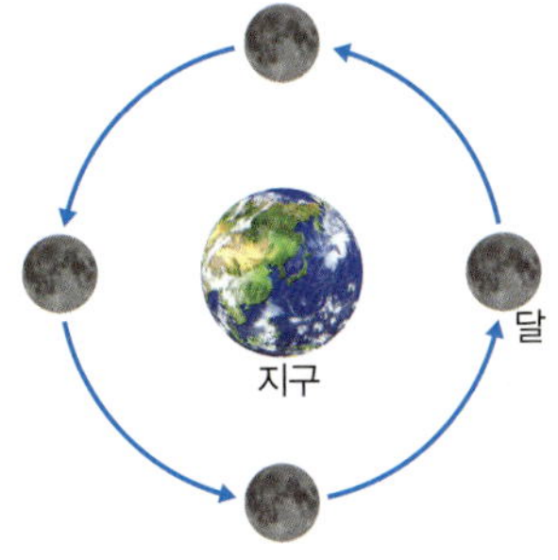

달의 속력 변화와 운동 방향 변화를 달에 작용하는 지구 중력과 관련지어 설명하시오. (단, 지구 중력의 크기는 일정하고, 달의 공전 궤도는 원이다.)

Keyword 중력의 방향, 달의 운동 방향

____

____

도전! 단계적 서술형

3 그림과 같이 수평면에 놓여 있는 물체를 각각 왼쪽으로 20 N, 오른쪽으로 30 N의 힘을 작용하여 당겼지만 물체가 움직이지 않았다.

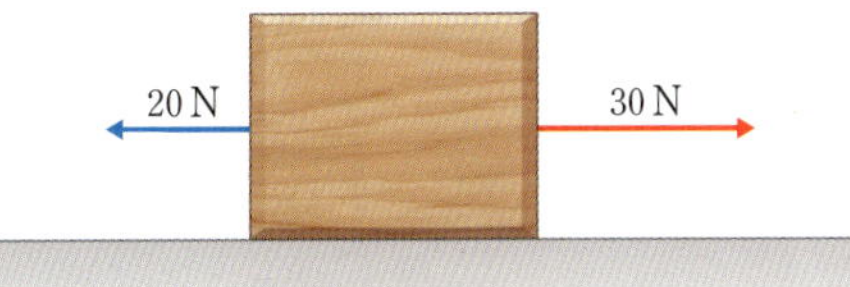

(1) **[문제 이해]** 물체가 움직이지 않은 까닭을 설명하시오.

Keyword 힘의 평형

____

____

(2) **[문제 해결]** 물체에 작용하는 마찰력의 크기와 방향을 설명하시오.

Keyword 알짜힘, 힘의 평형

____

____

(3) **[가산점 쑵쑵!]** 물체에 작용하는 마찰력을 화살표로 그리시오. (단, 모눈 한 칸은 10 N을 의미한다.)

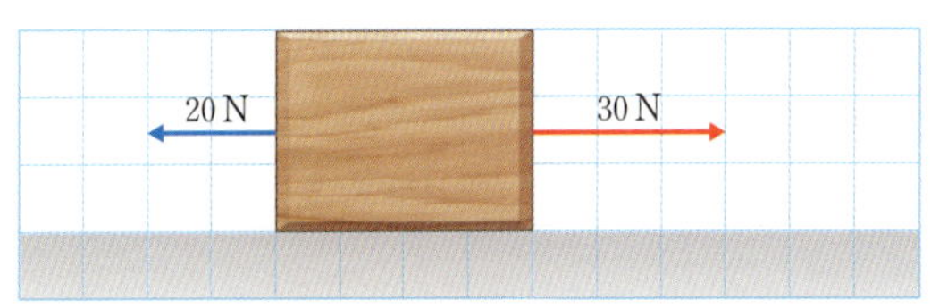

최상위권 도전 문제

V 힘의 작용

☞ 심화 HIGH 물리학(021쪽~022쪽, 036쪽)에서 학습한 내용을 참고하여 문제를 해결해 보자.

1 그림 (가)는 양팔저울에 사과와 총 무게가 12 N인 추가 평형을 이룬 모습을, (나)는 병마개를 따기 위해 병따개의 끝을 잡고 위쪽으로 힘을 주는 모습을 나타낸 것이다.

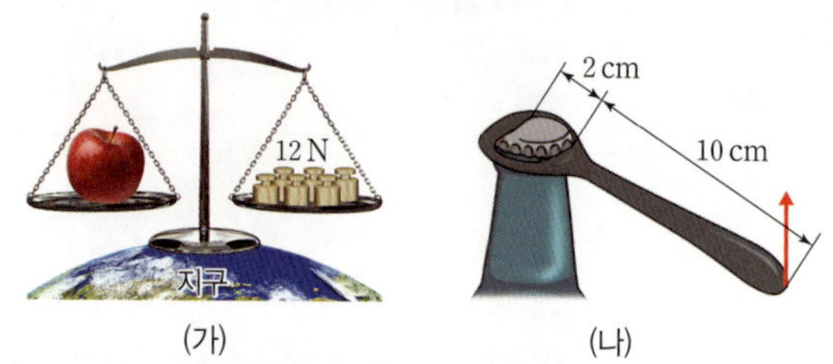

이에 대한 설명으로 옳은 것을 보기에서 모두 고른 것은?

보기

ㄱ. (가)에서 사과에 작용하는 중력의 크기는 12 N이다.

ㄴ. (나)에서 힘점과 받침점 사이의 거리가 작용점과 받침점 사이의 거리보다 크다.

ㄷ. (가)는 힘의 평형을 이용하고 (나)는 지레의 원리를 이용한다.

① ㄱ ② ㄷ ③ ㄱ, ㄴ

④ ㄴ, ㄷ ⑤ ㄱ, ㄴ, ㄷ

Solution Tip

병따개는 받침점 – 작용점 – 힘점 순으로 위치한 2종 지레로, 작은 힘으로도 일을 할 수 있다.

---

2 그림 (가)와 같이 무게가 10 N인 물체를 (나)와 같이 물속에 잠기게 했을 때 용수철저울의 눈금 값은 8 N이었고, 그림 (다)는 물체가 물속에 완전히 잠긴 모습이다.

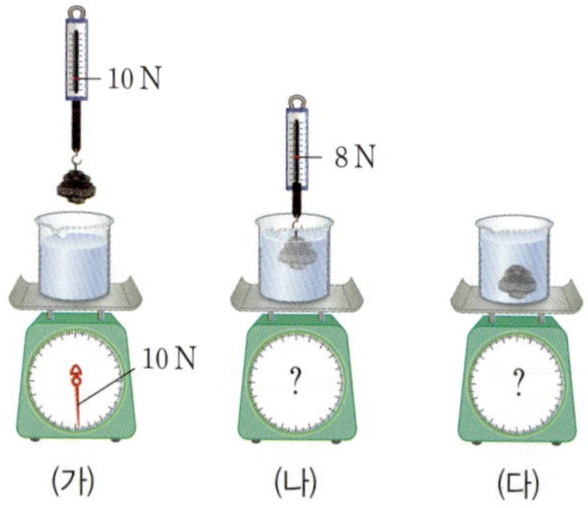

이에 대한 설명으로 옳은 것을 보기에서 모두 고른 것은? (단, 공기에 의한 부력은 무시한다.)

보기

ㄱ. (나)의 가정용 저울의 눈금 값은 12 N이다.

ㄴ. (다)에서 물체에 작용하는 부력의 크기는 2 N이다.

ㄷ. (다)의 가정용 저울의 눈금 값은 20 N이다.

① ㄱ ② ㄷ ③ ㄱ, ㄴ

④ ㄴ, ㄷ ⑤ ㄱ, ㄴ, ㄷ

Solution Tip

용수철저울과 가정용 저울은 모두 물체에 작용하는 힘의 크기를 측정하는 도구로, 가정용 저울은 연직 아래 방향으로 작용하는 알짜 힘의 크기를 측정한다.

[3~4] 그림 (가)는 밀도가 ρ, 2ρ인 두 액체 속에 넣은 질량이 m, 부피가 V인 물체가 두 액체의 중앙에서 평형을 이룬 모습을 나타낸 것이고, (나)는 밀도가 2ρ인 액체 속에서 바닥에 고정된 용수철 위에 동일한 물체를 매달았더니 용수철이 조금 늘어나 평형을 이룬 모습을 나타낸 것이다. (단, 중력 가속도는 g이다.)

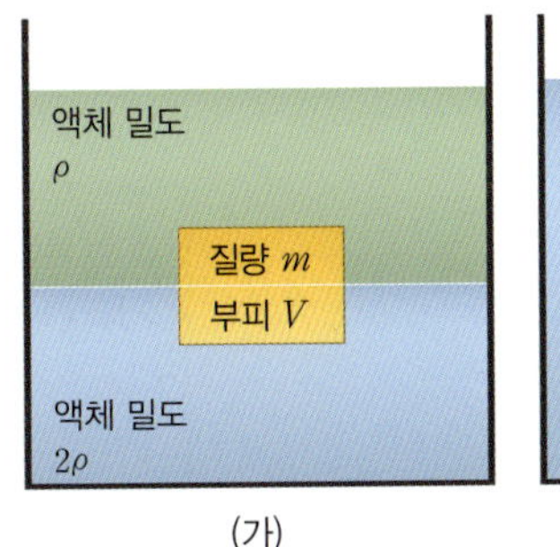

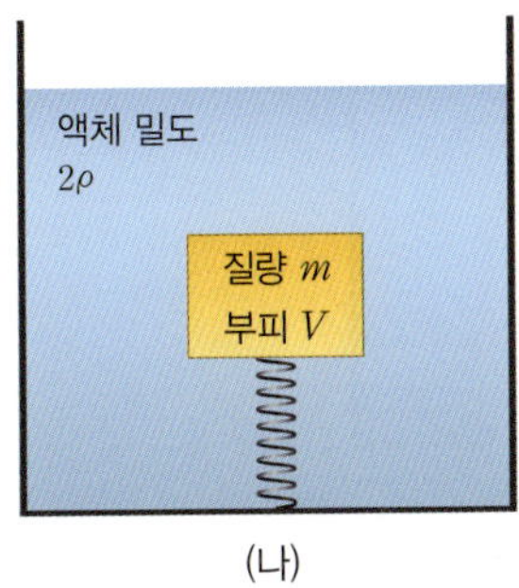

3 (가)에서 물체에 작용하는 부력의 크기는?

① $\dfrac{1}{2}\rho g V$ ② $\dfrac{2}{3}\rho g V$ ③ $\rho g V$

④ $\dfrac{3}{2}\rho g V$ ⑤ $2\rho g V$

Solution **Tip**

물체에 작용하는 부력의 크기는 유체의 밀도, 중력 가속도, 유체에 잠긴 물체의 부피에 각각 비례한다.

4 물체에 작용하는 중력의 크기가 9 N일 때, (나)의 용수철이 늘어난 길이는? (단, 용수철 상수는 100 N/m이고, 용수철의 질량은 무시한다.)

① 3 cm   ② 4 cm   ③ 6 cm

④ 9 cm   ⑤ 12 cm

Solution **Tip**

용수철 상수가 k인 용수철의 변형된 길이가 x일 때 용수철에 작용하는 탄성력의 크기는 $F = kx$이다.

5 그림과 같이 수조에 담긴 물에 물체의 일부는 물 밖에, 나머지는 물 안에 잠겨 정지해 있다. 물 밖으로 나와 있는 물체의 부피는 a, 물 안에 잠긴 물체의 부피는 b이고, 물의 밀도는 물체의 밀도의 3배이다.

$\dfrac{a}{b}$ 는? (단, 공기에 의한 부력은 무시한다.)

① 1 　　② 1.5 　　③ 2 　　④ 2.5 　　⑤ 3

Solution Tip

질량이 m이고, 부피가 V인 물체의 밀도는 $\rho=\dfrac{m}{V}$이다.

중력 가속도를 g라고 하면 질량이 m인 물체에 작용하는 중력의 크기는 $F=mg$이다.

밀도가 ρ인 액체에 잠긴 부피가 V인 물체에 작용하는 부력의 크기는 $F_{\mathrm{B}}=\rho gV$이다.

6 그림은 줄 A에 매달려 있는 남자와 남자가 잡고 있는 줄 B에 매달려 있는 여자가 정지해 있는 모습을 나타낸 것이다.

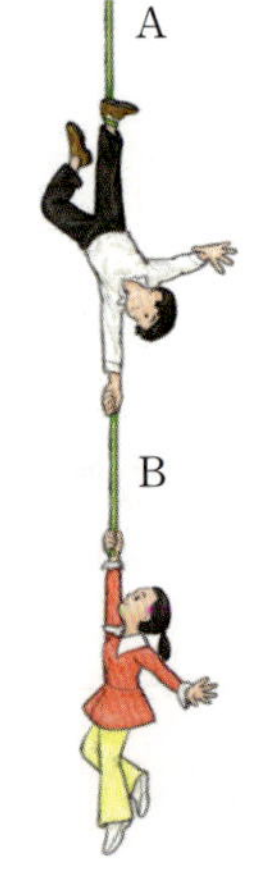

이에 대한 설명으로 옳지 <u>않은</u> 것은?

① 여자에 작용하는 알짜힘은 0이다.

② 남자에 작용하는 알짜힘은 0이다.

③ B가 여자를 당기는 힘의 반작용은 여자가 B를 당기는 힘이다.

④ B가 여자를 당기는 힘과 여자에 작용하는 중력은 힘의 평형을 이룬다.

⑤ A가 남자를 당기는 힘과 여자가 B를 당기는 힘은 작용 반작용의 관계이다.

Solution Tip

한 물체에 두 개의 힘이 동시에 작용할 때, 두 힘의 크기가 같고 방향이 반대이면 힘의 평형을 이룬다.

한 물체가 다른 물체에 힘을 작용하면 힘을 받은 물체도 힘을 작용한 물체에 크기가 같고 방향이 반대인 힘을 작용한다. 이를 작용 반작용 법칙이라고 한다.

7 그림과 같이 수평면 위에 놓인 무게가 100 N인 정지한 물체를 30 N의 힘으로 오른쪽으로 끌어당겼지만 물체가 움직이지 않았다. 이에 대한 설명으로 옳은 것은?

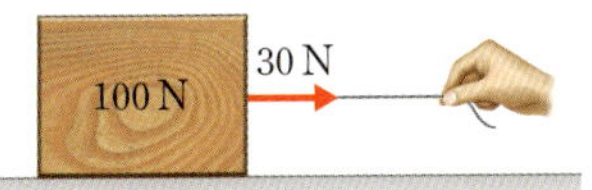

① 물체에 작용하는 마찰력의 방향은 오른쪽이다.

② 수평면이 물체를 떠받치는 힘의 크기는 0이다.

③ 물체에 작용하는 마찰력의 크기는 100 N이다.

④ 수평면이 물체를 떠받치는 힘과 물체에 작용하는 중력은 평형을 이룬다.

⑤ 물체가 움직이지 않는 까닭은 나무 도막을 당기는 힘보다 마찰력의 크기가 크기 때문이다.

Solution Tip
물체에 작용하는 두 힘의 크기가 같고, 방향이 반대이면 힘의 평형을 이루어 물체의 운동 상태가 변하지 않는다.

8 그림과 같이 무게가 $5M$인 물체가 무게가 M인 도르래 두 개에 실로 연결되어 정지해 있다.

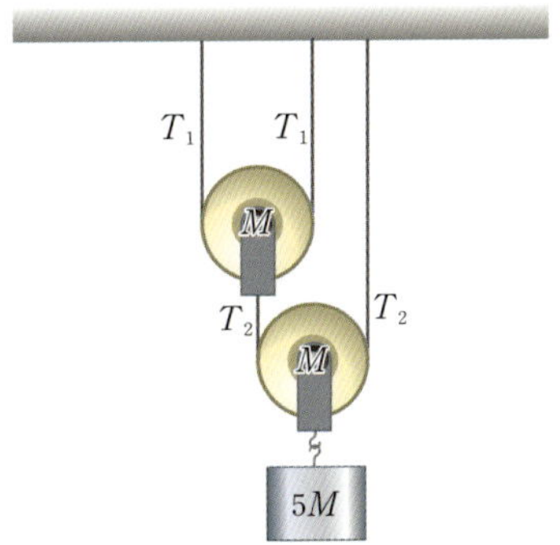

실에 작용하는 장력을 T_1, T_2라고 할 때, 이에 대한 설명으로 옳은 것을 보기에서 모두 고른 것은? (단, 실의 질량과 마찰은 무시한다.)

> **보기**
>
> ㄱ. T_2와 $5M$은 평형 관계이다.
>
> ㄴ. $2T_1$과 $M+T_2$는 평형 관계이다.
>
> ㄷ. $\dfrac{T_1}{T_2}=\dfrac{2}{3}$이다.

① ㄱ   ② ㄷ   ③ ㄱ, ㄴ

④ ㄴ, ㄷ   ⑤ ㄱ, ㄴ, ㄷ

Solution Tip
움직 도르래에 걸친 줄의 한쪽을 고정하고 도르래에 들려고 하는 물체를 걸어 도르래와 함께 당긴다. 힘의 방향을 바꾸지는 못하지만 적은 힘으로 물체의 무게를 지탱할 수 있다.
줄과 같은 물체의 양쪽 끝이 힘을 받아 팽팽할 때 그 줄의 각 점에 작용하여 당기는 힘을 장력이라고 한다.

예제

다음은 용수철을 이용한 부력 측정 실험이다.

[실험 과정]

(가) 원래 길이가 8 cm인 용수철에 물체 A를 매달았더니 용수철의 길이가 10 cm가 되었다.

(나) A 아래에 부피가 A의 2배인 물체 B를 실로 매달고, B만 물에 잠기게 했더니 용수철의 길이가 12 cm가 되었다.

(다) 물을 추가하여 A, B를 모두 물에 잠기게 했더니 용수철의 길이가 11.5 cm가 되었다.

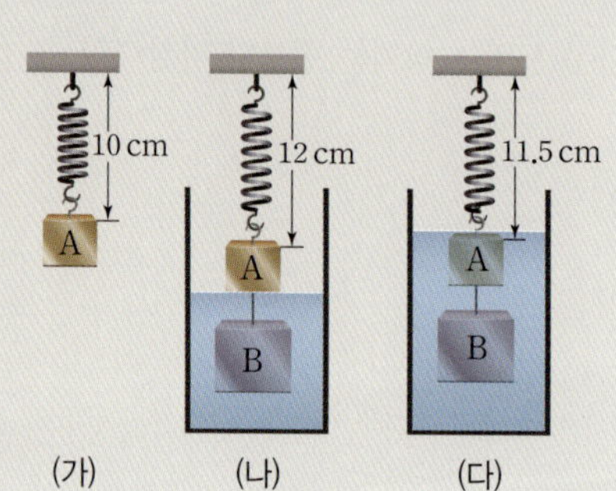

(가)에서 용수철에 A 대신 B만 매달았을 때 용수철의 길이를 구하고, 그 과정을 설명하시오. (단, 용수철과 실의 질량, 공기에 의한 부력은 무시한다.)

해결 전략

물속에 잠긴 물체의 부피와 물체에 작용하는 부력의 크기 관계를 이용해 보자.

❶ 용수철의 탄성력을 이용하여 힘의 크기를 측정할 수 있다.

❷ 물체에 작용하는 중력에 의해 용수철의 길이가 늘어나고, 물체에 작용하는 부력에 의해 용수철의 길이가 줄어든다.

❸ 물속에서 물체에 작용하는 부력의 크기는 물속에 잠긴 물체의 부피에 비례하므로 B에 작용하는 부력의 크기가 A에 작용하는 부력의 크기의 2배이다.

모범 답안

(가)에서는 A에 작용하는 중력이 용수철을 잡아당기므로, A에 작용하는 중력에 의해 용수철이 10 cm−8 cm=2 cm가 늘어났다.

(나)에서는 B에 작용하는 중력이 용수철을 잡아당기고 B에 작용하는 부력이 용수철을 반대 방향으로 느슨하게 하여 용수철이 (가)에서보다 12 m−10 cm=2 cm가 더 늘어났다.

(다)에서는 A에 작용하는 부력에 의해 용수철이 줄어든 길이는 0.5 cm이다. 이때 B의 부피는 A의 부피의 2배이므로 B에 작용하는 부력의 크기는 A에 작용하는 부력의 크기의 2배가 된다. 또, 용수철이 늘어난 길이는 용수철에 작용하는 힘의 크기에 비례하므로 B에 작용하는 부력에 의해 용수철이 줄어든 길이는 A에 작용하는 부력에 의해 용수철이 줄어든 길이인 0.5 cm의 2배, 즉 1 cm이다.

따라서 B에 작용하는 중력에 의해 용수철이 늘어난 길이는 3 cm가 될 것이므로, 용수철에 B만 매달았을 때 용수철의 길이는 원래 길이 8 cm에 3 cm가 늘어난 11 cm이다.

출제 의도

용수철의 탄성력을 이용하여 힘을 측정하는 원리와 물속에 잠긴 물체의 부피와 부력의 관계를 이해하고 있는가?

문제 해결을 위한 배경 지식

• 용수철이 늘어난 길이는 용수철에 작용한 힘의 크기에 비례한다.

• 용수철에 매단 물체를 물에 잠기게 했을 때 물체에 작용하는 부력의 크기는 감소한 용수철 길이(공기 중에서 용수철이 늘어난 길이−물속에서 용수철이 늘어난 길이)에 비례한다.

• 물속에 잠긴 물체의 부피와 물체에 작용하는 부력의 크기는 비례한다.

Keyword

무게, 탄성력의 크기, 탄성력과 부력의 크기의 합

완벽한 답안 작성을 위한 Tip

탄성력의 크기는 용수철의 길이가 아니라 용수철이 늘어난 길이에 비례한다.

1 〔지식·이해〕

그림과 같이 마찰이 없는 레일 위의 한 점 **A**에 쇠구슬을 가만히 놓았더니 쇠구슬이 직선인 **AB** 구간을 지나 미끄러져 반대편에서 **A**와 같은 높이의 지점을 거친 후 **D**로 이동하였다. (단, 공기 저항은 무시하며, 각 점에 그린 점선은 수선이다.)

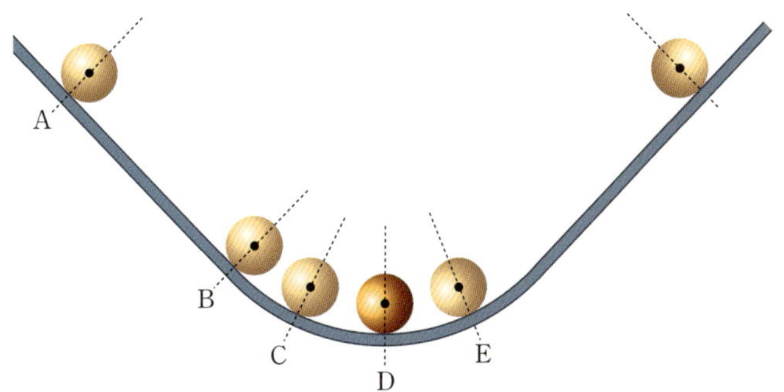

(1) B, C, E의 각 점에서 쇠구슬에 작용하는 알짜힘의 방향을 그리시오.

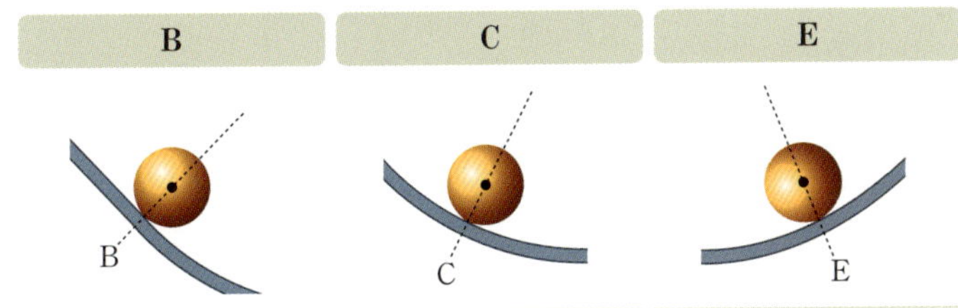

B	**C**	**E**

(2) 쇠구슬이 AB 구간을 이동하는 데 걸리는 시간을 t라고 할 때, AB 구간에서의 시간에 따른 알짜힘 그래프를 그리시오.

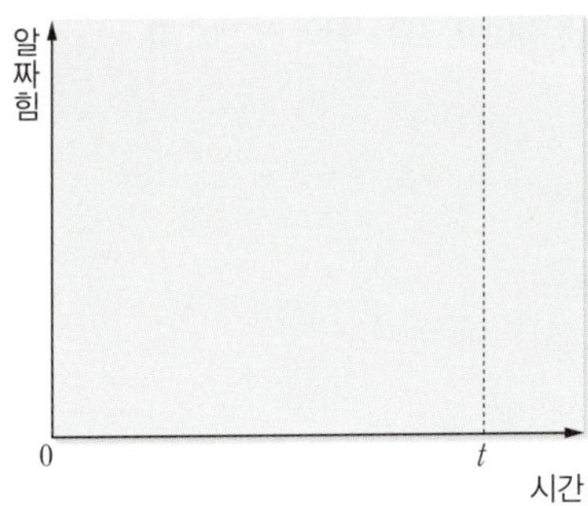

(3) 쇠구슬이 AB 구간을 이동할 때의 운동 상태를 쓰고, 그 까닭을 설명하시오.

Solution **Tip**

물체에 알짜힘이 작용하면 모양이 변하거나 운동 상태가 변한다. 만약 알짜힘이 작용하여 물체의 운동 상태가 변한다면 물체의 운동 방향이 변하거나 물체의 속력이 변하거나 운동 방향과 속력이 동시에 변한다.

Keyword

속력, 운동 방향, 알짜힘

2 [과정·기능]

다음은 마찰력의 크기에 영향을 주는 요인을 알아보기 위한 실험이다.

[실험 과정]

(가) 그림과 같이 판 위에 물체를 올려놓고, 용수철저울을 이용하여 물체를 천천히 당기면서 물체가 움직이기 시작할 때 용수철저울의 눈금을 측정한다.

(나) 물체와 접촉면을 바꾸어 가면서 (가)를 반복한다.

[실험 결과]

기호		A	B	C	D	E	F	G	H
요인	접촉면의 넓이(cm²)	25	25	50	50	50	50	75	75
	물체의 무게(N)	2	4	2	2	4	4	2	4
	접촉면의 재질	종이	사포	사포	아크릴	종이	사포	아크릴	종이
용수철저울의 눈금(N)		0.8	2.8	1.4	0.4	1.6	2.8	0.4	1.6

각 요인이 마찰력의 크기에 영향을 주는지 판단하고, 판단 근거를 설명하시오.

____

____

3 [지식·이해]

그림은 용수철에 힘을 작용하여 용수철을 늘리는 것을 나타낸 것이고, 표는 힘의 크기에 따른 용수철이 늘어난 길이를 나타낸 것이다.

힘의 크기(N)	2	4	6	8
용수철이 늘어난 길이(cm)	1	2	3	4

(1) 이 용수철에 F의 힘을 작용했을 때 용수철이 5.5 cm 늘어났다. F의 크기를 구하고, 그 과정을 설명하시오.

____

____

(2) 용수철로 힘의 크기를 측정하는 원리를 설명하시오.

____

____

4 〔과정·기능〕

학생 A와 B는 지구에서 금 1 kg을 산 후, 그림과 같이 A는 지구에서 가져간 양팔저울을, B는 가정용 저울을 이용하여 태양계 행성인 화성에서 팔았다. A와 B 중 손해를 본 사람은 누구인지 쓰고, 그 까닭을 설명하시오. (단, 화성의 중력은 지구의 $\frac{1}{3}$ 이고, kg당 금 가격은 지구와 화성에서 같다.)

Solution Tip

무게는 물체에 작용하는 중력의 크기로, 측정하는 장소에 따라 달라진다. 질량은 물체를 구성하는 물질의 고유한 양으로, 측정하는 장소가 달라져도 변하지 않고 일정하다.

Keyword

무게, 질량

5 〔가치·태도〕

다음은 아르키메데스의 문제 해결 과정을 가상으로 나타낸 것이다.

> 시칠리아의 히에론왕은 500 g의 순금으로 왕관을 만들도록 세공사에게 명령했다. 왕은 세공사가 순금의 일부를 은으로 바꿔 500 g의 왕관을 만들었다는 소문을 듣고, 아르키메데스에게 왕관을 훼손하지 않고 순금 몇 g이 은으로 바뀌었는지 알아보게 하였다.
> 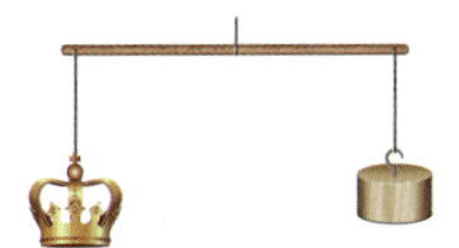
> 아르키메데스는 한쪽의 질량이 6 g 더 커야 기울어지는 양팔저울을 만들어 그림과 같이 순금 500 g과 왕관을 매달았더니 수평을 이루었다. 이것을 밀도가 1.2 kg/L인 소금물에 넣자 양팔저울이 기울어졌다. (단, 순금의 밀도는 20 kg/L, 은의 밀도는 10 kg/L이다.)

(1) 양팔저울을 소금물에 넣었을 때 왕관과 순금 중 어느 쪽으로 기울었는지 설명하시오.

(2) 순금 몇 g이 은으로 바뀌었는지 구하시오.

Solution Tip

(1) 물에 잠긴 물체의 부피가 클수록 물체에 작용하는 부력의 크기가 크다.
(2) 질량이 m이고, 부피가 V인 물체의 밀도는 $\rho=\dfrac{m}{V}$이며, 밀도가 ρ인 액체에 잠긴 부피가 V인 물체에 작용하는 부력의 크기는 $F_B=\rho g V$이다. 그리고 질량이 m인 물체에 작용하는 중력의 크기는 $F=mg$이다.

Keyword

부력, 중력, 질량

중력에 의한 물체의 운동

지구의 중력에 의해 지구에 물과 공기가 존재할 수 있고, 우리가 위와 아래를 구분하며 무게를 느낄 수 있다. 또한 가만히 놓은 공이나 번지 점프를 하는 사람이 아래로 떨어진다. 그런데 왜 달은 지구 표면으로 떨어지지 않고 지구 주위를 도는 걸까? 고등학교에서 배우게 될 『통합과학1』의 '역학 시스템' 단원의 내용을 미리 살펴보자.

중1

중력은 지구가 물체를 당기는 힘으로, 중력의 방향은 지구 중심을 향하는 방향이다.

지표면에서는 중력이 작용하므로 수직 위로 던진 물체나 비스듬히 위로 던진 물체는 아래로 떨어진다.

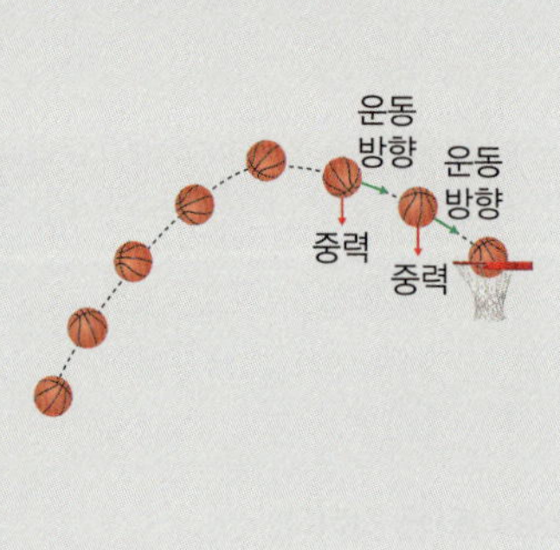

수평 방향으로 특정한 속력으로 물체를 던지면 지구가 둥글기 때문에 지면에 닿지 않고 지구 주위를 계속 돌기도 한다.

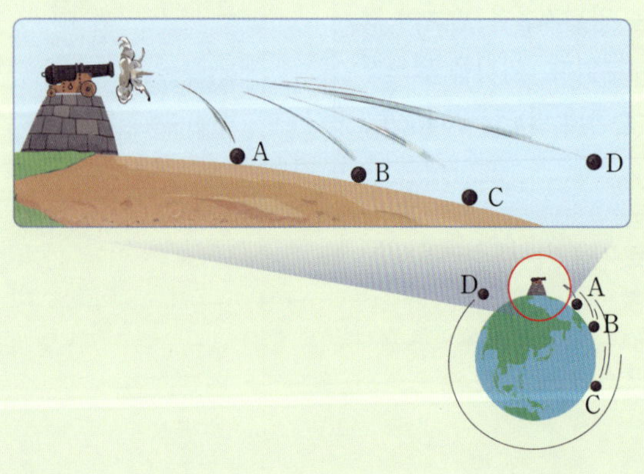

통합과학

중력은 질량이 있는 모든 물체 사이에 상호작용 하는 힘이다.

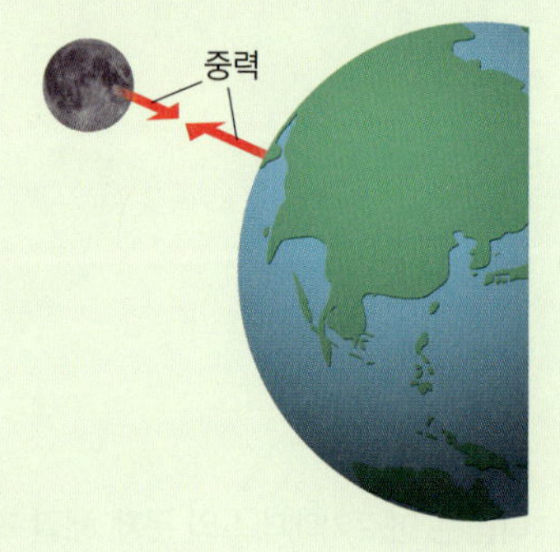

지구가 달을 당기면 달도 지구를 당긴다. 이때 지구가 달을 당기는 중력과 달이 지구를 당기는 중력의 크기는 같고 방향은 반대이다.

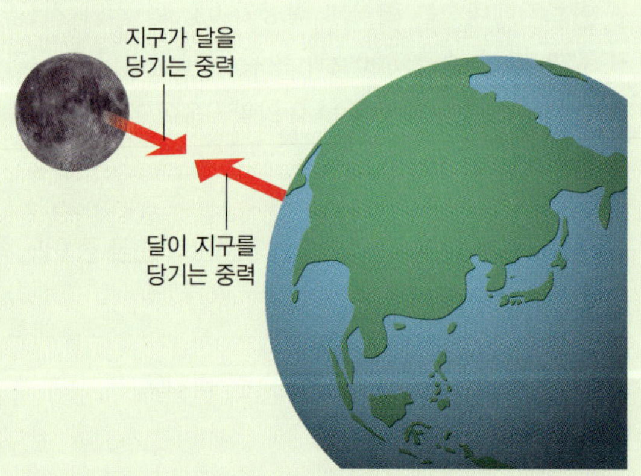

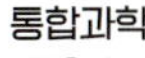

필수 탐구

자유 낙하 하는 물체와 수평 방향으로 던진 물체의 운동 비교하기

과정

❶ 쇠구슬 발사 장치에 구슬 A는 자유 낙하 하고, 구슬 B는 수평 방향으로 운동하도록 장치한다.

❷ 구슬 발사 장치를 작동하여 두 구슬이 동시에 운동하는 모습을 다중 섬광 사진으로 촬영한다.

과학 용어 사전 149쪽

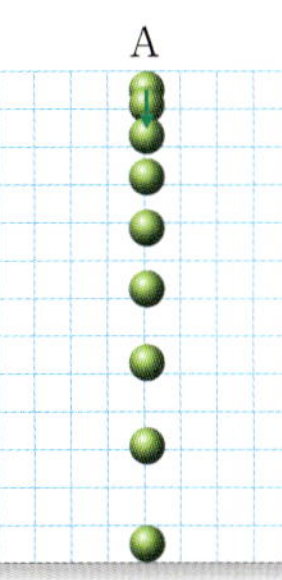
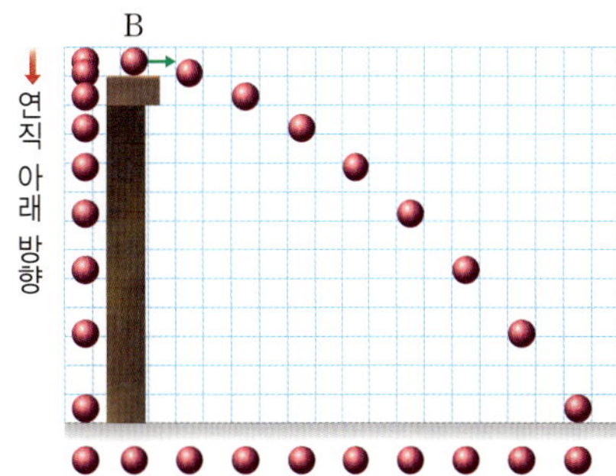

결과 및 정리

- A와 B에서 연직 방향으로는 중력이 작용하여 같은 시간 동안 이동한 거리가 일정하게 증가한다.

  ⌐→ 연직 방향으로는 속력이 일정하게 증가한다.

- B에서 수평 방향으로는 힘이 작용하지 않으므로 같은 시간 동안 이동한 거리가 일정하다.

  ⌐→ 수평 방향으로는 속력이 일정하다.

학교 시험 맛보기

그림은 물체 A, B, C를 행성 표면으로부터 높이 h인 곳에서 수평 방향으로 던졌을 때의 운동 경로를 나타낸 것이다. A와 B는 행성의 표면으로 떨어졌고, C는 높이 h를 유지하며 계속 운동하였다.

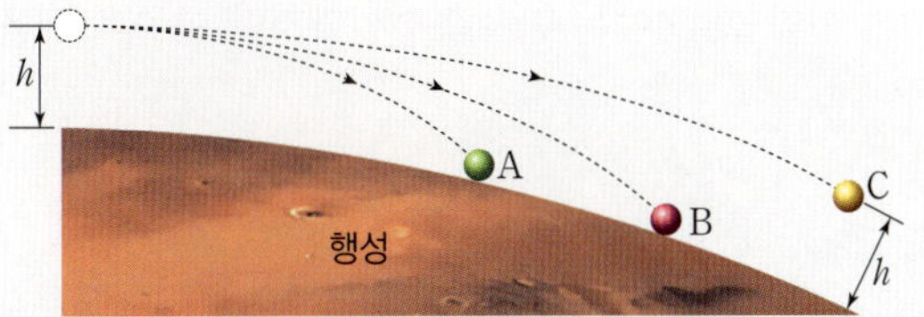

이에 대한 설명으로 옳은 것을 보기에서 모두 고르시오.

> **보기**
>
> ㄱ. A에 작용하는 중력의 방향은 운동 방향과 같다.
>
> ㄴ. 행성이 물체 B를 당기는 중력과 물체 B가 행성을 당기는 중력의 크기는 같다.
>
> ㄷ. C에는 중력이 작용하지 않는다.

정답 ㄴ

풀이

ㄱ. A에 작용하는 중력의 방향은 행성의 중심 방향으로 A의 운동 방향과 같지 않다.

ㄴ. 중력은 질량이 있는 모든 물체 사이에 상호작용 하는 힘으로 행성이 물체 B를 당기는 중력과 물체 B가 행성을 당기는 중력의 크기는 같다.

ㄷ. A, B, C에는 중력이 작용하며, 특정 속력으로 운동하는 C는 행성 표면에 닿지 않고 행성 주위를 돌 수 있다. 만약 C에 중력이 작용하지 않는다면 우주로 날아갈 것이다.

Science Talk

선박 평형수가

일으키는 생태계 교란

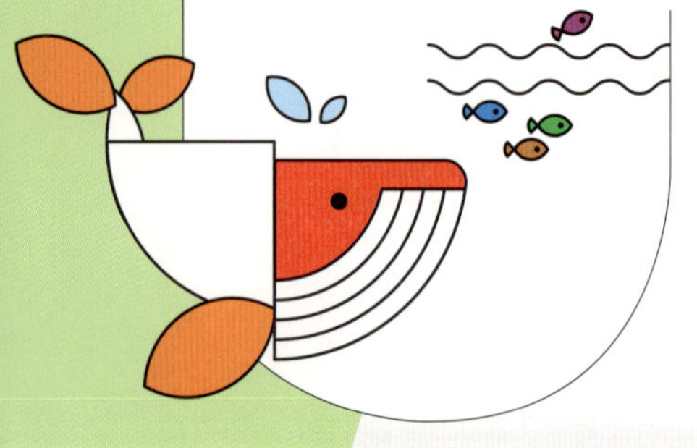

선박은 세계 무역의 중요한 운송 수단이다. 선박은 화물을 실으면 화물의 무게로 선체가 물에 가라앉는다. 그래서 선박의 무게와 선박에 작용하는 부력을 조절하는 것이 중요하다.

만약 화물을 가득 실었던 선박에서 화물을 내리면 그만큼 선체가 가벼워져 선박이 수면 위로 많이 올라오게 된다. 그러면 파도나 풍랑에 흔들려 전복될 위험이 있으며, 추진기가 물 밖에서 겉돌아 추진력이 떨어질 수도 있다. 그래서 선박 내부에 물탱크를 설치하여 물을 채우는데, 이 물을 선박 평형수라고 한다.

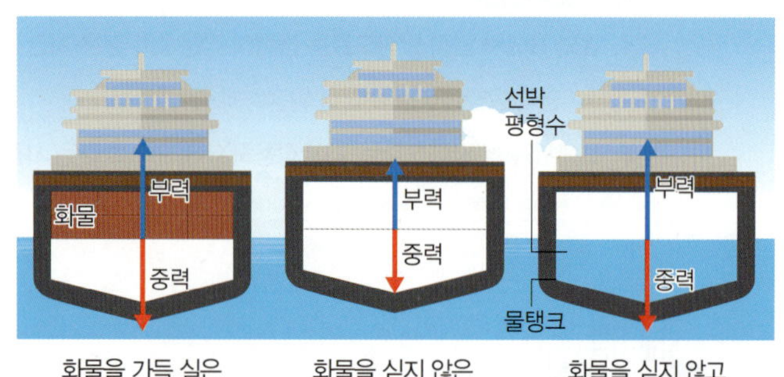

화물을 가득 실은 선박 · 화물을 싣지 않은 선박 · 화물을 싣지 않고 선박 평형수를 채운 선박

그렇다면 선박 한 척이 실을 수 있는 최대 용량은 얼마일까? 선박의 선체에는 사람, 화물 등을 최대로 실었을 때 수면의 높이를 표시하는 선이 있는데 이를 만재흘수선이라고 한다. 따라서 만재흘수선은 선체가 물에 잠기는 한계선을 뜻하며 선박 한 척에는 만재흘수선까지만 화물을 실을 수 있다.

선박에서 배출하는 선박 평형수 화물을 실은 상태에 따라 선박의 균형을 맞추기 위해 선박 평형수를 주입하거나 배출한다. 만재흘수선을 쉽게 확인하기 위해 선박의 하단부를 붉은색 페인트로 칠한다.
같은 선박이라도 만재흘수선은 계절이나 항해하는 바다에 따라 다른데, 그 까닭은 바닷물의 밀도가 온도와 염도에 따라 달라지고 부력이 바닷물의 밀도에 따라 달라지기 때문이다.

선박을 통한 여러 지역 간에 화물 교역량이 많아지면서 선박 평형수를 주입하거나 배출할 때 연간 7000종 이상의 생물이 다른 지역으로 이동하고 있다. 선박 평형수와 함께 다른 지역으로 이동한 외래 해양 생물은 대부분 새로운 환경에 적응하지 못하고 죽지만, 일부 종은 강한 번식력으로 살아남기도 한다. 살아남은 외래 해양 생물은 해양 생태계를 교란하거나 병원균 전염과 같은 문제를 일으키기도 한다.

우리나라에서도 지중해 담치, 유령멍게, 아무르 불가사리, 포르세라갈 파래 등과 같은 외래 해양 생물들이 정착해 살고 있다. 지중해 담치는 양식 동물의 부착과 성장을 방해하고 토종 홍합 서식지를 차지하고 있으며, 유령멍게가 죽으면 물밑에 가라앉아 바닷물을 오염시키기도 한다. 아무르 불가사리는 조개류를 무차별적으로 포식하며, 포르세라갈 파래는 해양의 녹조 발생률을 높이기도 한다.

이런 문제를 해결하기 위해 선박 평형수 처리 장치 설치를 의무화해야 한다는 의견에 따라 국제해사기구(IMO)는 선박 평형수 통제와 관리를 위해 국제 협약을 채택하였다. 2017년부터 이 협약에 따라 운항하는 선박에는 선박 평형수 처리 장치를 의무적으로 설치해야 한다. 이 장치는 전기 분해, 자외선 투사, 화학 약품 처리 등 다양한 방식으로 선박 평형수에 포함된 해양 생물을 제거한다.

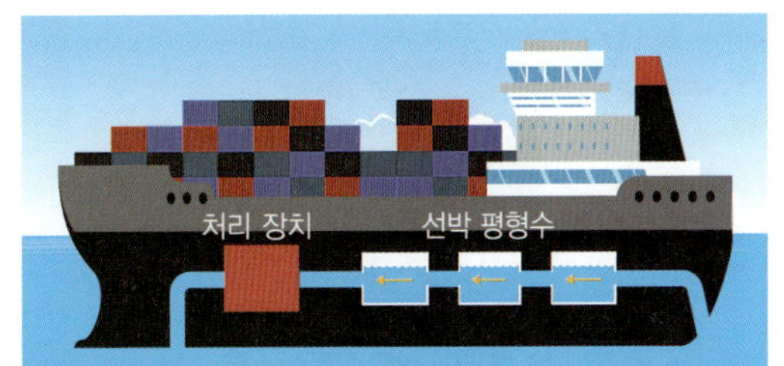

선박 평형수 처리 장치 선박 평형수에 포함된 해양 생물을 제거한다.

VI

기체의 성질

01 기체의 압력과 부피

02 기체의 온도와 부피

01 기체의 압력과 부피

펭귄이 얼음판 위를 지나갈 때는 배를 얼음판에 붙이고 엎드려서 이동한다.
그 까닭은 무엇일까?

- ☐ **기체의 무게**: 기체가 들어 있는 풍선에 기체를 더 넣으면 풍선의 무게는 (줄어들고, 늘어나고), 기체를 빼내면 풍선의 무게는 (줄어든다, 늘어난다).
- ☐ **압력에 따른 기체의 부피 변화**: 압력을 높이면 기체의 부피가 (줄어들고, 늘어나고), 압력을 낮추면 기체의 부피가 (줄어든다, 늘어난다).

1 압력과 기체의 압력

용어 Pa(파스칼)

1 Pa은 1 N(뉴턴)의 힘이 1 m²의 면적에 작용할 때의 압력, 즉 1 N/m²를 의미한다.

1. **압력** 음료수 용기에 빨대를 꽂을 때는 뾰족한 쪽으로 꽂아야 더 잘 꽂힌다. 이는 같은 크기의 힘이 작용할 때 힘을 받는 면적에 따라 힘의 효과가 다르게 나타나기 때문이다. 이때 일정한 면적에 작용하는 힘을 압력이라고 한다.

$$압력 = \frac{수직으로\ 작용하는\ 힘}{힘을\ 받는\ 면적}\ \text{(단위: N/cm}^2\text{, N/m}^2\text{, Pa 등)}$$

(1) **압력의 크기**: 일정한 면적에 작용하는 힘의 크기가 클수록, 같은 크기의 힘이 작용하는 면적이 좁을수록 압력이 커진다.

(2) **일상생활에서 압력을 이용한 예**

압력의 크기 비교

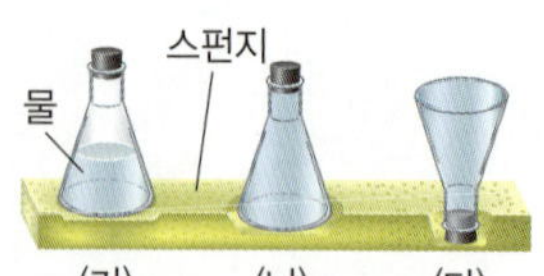

- (가), (나): 힘을 받는 면적이 같을 때 작용하는 힘의 크기가 클수록 압력이 크다. → (가)<(나)
- (나), (다): 같은 크기의 힘이 작용할 때 힘을 받는 면적이 좁을수록 압력이 크다. → (나)<(다) 따라서 압력의 크기는 (가)<(나)<(다)이다.

압력을 크게 하여 이용한 경우 → 힘을 받는 면적을 좁힘.	압력을 작게 하여 이용한 경우 → 힘을 받는 면적을 넓힘.
• 스케이트나 가위의 날을 날카롭게 만든다. • 못, 바늘, 송곳의 한쪽 끝을 뾰족하게 만든다. • 눈이 얼어 있는 산을 올라갈 때 신발에 착용하는 아이젠은 금속을 뾰족하게 만든다.	• 스키, 스노보드, 눈썰매, 설피의 밑면이 넓다. • 탄산음료 병의 밑바닥을 꽃잎 모양으로 만든다. • 얼음판 위를 걸어가는 것보다 기어가는 것이 얼음판이 깨질 위험이 적다.

용어 설피

눈에 빠지지 않도록 신발 바닥에 대는 넓적한 덧신

탄산음료 병의 밑바닥을 꽃잎 모양으로 만드는 까닭

탄산음료에 녹아 있는 이산화 탄소가 빠져나오면 병 속 기체의 압력이 커진다. 그런데 병의 밑바닥을 꽃잎 모양으로 만들어 표면적을 넓히면 병 속의 커진 압력을 분산시킬 수 있다.

2. **기체의 압력** 기체 물질을 구성하는 입자는 끊임없이 운동하면서 물체에 충돌하여 힘을 가한다. 이때 일정한 면적에 기체 입자가 충돌하여 가하는 힘을 기체의 압력이라고 한다. 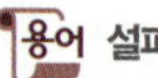 과학 용어 사전 150쪽

(1) **기압과 대기압**: 기체의 압력을 기압이라고 하고, 지구를 둘러싸고 있는 공기의 압력을 대기압이라고 한다. 과학 용어 사전 150쪽

① 대기압의 크기는 지표 부근에서 약 1 기압이다.

② 지표면에서 위로 올라갈수록 공기의 양이 줄어들어 대기압이 작아진다.

2개의 페트병을 준비하여 하나의 페트병에는 구슬 15개를 넣고, 다른 페트병에는 구슬 30개를 넣는다. 두 페트병의 뚜껑을 닫은 뒤 같은 빠르기로 흔들면서 손바닥에 느껴지는 힘을 비교한다.

① 페트병을 흔들면 구슬이 페트병의 벽면에 충돌하면서 힘을 가하므로 손바닥에 힘이 느껴진다.
　ㄴ 구슬을 기체 입자에 비유할 때 손바닥에 느껴지는 힘은 기체의 압력이다.

② 페트병에 들어 있는 구슬의 개수가 많을수록 손바닥에 느껴지는 힘이 더 크다.
　ㄴ 용기 안 기체 입자의 개수가 많을수록 기체 입자들이 용기 벽면에 충돌하는 횟수가 증가하여 기체의 압력이 커진다.

(2) 기체의 압력이 작용하는 방향: 기체 입자는 모든 방향으로 운동하면서 충돌하므로, 기체의 압력은 모든 방향으로 똑같이 작용한다.

(3) 풍선 속 기체의 압력: 풍선에 공기를 불어 넣으면 풍선 속 기체 입자의 개수가 많아져 기체 입자가 풍선의 안쪽 벽면에 충돌하는 횟수가 증가한다. 따라서 기체의 압력이 커져 풍선이 부풀어 오른다. 이때 기체의 압력이 모든 방향으로 작용하므로 풍선이 둥근 모양으로 부풀어 오른다.

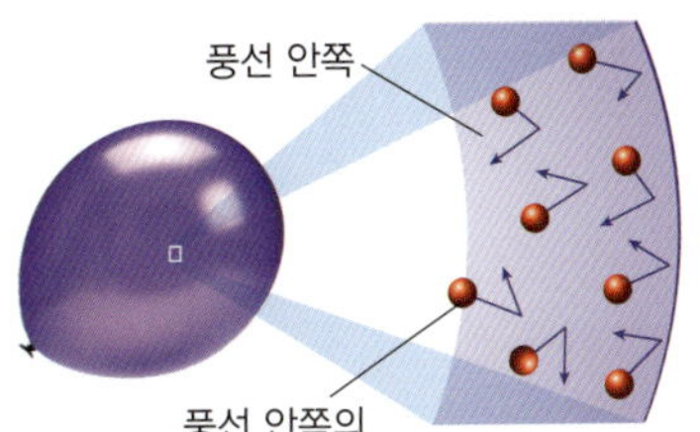

풍선 속 기체의 압력
　ㄴ 풍선 속 기체의 압력은 풍선 바깥쪽에서 작용하는 대기압과 같다.

(4) 기체의 압력을 이용한 예

① 압축 공기를 이용하여 옷이나 신발에 묻어 있는 먼지를 제거한다.
② 혈압계는 팔에 두른 공기 주머니에 공기를 채워 혈압을 측정한다.
③ 지면과 물체 사이에 끼운 공기 주머니에 공기를 채워 무거운 물체를 들어 올린다.

먼지를 제거하는 압축 공기

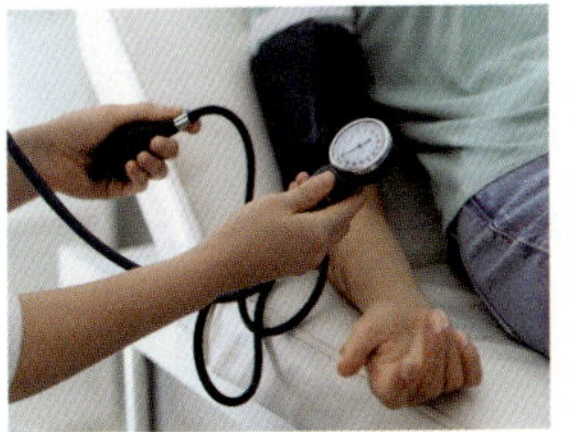

혈압계

물체를 들어 올리는 공기 주머니

정답과 해설 071쪽

개념 빌드업

1. 일정한 면적에 작용하는 힘의 크기가 클수록 압력이 (작아, 커)진다.

2. **핵심개념** 기체 입자가 끊임없이 운동하면서 물체에 ________하여 힘을 가하기 때문에 기체의 ________이/가 나타난다.

3. 찌그러진 축구공에 공기를 넣으면 축구공 속 기체 입자의 개수가 많아져 기체 입자가 공의 안쪽 벽면에 충돌하는 횟수가 (감소, 증가)하므로 기체의 압력이 (작아, 커)진다.

탄산음료가 든 페트병 속 기체의 압력

탄산음료가 든 페트병의 뚜껑을 잠시 열었다가 닫으면 페트병 속 기체가 밖으로 빠져나와 용기 벽면에 충돌하는 기체 입자의 개수가 적어진다. 따라서 페트병 속 기체의 압력이 작아지므로 페트병 위쪽을 손으로 누르기가 더 쉬워진다.

뚜껑을 열지　　뚜껑을 열었
않은 페트병　　다 닫은 페트병

기체의 압력이 커지는 요인
기체의 압력은 기체 입자들이 용기 벽면에 충돌하여 나타나므로, 기체 입자의 충돌 횟수가 많을수록 기체의 압력이 커진다.

자동차 에어백과 안전 매트의 원리
자동차 에어백과 안전 매트에 기체가 채워지면 기체의 압력이 커지므로, 사고가 발생했을 때 사람이 받는 충격을 줄여 준다.

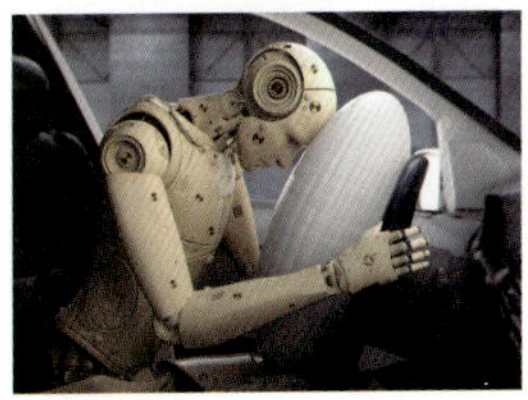

자동차 에어백

Check 이전에 배웠어요

☐ 늘어나고, 줄어든다
☐ 줄어들고, 늘어난다

② 기체의 압력과 부피 관계

1. 압력에 따른 기체의 부피 변화   일정한 온도에서 일정한 양의 기체에 작용하는 압력이 커지면 기체의 부피가 줄어들고, 기체에 작용하는 압력이 작아지면 기체의 부피가 늘어난다.

⑴ **감압 용기 속 과자 봉지의 변화:** 감압 용기에 뜯지 않은 과자 봉지를 넣고 용기 속 공기를 빼내면 용기 속 공기의 압력이 작아진다. 따라서 과자 봉지 속 기체의 부피가 늘어나서 과자 봉지가 부푼다.

⑵ **주사기 속 풍선의 변화:** 작게 분 풍선을 주사기에 넣고 주사기의 끝을 막은 뒤 피스톤을 누르면 주사기 속 풍선을 누르는 기체의 압력이 커져 풍선이 작아진다. 반대로, 주사기의 피스톤을 당기면 주사기 속 풍선을 누르는 기체의 압력이 작아져 풍선이 커진다.

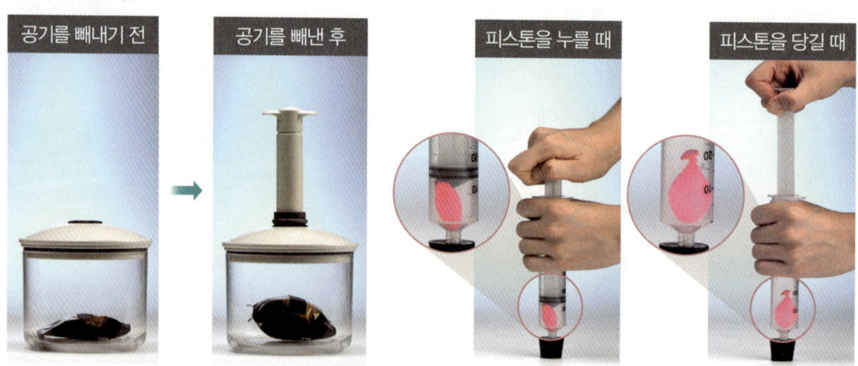

감압 용기 속 과자 봉지의 변화   주사기 속 풍선의 변화

2. 보일 법칙   보일은 실험을 통해 '온도가 일정할 때 일정한 양의 기체의 압력과 부피는 반비례한다.'라는 사실을 알아냈는데, 이를 보일 법칙이라고 한다. 보일 법칙에 따라 기체의 압력과 부피를 곱한 값은 항상 일정하다.   과학 용어 사전 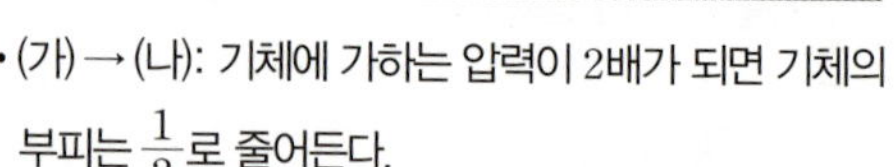 151쪽

> 압력(P) × 부피(V) = 일정 ⟶ $P_1 × V_1 = P_2 × V_2$
> $(P_1$: 처음 압력, V_1: 처음 부피, P_2: 나중 압력, V_2: 나중 부피$)$

압력(P)과 부피(V)
P는 압력을 뜻하는 Pressure의 첫 글자를 따온 것이고, V는 부피를 뜻하는 Volume의 첫 글자를 따온 것이다.

자료＋ 압력에 따른 기체의 부피 변화 그래프 해석   탐구 061쪽   집중분석 062쪽

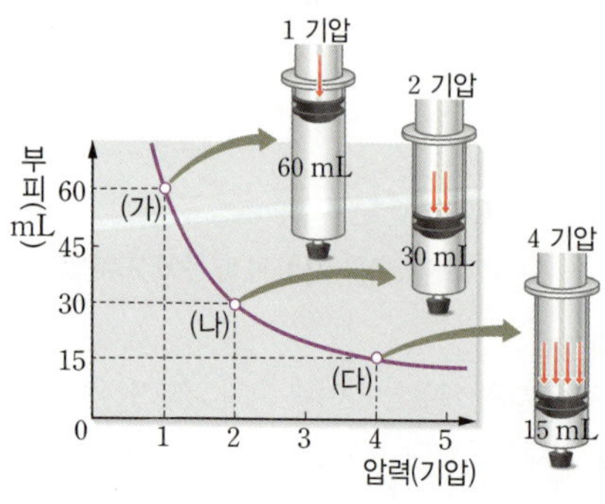

- (가) → (나): 기체에 가하는 압력이 2배가 되면 기체의 부피는 $\frac{1}{2}$로 줄어든다.
- (가) → (다): 기체에 가하는 압력이 4배가 되면 기체의 부피는 $\frac{1}{4}$로 줄어든다.
- (가)~(다)에서 각각의 압력과 부피를 곱한 값은 모두 같다.

1 기압 × 60 mL = 2 기압 × 30 mL = 4 기압 × 15 mL

3. **입자의 운동으로 설명하는 기체의 압력과 부피 관계** 압력에 따른 기체의 부피 변화는 기체 입자의 운동으로 설명할 수 있다.

🔗 **Link**
입자의 운동은 1권 130쪽을 보면 자세히 알 수 있어요.

탐구 ➕ 기체의 압력과 부피 관계를 입자 모형으로 알아보기

그림 (가)와 (나)는 일정한 온도에서 기체가 들어 있는 주사기의 피스톤을 누르기 전과 누른 후의 주사기 속 기체를 입자 모형으로 각각 나타낸 것이다. 이때 (가)와 (나)에서 주사기 속 기체 입자의 변화를 알아본다. (단, 기체 입자의 운동은 화살표로 나타내며, 화살표의 길이는 입자 운동의 빠르기를 의미한다.)

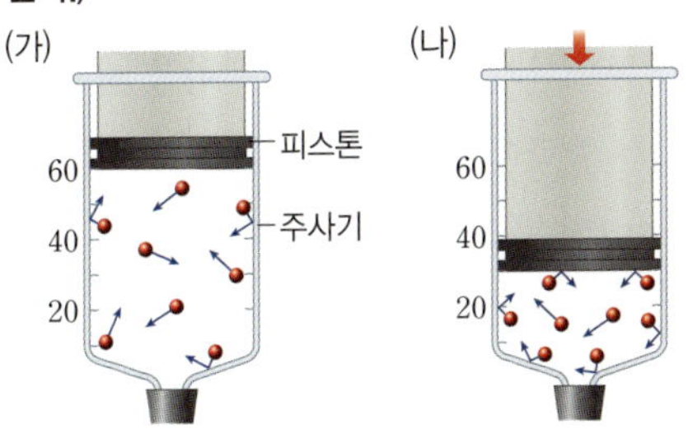

- 입자의 개수: (가)=(나)
- 입자 운동의 빠르기: (가)=(나)
- 입자 사이의 거리: (가)>(나)
- 입자의 충돌 횟수: (가)<(나)

└ 입자의 개수 외에도 입자의 크기, 입자의 질량이 (가)와 (나)에서 같다.

입자 운동의 빠르기
입자 운동의 빠르기는 온도에 따라 달라지므로, 온도가 일정할 때 입자 운동의 빠르기는 변하지 않는다.

(1) **일정한 온도에서 외부 압력이 커질 때:** 용기 속 기체의 부피가 줄어들면서 기체 입자 사이의 거리가 가까워진다. 이때 기체 입자의 개수는 변하지 않지만, 기체 입자가 용기 벽면에 충돌하는 횟수가 증가하므로 용기 속 기체의 압력이 커진다.

(2) **일정한 온도에서 외부 압력이 작아질 때:** 용기 속 기체의 부피가 늘어나면서 기체 입자 사이의 거리가 멀어진다. 이때 기체 입자의 개수는 변하지 않지만, 기체 입자가 용기 벽면에 충돌하는 횟수가 감소하므로 용기 속 기체의 압력이 작아진다.

한쪽 끝이 막힌 주사기 속 기체 입자의 운동
- 주사기의 피스톤을 누를 때: 외부 압력이 커져 주사기 속 기체 입자 사이의 거리가 가까워지고, 기체 입자가 안쪽 벽면에 충돌하는 횟수가 증가한다.
- 주사기의 피스톤을 당길 때: 외부 압력이 작아져 주사기 속 기체 입자 사이의 거리가 멀어지고, 기체 입자가 안쪽 벽면에 충돌하는 횟수가 감소한다.

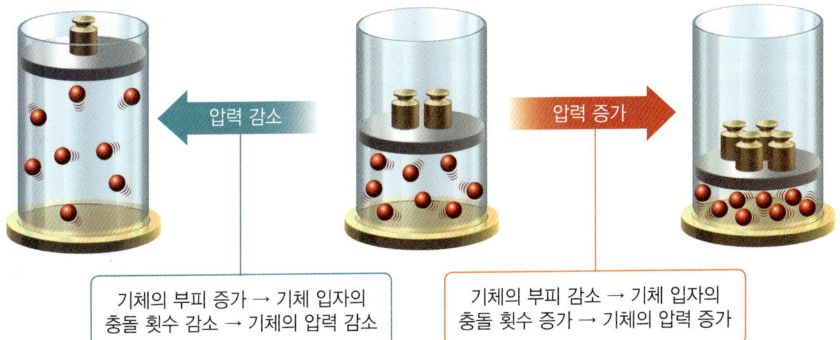

압력에 따른 기체의 부피 변화와 입자의 운동 일정한 온도에서 용기에 들어 있는 일정한 양의 기체에 작용하는 압력이 변하면 용기 속 기체의 압력이 외부에서 작용하는 압력과 같아질 때까지 기체의 부피가 줄어들거나 늘어난다.

일정한 온도에서 일정한 양의 기체에 작용하는 압력이 달라질 때 변하지 않는 것
입자의 개수, 입자의 크기, 입자의 질량, 입자 운동의 빠르기

정답과 해설 071쪽

개념 빌드업

1. **핵심개념** 일정한 온도에서 일정한 양의 기체의 압력과 부피는 (비례, 반비례)하는데, 이를 __________ 법칙이라고 한다.

2. 일정한 온도에서 기체가 든 주사기의 끝을 막고 피스톤을 누르면 주사기 속 기체 입자 사이의 거리가 (가까워, 멀어)지고, 기체 입자가 안쪽 벽면에 충돌하는 횟수가 (증가, 감소)한다.

(1) **비행기 안이나 높은 산에서 과자 봉지의 변화**: 과자 봉지를 높은 곳으로 가지고 가면 대기압이 작아져 과자 봉지 속 기체의 부피가 늘어나므로 과자 봉지가 팽팽해진다.

(2) **잠수부가 내뿜은 공기 방울의 변화**: 물속에서 잠수부가 내뿜은 공기 방울은 수면 가까이 올라갈수록 수압이 작아지므로 점점 커진다.

(3) **풍선의 크기 변화**: 풍선이 하늘 높이 올라갈수록 대기압이 작아지므로 풍선이 점점 커지다가 결국에는 터진다.

(4) **공기 주머니가 들어 있는 운동화**: 밑창에 공기 주머니가 들어 있는 운동화를 신고 뛰어올랐다가 착지하면 공기 주머니에 작용하는 압력이 커진다. 이때 공기 주머니의 부피가 줄어들고 공기 주머니 속 공기의 압력이 커진다.

(5) **기체 저장 용기**: 수소, 산소, 헬륨 등의 기체는 부피가 커서 보관이 쉽지 않으므로 높은 압력을 가하여 부피를 줄여 보관한다. 이때 높은 압력을 견딜 수 있는 특수 용기를 사용한다.

(6) **놀이공원의 범퍼카**: 서로 부딪치면서 놀 수 있도록 만든 놀이기구인 범퍼카에는 고무로 만든 완충 장치가 들어 있다. 자동차가 서로 충돌할 때 압력이 가해지면 완충 장치 속 공기의 부피가 줄어들면서 탑승자가 받는 충격을 줄여 준다.

잠수부가 내뿜은 공기 방울

공기 주머니가 들어 있는 운동화

기체 저장 용기

자료+ 높은 곳에서 귀가 먹먹해지는 까닭

비행기가 이륙하거나 높은 산에 오르면 고도가 높아지면서 대기압이 작아진다. 이때 고막 안쪽 공기의 압력은 일정하지만, 고막 바깥쪽 공기의 압력은 작아진다. 따라서 고막 안쪽 공기의 부피가 늘어나면서 고막이 밖으로 밀려나기 때문에 귀가 먹먹해지는 증상이 나타난다.

정답과 해설 071쪽

개념 빌드업

1. 과자 봉지를 높은 곳으로 가지고 가면 과자 봉지 속 기체의 부피가 (줄어든다, 늘어난다).

2. 일정한 온도에서 많은 양의 기체를 저장 용기에 넣기 위해서는 기체에 (낮은, 높은) 압력을 가해 기체의 부피를 (줄여야, 늘려야) 한다.

비행기 안에서 빈 페트병의 변화
하늘을 나는 비행기 안에서 뚜껑을 닫아 둔 빈 페트병은 비행기가 착륙하면 대기압이 커져서 페트병 속 공기의 부피가 줄어들면서 페트병이 찌그러진다.

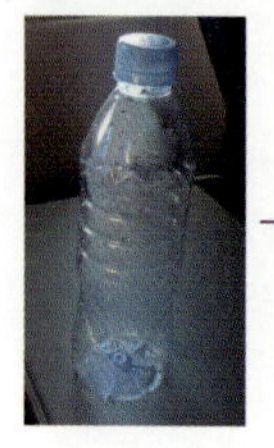  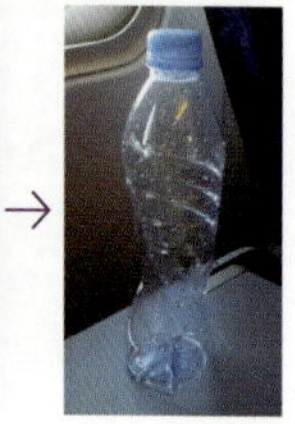

용어 수압
물의 무게에 의한 압력으로, 물의 깊이가 깊어질수록 커진다. 바다에서 수압은 물의 깊이가 10 m 깊어질 때마다 약 1 기압씩 커진다.
과학 **용어** 사전 **151쪽**

용어 완충 장치
용수철, 고무, 실린더 등을 이용하여 급격한 충격을 완화하는 장치

물건을 포장하는 뽁뽁이의 원리
외부 충격(압력)에 의해 뽁뽁이 속 기체의 부피가 줄어들면서 물건이 파손되지 않게 한다.

기체의 압력과 부피 관계를 확인할 수 있는 또 다른 현상
• 공기를 채운 공기 침대 위에 누우면 침대의 부피가 줄어든다.
• 자동차에 많은 양의 짐을 실으면 자동차 바퀴의 부피가 줄어든다.
• 깊은 바닷속에 사는 물고기가 수면 위로 올라오면 부레가 부풀어 오른다.

탐구

기체의 압력과 부피 관계 알아보기

목표 | 일정한 온도에서 기체의 압력과 부피 관계를 설명할 수 있다.

과정

❶ 주사기의 피스톤을 20 mL에 맞춘 뒤 무선 기체 압력 센서와 주사기를 연결한다.

❷ 센서를 작동하여 압력을 측정하고, 센서 분석 앱에 주사기 속 공기의 부피인 20 mL를 입력한다.

❸ 주사기의 피스톤을 천천히 누르면서 주사기 속 공기의 부피가 18, 16, 14, 12, 10 mL일 때의 압력을 측정하고, 이때의 부피를 센서 분석 앱에 입력한다.

❹ 압력과 부피 변화 그래프를 확인한다.

결과 및 정리

1 주사기 속 공기의 부피가 줄어들면 공기의 압력은 커진다.

부피(mL)	20	18	16	14	12	10
압력(기압)	1.00	1.11	1.25	1.43	1.66	2.00
압력×부피	20	20	20	20	20	20

2 온도가 일정할 때 일정한 양의 공기(기체)의 압력과 부피는 반비례하고, 압력과 부피를 곱한 값은 일정하다.

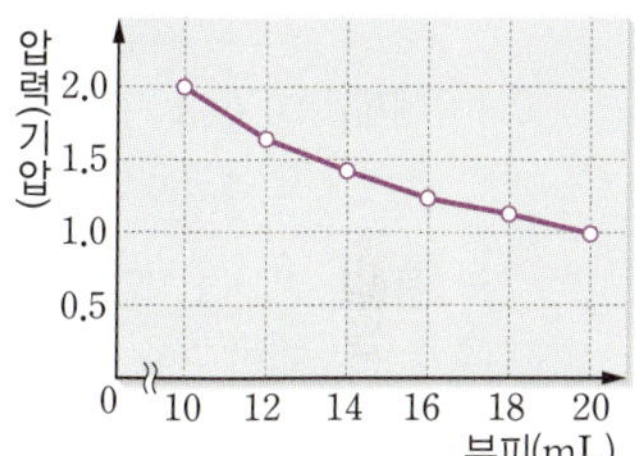

같은 주제 다른 탐구

과정 주사기의 피스톤을 50 mL에 맞춘 뒤 압력계가 연결된 실리콘 관의 다른 끝을 주사기에 연결한다. 주사기의 피스톤을 누르면서 주사기 속 공기의 압력과 부피를 측정한다.

결과 및 정리

압력(기압)	1.0	1.5	2.0	2.5	3.0
부피(mL)	50.0	33.3	25.0	20.0	16.7

압력이 커질수록 주사기 속 공기의 부피는 감소한다.

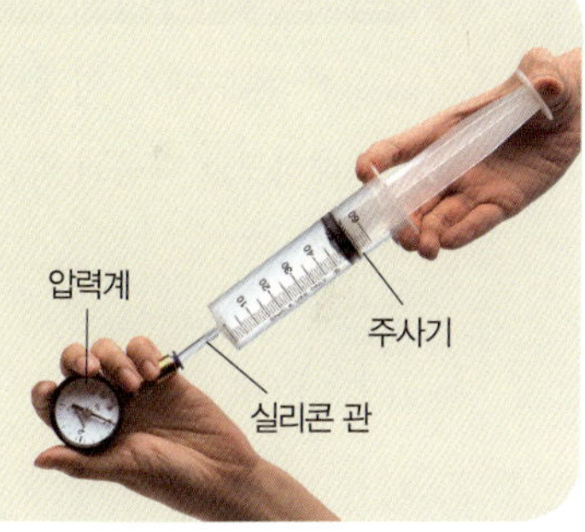

탐구 확인 문제

정답과 해설 071쪽

1 위 탐구에 대한 설명으로 옳은 것은 ○, 옳지 <u>않은</u> 것은 ×로 표시하시오.

(1) 온도가 일정한 조건에서 실험한다. ·············· (   )

(2) 실험 결과로부터 일정한 양의 기체의 부피가 줄어들수록 기체의 압력이 커진다는 것을 알 수 있다.
·· (   )

(3) 주사기 속 공기의 부피가 5 mL일 때 공기의 압력은 6 기압이다. ······································· (   )

2 위 탐구에서 주사기의 피스톤을 눌렀을 때 변하지 <u>않는</u> 것을 보기에서 모두 고르시오. (단, 온도는 일정하다.)

보기
ㄱ. 주사기 속 기체 입자의 개수
ㄴ. 주사기 속 기체 입자의 충돌 횟수
ㄷ. 주사기 속 기체 입자 사이의 거리
ㄹ. 주사기 속 기체 입자 운동의 빠르기

집중 분석 — 보일 법칙과 관련된 계산 문제 해결하기

보일 법칙과 관련된 계산 문제는 시험에 자주 출제된다. 온도가 일정한 조건에서 기체의 압력이나 부피가 변하는 경우에는 보일 법칙을 이용하여 문제를 해결할 수 있는데, 그 방법을 자세히 알아보자.

정답과 해설 071쪽

1 보일 법칙을 이용하여 문제 해결하기

보일 법칙에 따르면 일정한 온도에서 일정한 양의 기체의 압력과 부피를 곱한 값은 항상 일정하므로, 다음과 같은 식으로 나타낼 수 있다.

> 처음 압력×처음 부피＝나중 압력×나중 부피
>
> $$P_1 \times V_1 = P_2 \times V_2$$

|예제| 20 ℃, 1 기압에서 부피가 10 L인 기체의 압력을 2 기압으로 높였을 때의 부피는 몇 L인지 구하시오.

|풀이| $P_1 = 1$ 기압, $V_1 = 10$ L, $P_2 = 2$ 기압이므로 V_2는 다음과 같이 구한다.

1 기압×10 L＝2 기압×V_2 　 ∴ $V_2 = 5$ L

연습 문제

1-1 25 ℃, 1 기압에서 수소 기체의 부피가 10 L이다. 같은 온도에서 압력을 5 기압으로 높였을 때 수소 기체의 부피는 몇 L가 되는지 구하시오.

1-2 20 ℃, 1 기압에서 100 mL의 공기가 들어 있는 주사기의 끝을 막고 피스톤을 눌렀더니 공기의 부피가 80 mL가 되었다. 이때 주사기 속 공기의 압력은 몇 기압인지 구하시오.

2 그래프를 이용하여 문제 해결하기

일정한 온도에서 일정한 양의 기체의 압력과 부피는 반비례하므로 다음과 같은 그래프로 나타낼 수 있다.

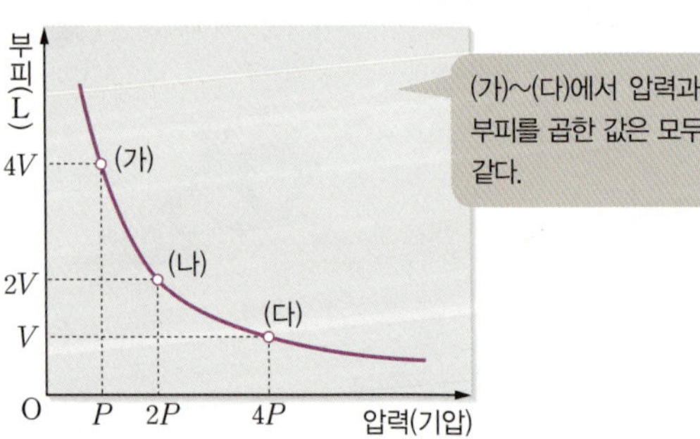

|예제| 오른쪽 그림은 일정한 온도에서 기체의 압력과 부피 관계를 나타낸 것이다. A에서 기체의 압력(x)을 구하시오.

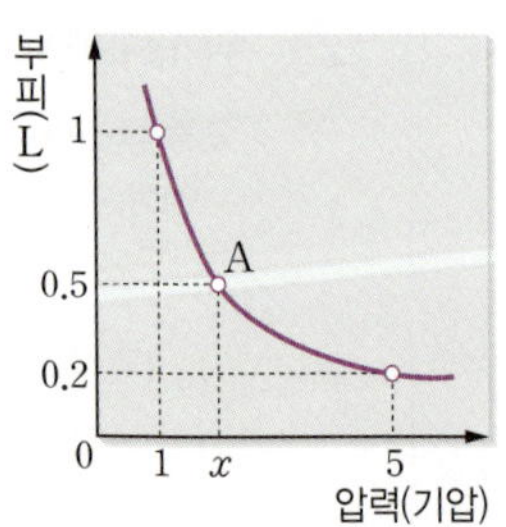

|풀이| 압력과 부피를 곱한 값은 일정하므로 다음과 같이 구한다.

1 기압×1 L＝x 기압×0.5 L 　 ∴ $x = 2$

연습 문제

2-1 그림은 일정한 온도에서 기체의 압력과 부피 관계를 나타낸 것이다. 압력이 2 기압일 때 기체의 부피(x)를 구하시오.

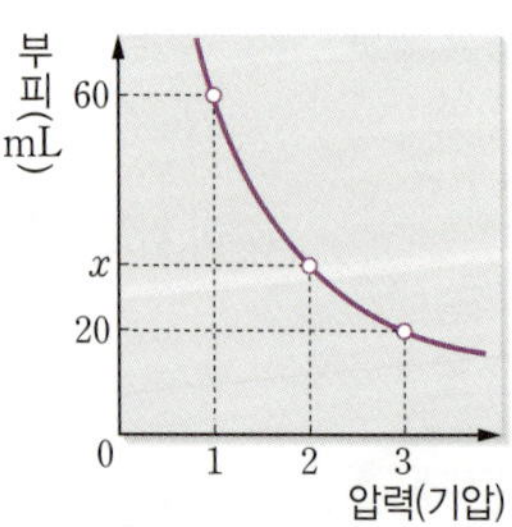

2-2 그림은 일정한 온도에서 기체의 압력과 부피 관계를 나타낸 것이다. ㉠, ㉡을 각각 구하시오.

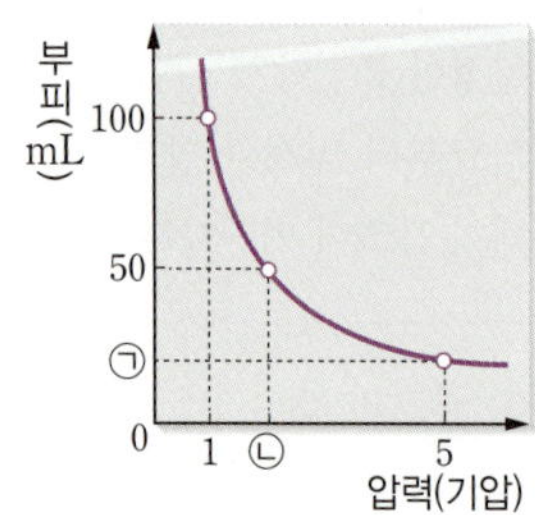

기체의 압력 측정

토리첼리는 수은을 이용한 실험으로 대기압을 측정하였고, 보일은 J자 모양의 관과 수은을 이용한 실험으로 기체의 압력과 부피 관계를 알아내었다. 기체의 압력을 측정한 두 실험에 관해 자세히 알아보자.

① 토리첼리의 대기압 측정 실험

이탈리아의 과학자 토리첼리는 한쪽 끝이 막힌 유리관에 수은을 가득 채운 다음, 이 유리관을 수은이 담긴 용기에 거꾸로 세우면 76 cm의 높이에서 수은 기둥이 정지하는 것을 발견하였다. 이를 통해 대기압이 76 cm 높이의 수은 기둥이 누르는 압력과 같다는 것을 알아내고, 이를 1 기압으로 정의하였다. 1 기압인 760 mmHg는 토리첼리의 이름을 따서 760 torr(토르)로 표현하기도 한다.

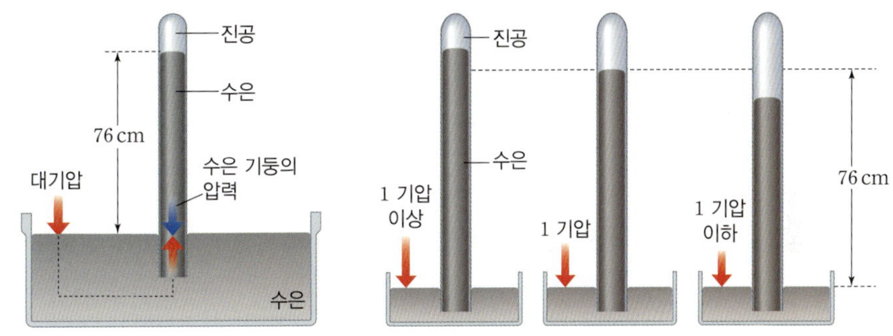

$$1 \text{ 기압} = \text{수은 기둥 } 76 \text{ cm가 누르는 압력} = 760 \text{ mmHg} = 760 \text{ torr(토르)}$$

② 보일의 기체의 압력 측정 실험

영국의 과학자 보일은 그림과 같이 J자 모양의 관과 수은을 이용하여 기체의 압력과 부피 관계를 조사하였다. 보일은 한쪽 끝이 막힌 J자 모양의 관 끝에 기체를 채운 뒤 수은을 넣어 관의 양쪽에 있는 수은의 높이를 같게 하였다. 여기에 수은을 더 넣어 압력을 변화시키면서 다음과 같이 관 끝에 있는 기체의 부피와 수은의 높이 차를 측정하였다.

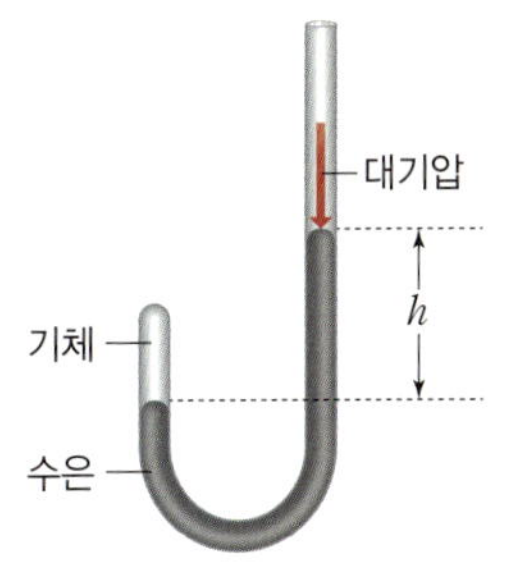

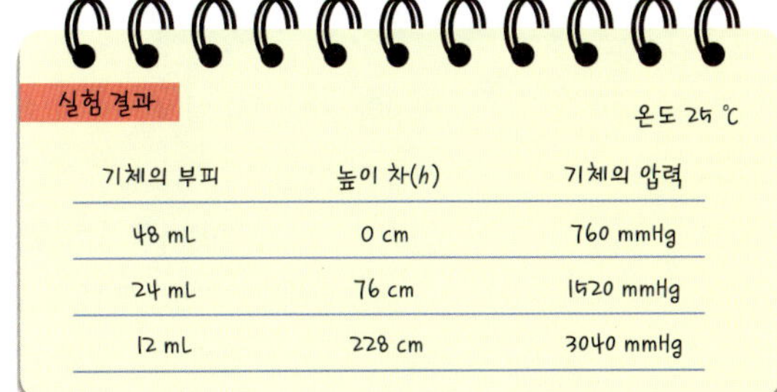

실험 결과   온도 25 °C

기체의 부피	높이 차(h)	기체의 압력
48 mL	0 cm	760 mmHg
24 mL	76 cm	1520 mmHg
12 mL	228 cm	3040 mmHg

대기압과 수은 기둥의 높이 차(h)에 해당하는 압력을 더한 값이 기체의 압력과 같다는 것을 이용하여, 보일은 일정한 온도에서 기체의 압력이 2배, 3배, 4배로 증가하면 기체의 부피가 $\frac{1}{2}$, $\frac{1}{3}$, $\frac{1}{4}$로 감소한다는 사실을 알아내었다.

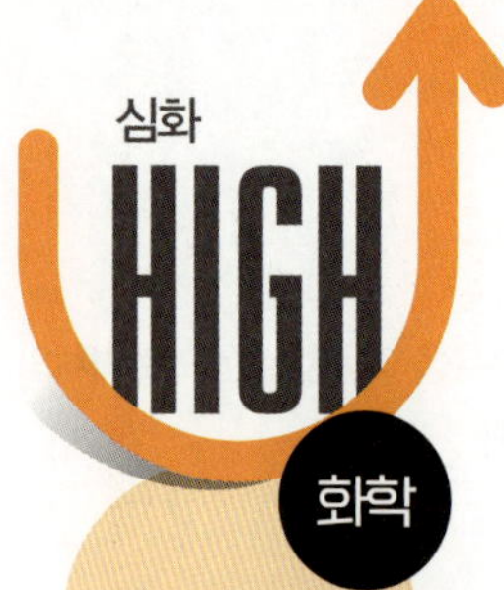

보일 법칙을 나타내는 다양한 그래프

기체의 압력과 부피 관계를 나타내는 보일 법칙은 다양한 형태의 그래프로 나타낼 수 있다. 보일 법칙을 나타내는 다양한 그래프를 어떻게 해석할 수 있는지 자세히 알아보자.

1 보일 법칙을 나타내는 그래프

일정한 온도에서 일정한 양의 기체의 압력(P)과 부피(V)의 관계를 나타내는 그래프는 다음과 같이 다양하다.

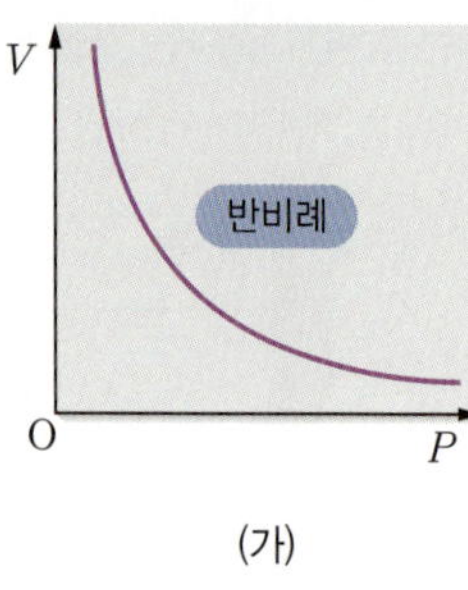

(가)

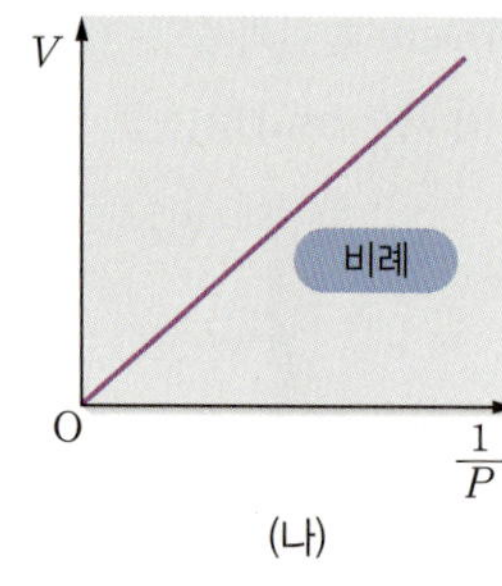

(나)

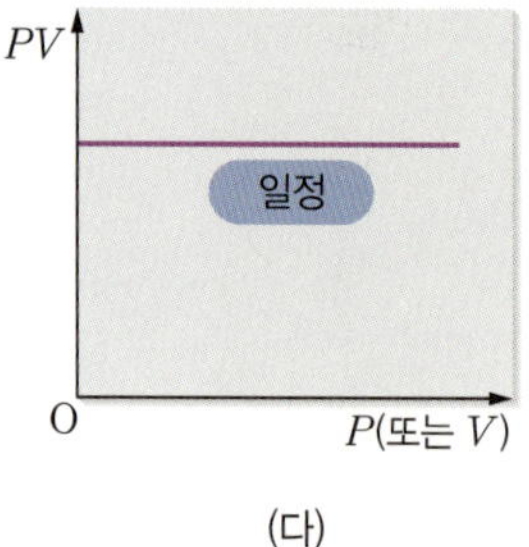

(다)

(가)에서 기체의 압력과 부피는 반비례한다. 예를 들어 일정한 온도에서 일정한 양의 기체의 압력이 2 기압일 때 기체의 부피가 20 mL라면, 기체의 압력이 4 기압일 때 기체의 부피는 10 mL이다. 즉, 기체의 압력이 커질수록 기체의 부피는 줄어든다.

(나)에서 기체의 $\dfrac{1}{압력}$과 부피는 비례한다. 예를 들어 일정한 온도에서 일정한 양의 기체의 $\dfrac{1}{압력}$이 $\dfrac{1}{4\ 기압}$일 때 기체의 부피가 10 mL라면, 기체의 $\dfrac{1}{압력}$이 $\dfrac{1}{2\ 기압}$일 때 기체의 부피는 20 mL이다. 즉, 기체의 $\dfrac{1}{압력}$이 커질수록 기체의 부피는 늘어난다.

(다)에서 '압력×부피'의 값은 일정하다. 예를 들어 일정한 온도에서 일정한 양의 기체의 압력이 2 기압일 때 기체의 부피가 20 mL라면 '압력×부피'의 값은 40 기압·mL이다. 그런데 기체의 압력이 4 기압으로 2배가 되면 기체의 부피는 $\dfrac{1}{2}$인 10 mL가 되므로 '압력×부피'의 값은 40 기압·mL로 일정하다.

2 넓이 계산을 이용한 보일 법칙의 이해

일정한 온도에서 일정한 양의 기체의 압력(P)과 부피(V)의 관계를 나타낸 그래프를 넓이 계산을 이용하여 알아보자.

① P_1V_1은 A 점에서의 '압력(P_1)×부피(V_1)'인 직사각형 넓이(S_1)에 해당하므로, $P_1V_1=S_1$이다.

② P_2V_2는 B 점에서의 '압력(P_2)×부피(V_2)'인 직사각형 넓이(S_2)에 해당하므로, $P_2V_2=S_2$이다.

③ 보일 법칙에 따르면 압력과 부피를 곱한 값은 항상 일정하므로 $P_1V_1=P_2V_2$의 관계가 성립한다. 이로부터 $S_1=S_2$라는 것을 알 수 있다.

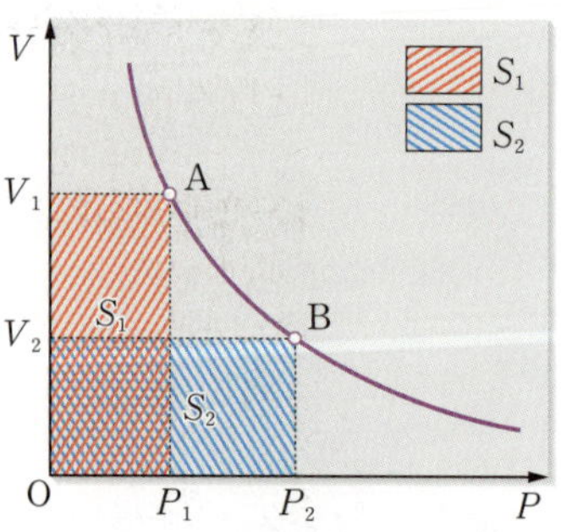

비주얼 Visual 핵|심|정|리

1-1 압력

① 압력: 일정한 면적에 작용하는 힘
② 압력의 크기: 일정한 면적에 작용하는 힘의 크기가 클수록, 같은 크기의 힘이 작용하는 면적이 좁을수록 압력이 커진다.

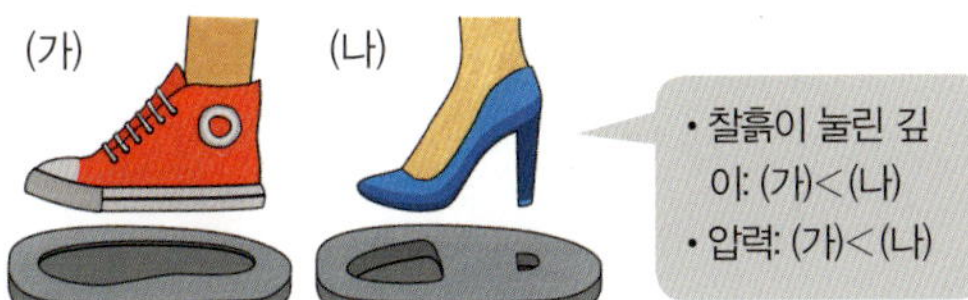

1-2 기체의 압력

① 기체의 압력: 일정한 면적에 **기체 입자가 충돌**하여 가하는 힘으로, **모든 방향**으로 똑같이 작용한다.

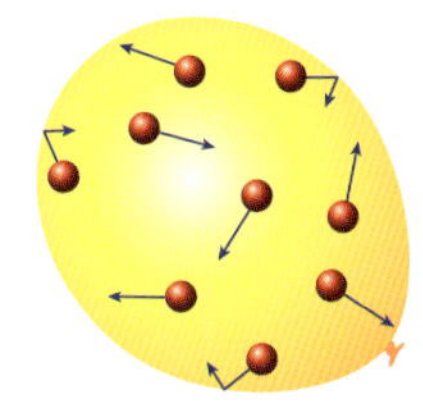

② 기체의 압력을 이용한 예
  • 혈압계에 공기를 채워 혈압을 측정한다.
  • 신발에 묻은 먼지를 압축 공기로 제거한다.
  • 공기 주머니를 이용하여 무거운 물체를 들어 올린다.

2 기체의 압력과 부피 관계

① 보일 법칙: 일정한 온도에서 일정한 양의 **기체의 압력과 부피는 반비례**한다.

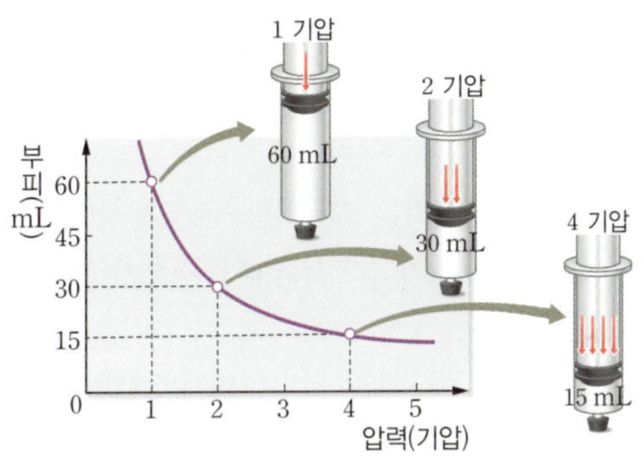

② 압력에 따른 기체의 부피 변화와 입자의 운동

3 생활 속 기체의 압력과 부피 관계

• 물속에서 잠수부가 내뿜은 공기 방울은 수면 가까이 올라갈수록 점점 커진다.
• 밑창에 공기 주머니가 들어 있는 운동화를 신고 뛰어올랐다가 착지하면 공기 주머니에 작용하는 압력이 커져 공기 주머니의 부피가 줄어든다.

• 풍선이 하늘 높이 올라갈수록 점점 커지다가 결국 터진다.
• 기체를 저장 용기에 보관하기 위해 높은 압력을 가하여 기체의 부피를 줄인다.

01 압력에 대한 설명으로 옳은 것을 보기에서 모두 고른 것은?

> **보기**
>
> ㄱ. 일정한 면적에 작용하는 힘이다.
> ㄴ. 같은 크기의 힘이 작용하는 면적이 넓을수록 압력이 크다.
> ㄷ. 일정한 면적에 작용하는 힘의 크기가 클수록 압력이 크다.
> ㄹ. 끝이 뾰족한 못은 힘을 받는 면적을 좁혀 압력을 크게 하여 이용한 예이다.

① ㄱ, ㄴ ② ㄱ, ㄷ ③ ㄴ, ㄹ
④ ㄱ, ㄷ, ㄹ ⑤ ㄴ, ㄷ, ㄹ

02 그림과 같이 동일한 삼각 플라스크에 물을 넣어 스펀지 위에 올려놓으려고 한다.

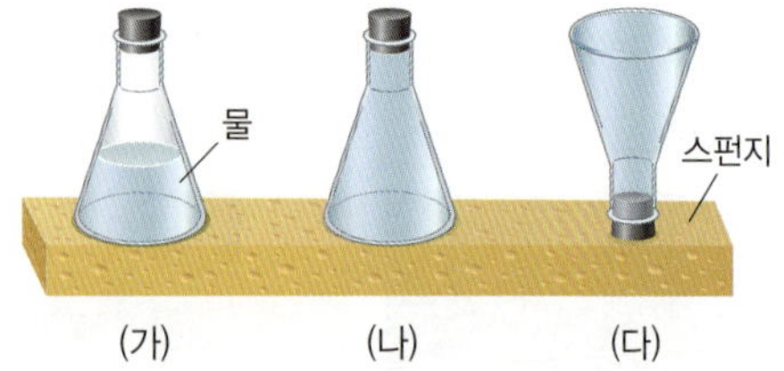

(가)~(다)에서 스펀지에 작용하는 압력을 옳게 비교한 것은?

① (가)=(나)>(다) ② (가)>(나)>(다)
③ (나)=(다)>(가) ④ (다)>(가)=(나)
⑤ (다)>(나)>(가)

03 오른쪽 그림과 같이 겨울철 언 강이나 호수에 빠진 사람을 구조할 때는 얼음판 위에서 엎드린 자세로 이동해야 한다. 이와 같은 원리를 이용한 것을 모두 고르면? (정답 2개)

① 송곳 ② 스키 ③ 바늘
④ 눈썰매 ⑤ 스케이트

04 기체의 압력에 대한 설명으로 옳지 <u>않은</u> 것은?

① 기체의 압력은 모든 방향으로 작용한다.
② 기체의 압력은 기체 입자가 끊임없이 운동하기 때문에 나타난다.
③ 기체 입자가 용기 벽면에 충돌하여 힘을 가하므로 기체의 압력이 나타난다.
④ 기체 입자가 용기 벽면에 충돌하는 횟수가 많을수록 기체의 압력이 커진다.
⑤ 일정한 온도와 부피에서 기체 입자의 개수가 많을수록 기체의 압력이 작아진다.

05 오른쪽 그림은 부피가 일정한 풍선 속 기체 입자의 운동을 모형으로 나타낸 것이다. 이에 대한 설명으로 옳은 것을 보기에서 모두 고르시오. (단, 온도와 대기압은 일정하다.)

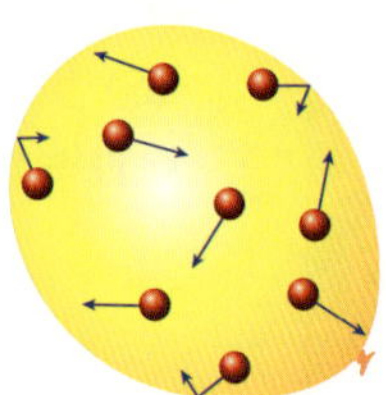

> **보기**
>
> ㄱ. 기체 입자는 모든 방향으로 운동한다.
> ㄴ. 기체 입자끼리 서로 충돌하여 기체의 압력이 나타난다.
> ㄷ. 풍선 속 기체의 압력은 아래 방향으로만 작용한다.
> ㄹ. 풍선 속 기체의 압력은 풍선 바깥쪽에서 작용하는 외부 압력과 같다.

06 생활 속에서 기체의 압력을 이용한 예로 옳지 <u>않은</u> 것은?

① 압축 공기를 이용하여 신발에 묻은 먼지를 제거한다.
② 방 안에 방향제를 놓아두면 방 전체에서 향기가 난다.
③ 혈압계의 공기 주머니에 공기를 채워 혈압을 측정한다.
④ 안전 매트에 공기를 채워 사람을 안전하게 구조한다.
⑤ 지면과 물체 사이에 끼운 공기 주머니에 공기를 채워 무거운 물체를 들어 올린다.

07 그림은 탄산음료가 들어 있는 동일한 두 페트병 중 하나만 뚜껑을 잠시 열었다가 닫은 뒤, 두 페트병 위쪽을 각각 손으로 누르는 모습을 나타낸 것이다.

(가)　　　　　　　　(나)

실험 결과 (나)의 페트병을 누르기가 더 쉬웠을 때, (가)보다 (나)에서 더 큰 값을 가지는 것을 보기에서 모두 고른 것은? (단, 온도와 대기압은 일정하다.)

보기
ㄱ. 페트병 속 기체의 압력
ㄴ. 페트병 속 기체 입자의 충돌 횟수
ㄷ. 탄산음료에서 빠져나온 기체 입자의 개수

① ㄱ　　　　　　② ㄴ　　　　　　③ ㄷ
④ ㄱ, ㄴ　　　　⑤ ㄱ, ㄷ

08 오른쪽 그림과 같이 감압 용기에 뜯지 않은 과자 봉지를 넣고 용기 속 공기를 빼내었더니 과자 봉지가 부풀었다. 이러한 변화가 나타난 까닭으로 옳은 것은? (단, 온도는 일정하다.)

① 감압 용기 속 기체의 압력이 작아지기 때문에
② 과자 봉지 속 기체 입자의 크기가 커지기 때문에
③ 감압 용기 속 기체 입자의 개수가 많아지기 때문에
④ 과자 봉지 속 기체 입자의 운동이 빨라지기 때문에
⑤ 감압 용기 속 기체 입자의 충돌 횟수가 증가하기 때문에

09 0 ℃, 2 기압에서 부피가 5 L인 기체가 있다. 같은 온도에서 이 기체의 부피를 20 L로 증가시키려면 기체의 압력은 몇 기압이 되어야 하는가?

① 0.2 기압　　　② 0.5 기압　　　③ 1 기압
④ 4 기압　　　　⑤ 8 기압

중요
10 그림은 일정한 온도에서 용기 위에 올려놓은 추의 개수를 변화시켰을 때의 모습을 나타낸 것이다.

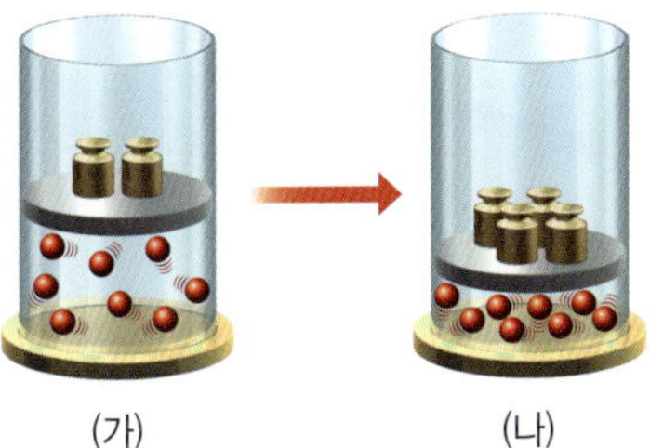

(가)　　　　　　　　(나)

(가)에서 (나)로 될 때 변하는 것을 보기에서 모두 고른 것은?

보기
ㄱ. 기체 입자의 개수
ㄴ. 기체 입자 사이의 거리
ㄷ. 기체 입자의 충돌 횟수
ㄹ. 기체 입자 운동의 빠르기

① ㄱ, ㄹ　　　　② ㄴ, ㄷ　　　　③ ㄷ, ㄹ
④ ㄱ, ㄴ, ㄷ　　⑤ ㄴ, ㄷ, ㄹ

중요
11 오른쪽 그림과 같이 주사기에 작게 분 풍선을 넣고 피스톤을 당겼더니 주사기 속 풍선의 크기가 변하였다. 이에 대한 설명으로 옳지 <u>않은</u> 것은? (단, 온도는 일정하다.)

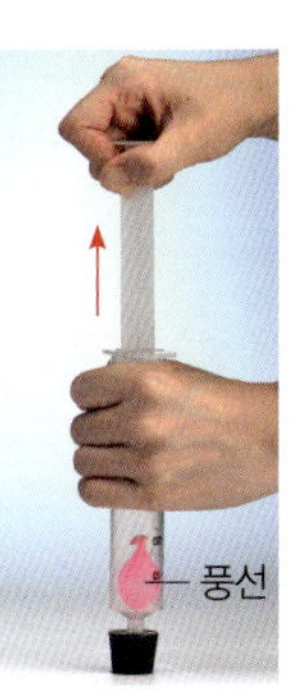
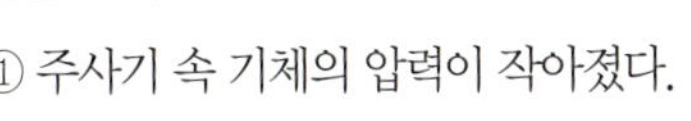

① 주사기 속 기체의 압력이 작아졌다.
② 주사기 속 기체의 부피가 늘어났다.
③ 풍선 속 기체 입자의 개수가 많아졌다.
④ 풍선 속 기체 입자 사이의 거리가 멀어졌다.
⑤ 풍선 속 기체 입자의 충돌 횟수가 감소하였다.

정답과 해설 072쪽

[12~13] 다음은 기체 압력 센서를 이용하여 주사기 속 공기의 압력을 측정하는 실험이다. (단, 온도는 일정하다.)

[실험 과정]

50 mL의 공기를 넣은 주사기를 그림과 같이 장치하고, 주사기의 피스톤을 누르면서 주사기 속 공기의 부피와 압력을 측정한다.

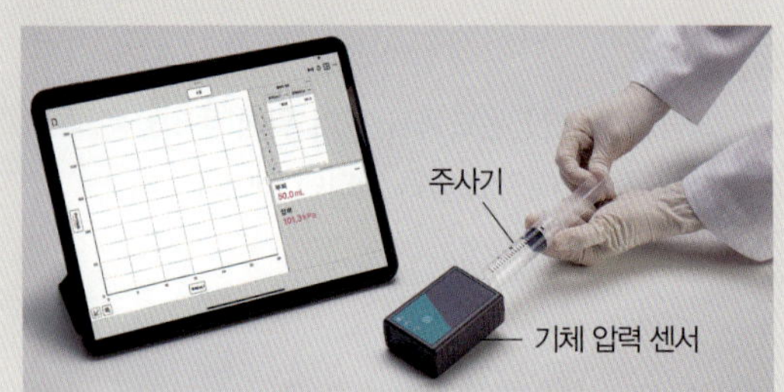

[실험 결과]

오른쪽 그림과 같은 공기의 부피에 따른 압력 변화 그래프를 얻었다.

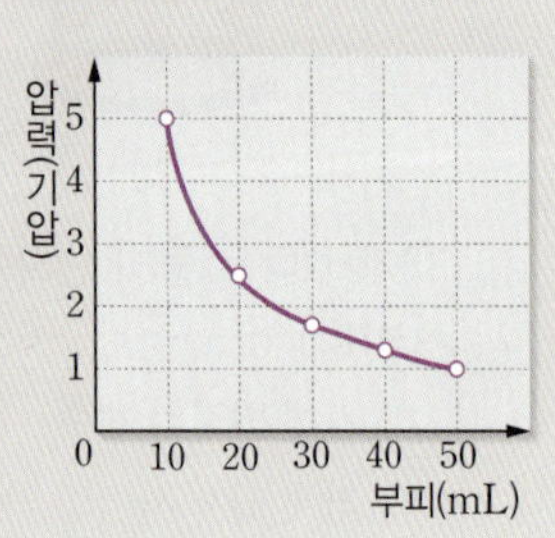

12 위 실험에 대한 설명으로 옳지 <u>않은</u> 것은?

① 보일 법칙을 설명할 수 있다.

② 주사기 속 공기 입자의 빠르기는 변하지 않는다.

③ 피스톤을 누를수록 주사기 속 공기의 압력이 커진다.

④ 피스톤을 누를수록 주사기 속 공기 입자의 충돌 횟수가 감소한다.

⑤ 피스톤을 누를수록 주사기 속 공기 입자 사이의 거리가 가까워진다.

13 위 실험과 관련 있는 현상을 보기에서 모두 고르시오.

> 보기
>
> ㄱ. 비행기가 이륙하면 귀가 먹먹해진다.
>
> ㄴ. 물에 떨어뜨린 잉크가 물속으로 퍼져 나간다.
>
> ㄷ. 잠수부가 물속에서 내뿜은 공기 방울이 수면 가까이 올라갈수록 점점 커진다.

14 오른쪽 그림은 끝이 막힌 주사기 속 기체의 압력에 따른 부피 변화를 나타낸 것이다. A~C에서 주사기 속 기체 입자가 안쪽 벽면에 충돌하는 횟수를 옳게 비교한 것은? (단, 온도는 일정하다.)

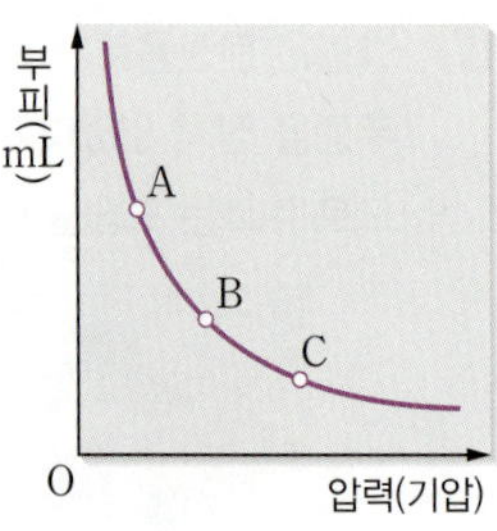

① A>B>C ② A>C>B ③ B>A>C

④ C>A>B ⑤ C>B>A

15 다음 현상과 같은 원리로 설명할 수 <u>없는</u> 것은?

> 하늘을 나는 비행기 안에서 과자 봉지가 팽팽해진다.

① 탄산음료 병의 밑바닥을 꽃잎 모양으로 만든다.

② 부피가 큰 기체를 압축하여 저장 용기에 보관한다.

③ 풍선이 하늘 높이 올라갈수록 점점 커지다가 터진다.

④ 충격에 의해 물건이 파손되지 않도록 뽁뽁이로 물건을 포장한다.

⑤ 하늘을 나는 비행기 안에서 뚜껑을 닫아 둔 빈 페트병은 비행기가 착륙하면 찌그러진다.

16 오른쪽 그림과 같이 밑창에 공기 주머니가 들어 있는 운동화를 신고 뛰어올랐다가 착지하였다. 이에 대한 설명에서 알맞은 말을 각각 고르시오.

> 공기 주머니에 작용하는 압력이 ㉠ (감소, 증가)하여 공기 주머니의 부피가 ㉡ (감소, 증가)하므로 주머니 속 공기의 압력이 ㉢ (감소, 증가)한다.

01 그림과 같이 크기와 질량이 같은 벽돌을 스펀지 위에 올려 놓고 압력의 크기를 비교하려고 한다.

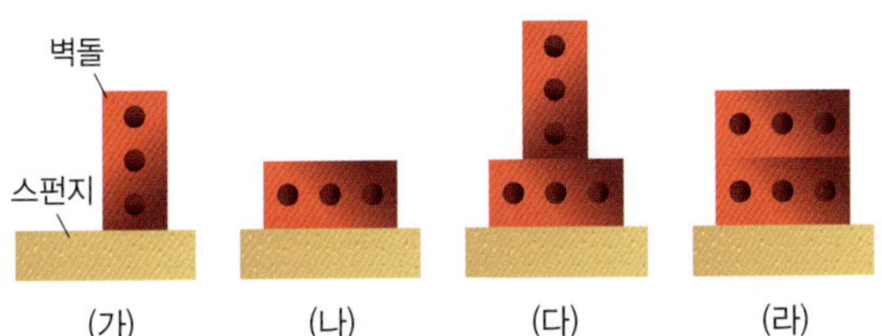

(가)~(라) 중 작용하는 힘의 크기와 압력의 관계(A), 힘을 받는 면적과 압력의 관계(B)를 알아보기 위해 각각 비교해야 하는 것을 옳게 짝 지은 것은?

	A	B
①	(가)와 (다)	(나)와 (라)
②	(가)와 (라)	(나)와 (다)
③	(나)와 (다)	(가)와 (나)
④	(나)와 (라)	(가)와 (다)
⑤	(다)와 (라)	(가)와 (나)

02 다음은 25 °C에서 기체가 들어 있는 3개의 풍선 (가)~(다)에 대한 설명이다.

> • (가)는 (나)보다 풍선의 부피가 크다.
> • (가)~(다)는 풍선 속 기체의 압력이 같다.
> • (다)는 (가)보다 풍선 속에 더 많은 기체 입자가 들어 있다.

(가)~(다) 중 풍선의 부피가 가장 큰 것(A)과 풍선 속 기체 입자의 개수가 가장 많은 것(B)을 옳게 짝 지은 것은? (단, 사용한 풍선의 종류는 같다.)

	A	B			A	B
①	(가)	(나)		②	(가)	(다)
③	(다)	(가)		④	(다)	(나)
⑤	(다)	(다)				

03 다음은 혈압계에 대한 설명이다.

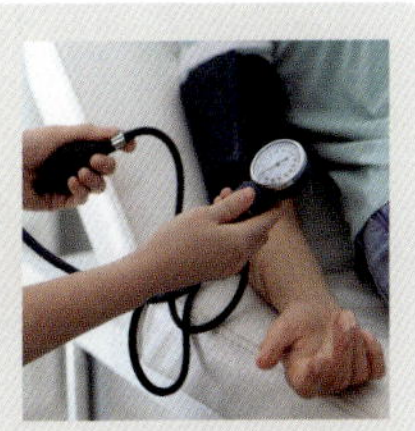

> 혈압계는 혈관 벽에 작용하는 혈액의 압력을 측정하는 장치로, 팔에 두른 공기 주머니에 공기가 채워지면서 팔에 힘을 가하여 혈압을 측정한다.

혈압계의 공기 주머니에 공기가 채워질 때 공기 주머니 속에서 일어나는 변화에 대한 설명으로 옳은 것은? (단, 온도는 일정하다.)

① 기체의 압력이 커진다.
② 기체 입자의 크기가 커진다.
③ 기체 입자의 개수가 적어진다.
④ 기체 입자의 운동이 빨라진다.
⑤ 기체 입자의 충돌 횟수가 감소한다.

04 그림은 일정한 온도에서 일정한 양의 기체의 압력과 부피의 관계를 나타낸 것이다.

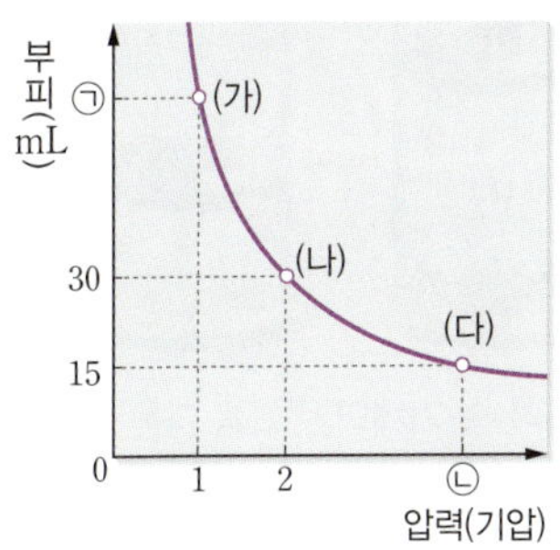

이에 대한 설명으로 옳은 것을 모두 고르면? (정답 2개)

① ㉠은 45, ㉡은 4이다.
② (가)에서 기체 입자 사이의 거리가 가장 멀다.
③ (다)에서 기체 입자의 운동이 가장 빠르다.
④ (가)~(다)에서 기체 입자의 개수는 모두 같다.
⑤ (나)에서 (다)로 변할 때 기체 입자의 충돌 횟수가 감소한다.

☞ 제시된 Keyword를 이용하여 문제를 해결해 보자.

1 그림과 같이 밑면이 넓은 운동화와 굽이 뾰족한 구두를 신고 모래를 밟았다.

운동화와 구두 중 모래가 더 깊이 눌릴 것으로 예상되는 것을 고르고, 그렇게 예상한 까닭을 설명하시오. (단, 운동화와 구두를 신고 모래를 누르는 무게는 같다.)

Keyword 압력, 모래와 닿는 면적

____

____

____

2 그림과 같이 일정한 온도에서 일정한 양의 기체가 들어 있는 용기 위에 올려놓은 추의 개수를 증가시켰다.

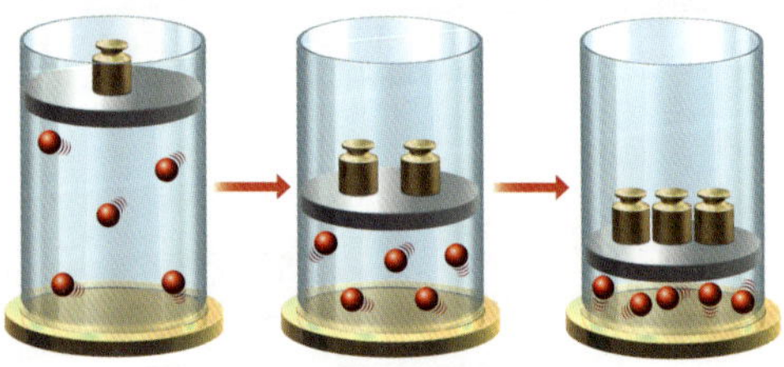

이때 용기 속 기체의 변화를 다음 용어를 모두 이용하여 설명하시오.

외부 압력	입자 사이의 거리
입자의 충돌 횟수	기체의 압력

Keyword 외부 압력, 입자 사이의 거리, 입자의 충돌 횟수, 기체의 압력

____

____

3 페트병은 부피를 줄이기 위해 찌그러뜨려 분리배출한다. 페트병의 뚜껑을 닫은 상태에서는 페트병을 찌그러뜨리기 어렵지만, 뚜껑을 열면 페트병을 쉽게 찌그러뜨릴 수 있다. 그 까닭을 기체의 압력과 관련지어 설명하시오.

Keyword 기체의 압력

____

____

____

4 표는 일정한 온도에서 일정한 양의 기체의 압력에 따른 부피를 측정하여 나타낸 것이다.

압력(기압)	1	2	3	4	5	6
부피(mL)	30	15	10	㉠	6	5

(1) ㉠을 구하고, 풀이 과정을 설명하시오.

Keyword 보일 법칙, 기체의 압력과 부피

____

____

(2) 기체의 압력에 따른 부피 변화를 그래프로 나타내시오. (단, 각 점을 표시하고, 점들을 연결하여 선으로 나타낸다.)

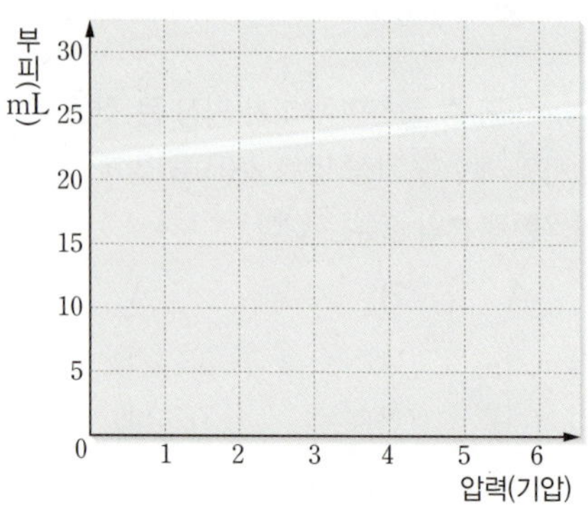

5 그림과 같이 감압 용기에 마시멜로를 넣고 용기 속 공기를 빼내었더니 마시멜로가 부풀어 올랐다.

(1) 위와 같이 마시멜로의 변화가 나타난 까닭을 설명하시오. (단, 마시멜로 안에는 작은 공기 주머니가 많이 있다.)

Keyword 용기 내부의 압력, 공기의 부피

(2) 위 감압 용기에 마시멜로 대신 뜯은 과자 봉지를 넣고 공기를 빼내었을 때 과자 봉지의 부피 변화를 쓰고, 그 까닭을 설명하시오.

Keyword 용기 내부의 압력, 과자 봉지 속 기체의 압력

6 바다에 사는 대부분의 물고기는 몸속에 공기 주머니인 부레를 가지고 있다. 깊은 바닷속에 사는 물고기가 수면으로 올라오면 부레가 크게 부풀어 오르는데, 그 까닭을 수압과 기체의 부피 관계를 이용하여 설명하시오.

Keyword 수압, 기체의 부피

도전! 단계적 서술형

7 다음은 천연가스를 저장 용기에 보관하기 위한 두 가지 방법에 대한 설명이다.

> 천연가스는 메테인 기체가 주성분이다. 천연가스를 $-160\ ℃$ 이하로 냉각시키면 액체로 상태 변화 하기 때문에 보관이 편리하지만, 많은 비용이 든다. 이에 반해 200 기압 이상으로 메테인 기체를 압축하여 만든 압축 천연가스(CNG)는 보관이 편리할 뿐만 아니라 비용이 저렴하여 버스와 같은 대중교통 수단에 많이 이용된다.
>
> 

(1) **[자료 분석]** 기체 상태의 천연가스를 저장 용기에 넣어 보관하려는 까닭을 설명하시오.

Keyword 기체, 부피, 보관(운반)

(2) **[문제 이해]** 온도 변화를 이용하여 천연가스를 저장 용기에 보관할 수 있는 방법을 설명하시오.

Keyword 냉각, 상태 변화(액화), 부피

(3) **[문제 해결]** 압력과 기체의 부피 관계를 이용하여 천연가스를 저장 용기에 보관할 수 있는 방법을 설명하시오.

Keyword 높은 압력, 압축, 부피

(4) **[가산점 쭉쭉!]** 압축 천연가스를 저장하는 특수 용기가 갖추어야 할 조건을 설명하시오.

Keyword 높은 압력, 누출 감지

O2 기체의 온도와 부피

열기구의 공기 주머니 속 기체를 가열하면 공기 주머니가 더 팽팽해지면서 열기구가 위로 떠오른다. 그 까닭은 무엇일까?

- ☐ **기체의 성질**: 기체는 담는 용기에 따라 (무게, 모양)이/가 달라지며, 그 부피는 담긴 용기의 부피와 (같다, 다르다).
- ☐ **온도에 따른 기체의 부피 변화**: 온도를 높이면 기체의 부피가 (줄어들고, 늘어나고), 온도를 낮추면 기체의 부피가 (줄어든다, 늘어난다).

1 기체의 온도와 부피 관계

1. 기체의 온도에 따른 부피 변화 일정한 압력에서 일정한 양의 기체의 온도가 높아지면 기체의 부피가 늘어나고, 기체의 온도가 낮아지면 기체의 부피가 줄어든다.

(1) 온도에 따른 풍선의 부피 변화: 풍선을 씌운 삼각 플라스크를 뜨거운 물에 넣으면 풍선의 부피가 늘어나 풍선이 부풀어 오른다. 이 삼각 플라스크를 얼음물에 넣으면 풍선의 부피가 줄어들어 풍선이 쭈그러든다.

(2) 물을 뿜는 오줌싸개 인형: 오줌싸개 인형은 속이 비어 있고 아래쪽에는 작은 구멍이 뚫려 있다. 오줌싸개 인형을 뜨거운 물과 찬물에 차례로 넣었다가 꺼내면 인형 안에 물이 채워지고, 이 인형 위에 뜨거운 물을 부으면 인형에서 물이 뿜어져 나온다.

액체 질소에 넣은 풍선의 부피 변화

액체 질소의 온도는 −196 ℃ 이하로 매우 낮다. 따라서 공기가 들어 있는 풍선을 액체 질소에 넣으면 풍선 속 공기의 부피가 급격히 줄어들어 풍선이 쭈그러든다.

온도에 따른 풍선의 부피 변화

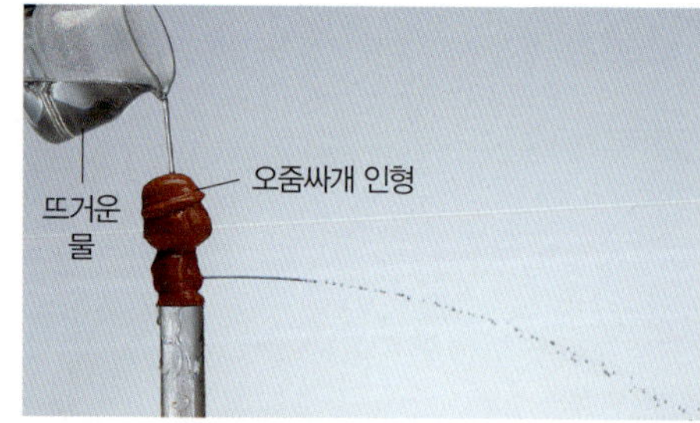

물을 뿜는 오줌싸개 인형

자료＋ 오줌싸개 인형의 원리

① 인형을 뜨거운 물에 넣는다.
→ 인형 속 기체의 부피가 늘어나서 인형 밖으로 기체가 빠져나온다.

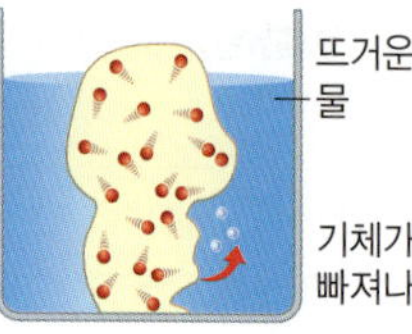

② 인형을 찬물에 넣는다.
→ 인형 속 기체의 부피가 줄어들어 인형 속으로 물이 들어간다.

③ 인형 위에 뜨거운 물을 붓는다.
→ 인형 속 기체의 부피가 늘어나서 물이 뿜어져 나온다.

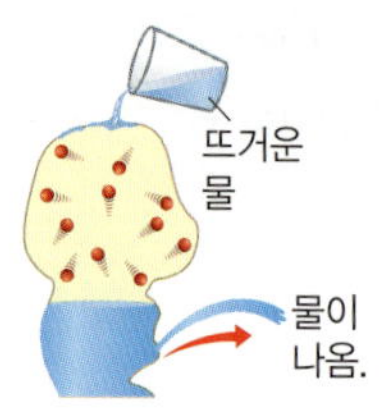

2. **샤를 법칙** 샤를은 실험을 통해 '일정한 압력
에서 일정한 양의 기체는 종류와 관계없이 온도
가 높아지면 부피가 일정한 비율로 늘어난다.'
라는 사실을 알아냈는데, 이를 샤를 법칙이라고
한다. 탐구 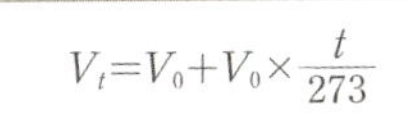075쪽 과학 용어 사전 152쪽

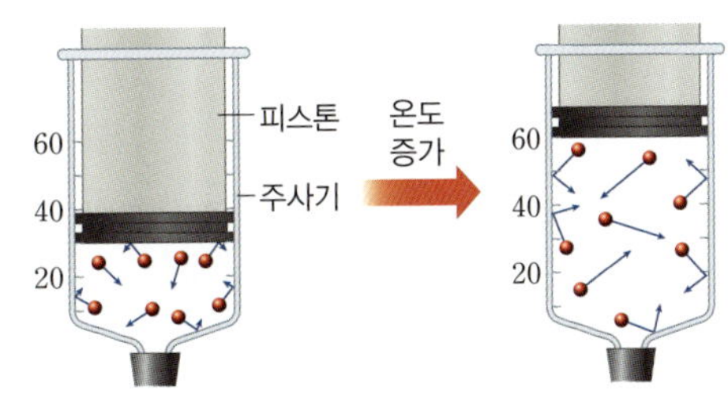

온도에 따른 기체의 부피 변화

3. 입자의 운동으로 설명하는 기체의 온도와 부피 관계

(1) 온도에 따른 주사기 속 기체 입자의 운동:
일정한 압력에서 일정한 양의 기체가
들어 있는 주사기를 뜨거운 물에 넣
으면 기체의 온도가 높아져 기체 입
자의 운동이 빨라지므로 기체의 부피
가 늘어난다.
└─ 입자 운동의 빠르기를 의미하는
화살표의 길이가 길어져야 한다.

(2) 일정한 압력에서 기체의 온도를 높일 때: 기체 입자의 운동이 빨라져 기체 입자가 용
기 벽면에 강하게 충돌하므로 용기 속 기체의 압력이 커진다. 따라서 용기 속 기체
의 압력이 외부 압력과 같아질 때까지 기체의 부피가 늘어난다.

(3) 일정한 압력에서 기체의 온도를 낮출 때: 기체 입자의 운동이 느려져 기체 입자가 용
기 벽면에 약하게 충돌하므로 용기 속 기체의 압력이 작아진다. 따라서 용기 속 기
체의 압력이 외부 압력과 같아질 때까지 기체의 부피가 줄어든다.

(가)　　　　　(나)　　　　　(다)

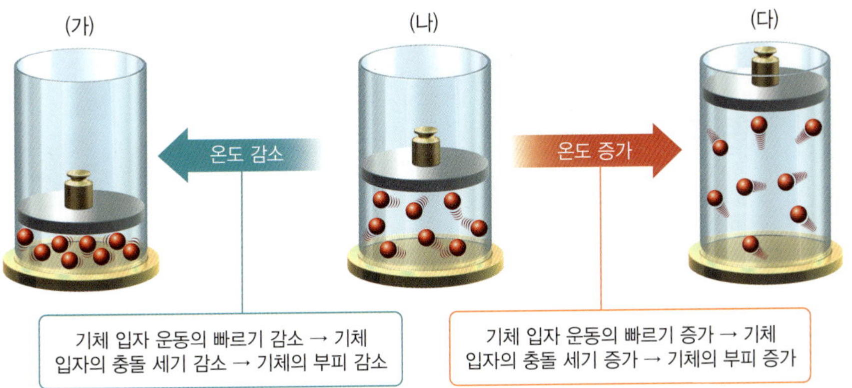

온도에 따른 기체의 부피 변화와 입자의 운동

샤를 법칙에 따른 공식

일정한 압력에서 기체의 온도가
1 ℃ 높아질 때마다 0 ℃ 때 부피
의 $\frac{1}{273}$씩 늘어난다.

t ℃ 때의 부피를 V_t, 0 ℃ 때의 부
피를 V_0라고 할 때, 샤를 법칙은
다음과 같이 나타낼 수 있다.

$$V_t = V_0 + V_0 \times \frac{t}{273}$$

집중분석 076쪽

입자 운동의 빠르기

입자 운동의 빠르기는 온도에 따
라 달라지는데, 온도가 높아질수
록 입자의 운동이 빨라진다.

**일정한 압력에서 일정한 양의 기체
의 온도가 달라질 때 변하지 않는 것**

입자의 개수, 입자의 크기, 입자의
질량

**일정한 압력에서 일정한 양의 기체
의 온도가 달라질 때 용기 속 기체
의 비교**

입자의 개수	(가)=(나)=(다)
입자 운동의 빠르기	(가)<(나)<(다)
입자의 충돌 세기	(가)<(나)<(다)
입자 사이의 거리	(가)<(나)<(다)
기체의 부피	(가)<(나)<(다)

정답과 해설 076쪽

개념 빌드업

1. **핵심 개념** 일정한 압력에서 일정한 양의 기체는 온도가 높아지면 ________ 이/가 일정한 비율로
늘어나는데, 이를 ________ 법칙이라고 한다.

2. 일정한 압력에서 기체가 든 주사기의 끝을 막고 뜨거운 물에 넣으면 주사기 속 기체 입자의
운동이 (느려, 빨라)져 기체 입자가 안쪽 벽면에 (약, 강)하게 충돌한다.

Check 이전에 배웠어요

☐ 모양, 같다
☐ 늘어나고, 줄어든다

1. 온도에 따라 기체의 부피가 변하는 현상

(1) **여름철 자동차 타이어의 변화:** 여름철 도로를 달린 자동차의 타이어가 팽팽해진다. 이것은 타이어 속 기체의 온도가 높아져 기체의 부피가 늘어나기 때문이다.

(2) **겨울철 농구공의 변화:** 겨울철 창고에 보관한 농구공이 바람이 빠진 것처럼 찌그러진다. 이것은 농구공 속 기체의 온도가 낮아져 기체의 부피가 줄어들기 때문이다.

(3) **뜨거운 음식이 든 그릇에 씌운 비닐 랩의 변화:** 뜨거운 음식이 들어 있는 그릇에 비닐 랩을 씌우면 그릇 속 기체의 부피가 늘어나므로 비닐 랩이 부풀어 오른다.

(4) **냉장고에 넣은 페트병의 변화:** 뚜껑을 닫아 둔 페트병을 냉장고 안에 넣으면 페트병 속 기체의 부피가 줄어들므로 페트병이 찌그러진다. 그런데 이 페트병을 냉장고 밖으로 꺼내 두면 페트병 속 기체의 부피가 늘어나므로 페트병이 다시 펴진다.

(5) **동전 움직이기:** 차가운 유리병의 입구에 물에 적신 동전을 올려놓고, 양손으로 유리병을 감싸 쥐면 동전이 움직인다. 이것은 체온에 의해 유리병 속 기체의 온도가 높아져 기체의 부피가 늘어나면서 동전을 밀어내기 때문이다.

(6) **찌그러진 탁구공 펴기:** 찌그러진 탁구공을 뜨거운 물에 넣으면 탁구공 속 기체의 온도가 높아져 기체의 부피가 늘어나므로 탁구공이 원래대로 펴진다.

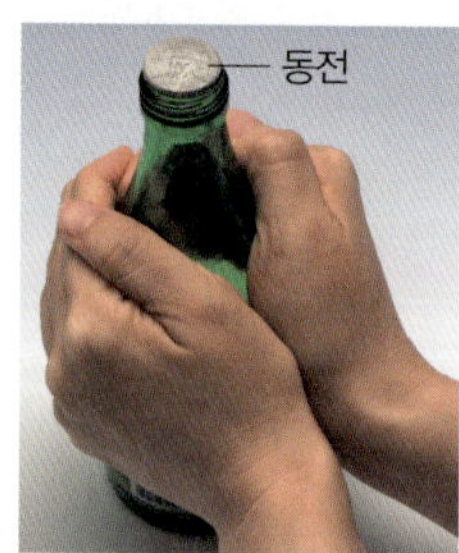

동전 움직이기

2. 기체의 온도와 부피 관계를 이용한 문제 해결

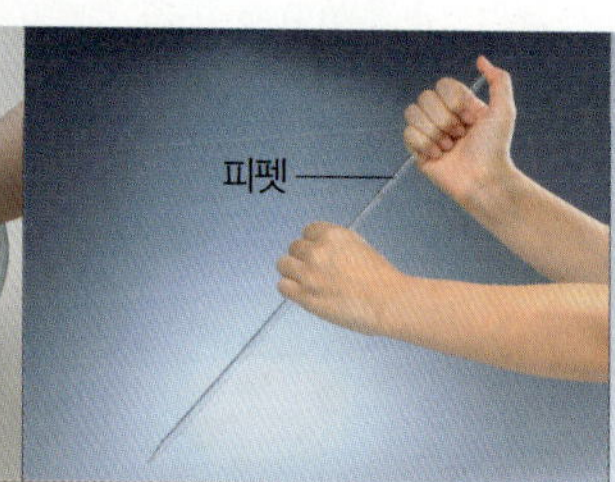

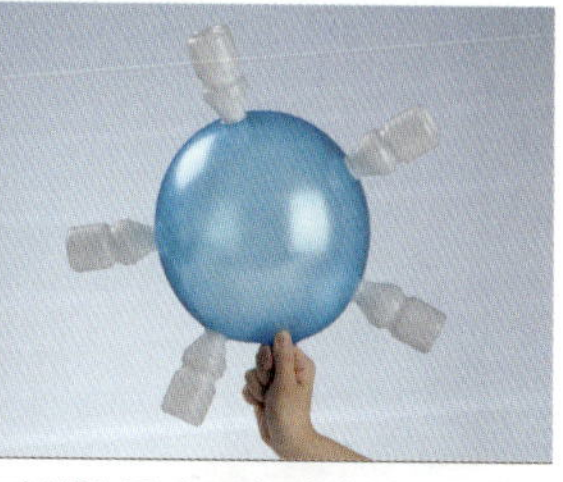

설거지를 하다가 그릇이 포개져 잘 빠지지 않을 때 바깥쪽 그릇을 뜨거운 물에 담가 두면 그릇 사이에 있는 기체의 온도가 높아져 부피가 늘어나므로 그릇이 빠진다.	피펫의 끝부분에 액체가 남아 있을 때 피펫의 윗부분을 막고, 중간 부분을 손으로 감싸 쥐면 피펫 속 기체의 온도가 높아져 부피가 늘어나므로 액체가 밀려 나온다.	가열한 플라스틱 병의 입구를 풍선 표면에 밀착시킨 뒤 온도가 낮아지면 병 속 기체의 부피가 줄어들면서 병 속에 풍선이 빨려 들어가 풍선에 병이 붙는다.

정답과 해설 076쪽

개념 빌드업

1. 뚜껑을 닫아 둔 페트병을 냉장고 안에 넣으면 페트병 속 기체의 _________ 이/가 낮아지면서 기체의 _________ 이/가 줄어들므로 페트병이 찌그러진다.

2. 찌그러진 탁구공을 뜨거운 물에 넣으면 탁구공 속 기체의 온도가 높아져 기체 입자의 운동이 (느려, 빨라)지므로 기체의 부피가 (줄어든다, 늘어난다).

열기구의 원리

열기구의 공기 주머니 속 기체를 가열하면 온도가 높아져 기체의 부피가 늘어나므로 공기 주머니가 부풀어 오른다. 이때 공기 주머니 속 기체의 일부가 밖으로 밀려 나가면서 열기구가 가벼워져 위로 떠오른다.

온도에 따라 기체의 부피가 변하는 또 다른 현상
- 햇빛이 비치는 창가에 둔 과자 봉지가 부푼다.
- 밀폐 용기의 뚜껑이 잘 열리지 않을 때 밀폐 용기를 따뜻한 물에 넣어 두면 뚜껑이 잘 열린다.
- 바닥이 오목한 그릇에 뜨거운 음식을 담아 식탁 위에 올려놓으면 그릇이 저절로 움직이는 경우가 있다.
- 냉장고에서 꺼낸 달걀을 바로 끓는 물에 넣으면 달걀 껍데기가 쉽게 터진다.
  └ 달걀 껍데기 안쪽에는 공기가 들어 있다.

잉크 방울의 이동

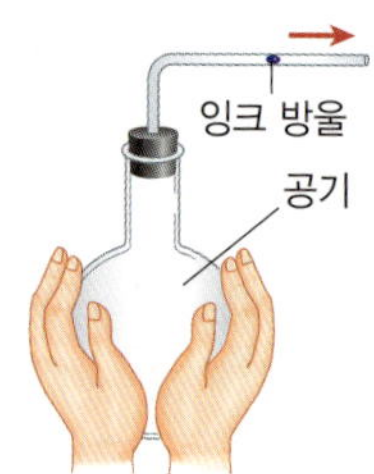

그림과 같이 장치한 둥근바닥 플라스크를 양손으로 감싸 쥐면 플라스크 속 기체의 온도가 높아져 부피가 늘어나므로 잉크 방울이 오른쪽으로 이동한다.

기체의 온도와 부피 관계 알아보기

목표 | 온도에 따른 기체의 부피를 측정하고, 기체의 온도와 부피 관계를 설명할 수 있다.

실험 영상

과정

❶ 빨대 끝에서 조금 떨어진 곳에 색소를 섞은 글리세롤을 넣고 빨대의 반대쪽 끝을 밀봉기로 막는다.

❷ 뜨거운 물이 담긴 눈금실린더에 ❶의 빨대와 디지털 온도계를 고정한다.

 **유의점** 빨대의 막힌 부분을 아래로 해서 고정하고, 글리세롤 방울부터 빨대의 막힌 부분이 모두 물에 잠기게 한다.

❸ 물의 온도가 50 ℃가 되면 글리세롤 방울의 위치를 유성펜으로 눈금실린더에 표시하고, 물의 온도가 5 ℃ 낮아질 때마다 이를 반복한다.

❹ 각 온도에서 눈금실린더에 표시된 위치와 물에 잠긴 빨대 끝 사이의 눈금 개수를 기록한다.

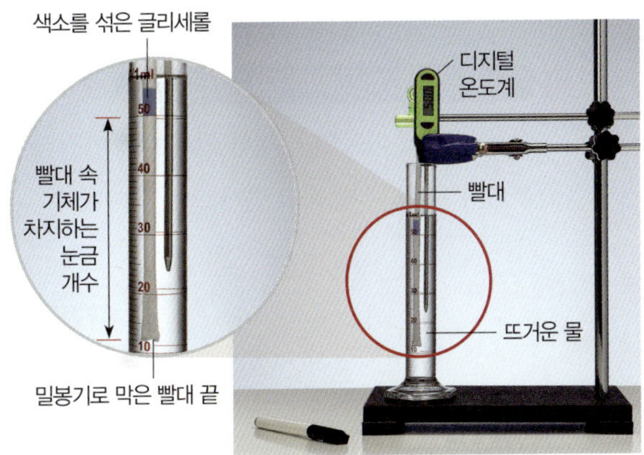

결과 및 정리

1. 온도가 낮아지면 빨대 속 기체의 부피가 줄어들므로 글리세롤 방울이 점점 아래로 내려간다. 따라서 빨대 속 기체가 차지하는 눈금 개수가 감소한다.

온도(℃)	50	45	40	35	30	25
빨대 속 기체의 눈금 개수(개)	38	37.5	37	36.5	36	35.5

→ 온도가 5 ℃ 낮아질 때마다 빨대 속 기체가 차지하는 눈금 개수는 0.5개씩 일정하게 감소한다.

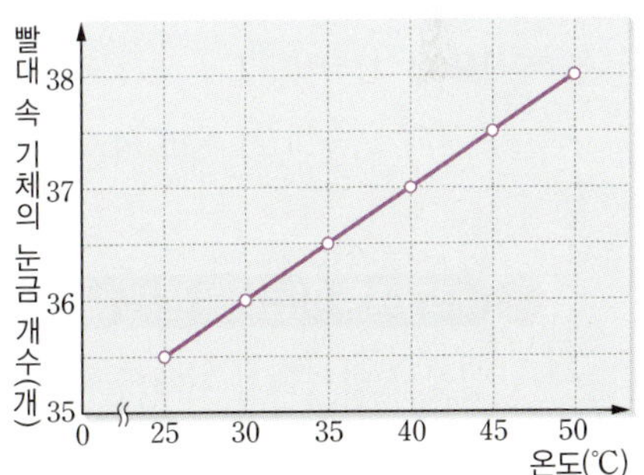

2. 일정한 압력에서 일정한 양의 기체의 온도를 높이면 기체의 부피가 일정한 비율로 늘어나고, 온도를 낮추면 기체의 부피가 일정한 비율로 줄어든다.

탐구 확인 문제

정답과 해설 076쪽

1 위 탐구에 대한 설명으로 옳은 것은 ○, 옳지 <u>않은</u> 것은 × 로 표시하시오.

(1) 글리세롤 방울이 아래로 내려갈수록 빨대 속 기체 입자 사이의 거리는 가까워진다. ·················· ( )

(2) 빨대 속 기체의 온도와 부피는 반비례한다.
·················· ( )

(3) 물의 온도가 25 ℃에서 20 ℃로 되면 빨대 속 기체가 차지하는 눈금 개수는 감소한다. ············· ( )

2  위 탐구를 통해 알 수 있는 기체의 온도와 부피 관계로 설명할 수 있는 현상이 <u>아닌</u> 것은?

① 풍선이 하늘 높이 올라갈수록 점점 커진다.

② 여름철 도로를 달린 자동차의 타이어가 팽팽해진다.

③ 뚜껑을 닫아 둔 페트병을 냉장고에 넣어 두면 페트병이 찌그러진다.

④ 냉장고에서 꺼낸 달걀을 바로 끓는 물에 넣으면 달걀 껍데기가 쉽게 터진다.

⑤ 뜨거운 음식이 들어 있는 그릇에 비닐 랩을 씌우면 비닐 랩이 부풀어 오른다.

집중분석 샤를 법칙과 관련된 계산 문제 해결하기

압력이 일정한 조건에서 기체의 온도나 부피가 변하는 경우에는 샤를 법칙을 이용하여 문제를 해결할 수 있다. 샤를 법칙과 관련된 계산 문제를 유형에 따라 어떻게 해결하는지 자세히 알아보자.

정답과 해설 076쪽

1 샤를 법칙을 이용하여 문제 해결하기

샤를 법칙에 따르면 일정한 압력에서 일정한 양의 기체의 온도와 부피의 관계는 다음과 같은 식으로 나타낼 수 있다.

$$V_t = V_0 + V_0 \times \frac{t}{273}$$

(V_0: 0 ℃일 때 기체의 부피, V_t: t ℃일 때 기체의 부피)

|예제| 0 ℃, 1 기압에서 부피가 10 mL인 기체가 있다. 압력을 일정하게 유지하면서 온도를 273 ℃로 높였을 때 기체의 부피는 몇 mL가 되는지 구하시오.

|풀이| $V_0 = 10 \, \text{mL}$, $t = 273 \, \text{℃}$이므로 V_t는 다음과 같이 구한다.

$$V_t = 10 \, \text{mL} + 10 \, \text{mL} \times \frac{273}{273} = 20 \, \text{mL} \qquad \therefore V_t = 20 \, \text{mL}$$

2 그래프를 이용하여 문제 해결하기

일정한 압력에서 기체의 온도가 높아지면 기체의 부피는 일정한 비율로 늘어나므로 다음과 같은 그래프로 나타낼 수 있다.

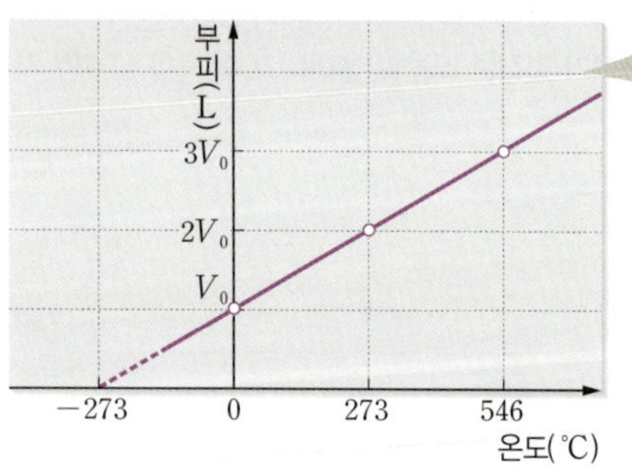

|예제| 오른쪽 그림은 일정한 압력에서 기체의 온도와 부피 관계를 나타낸 것이다. 기체의 부피가 50 L일 때의 온도(x)를 구하시오.

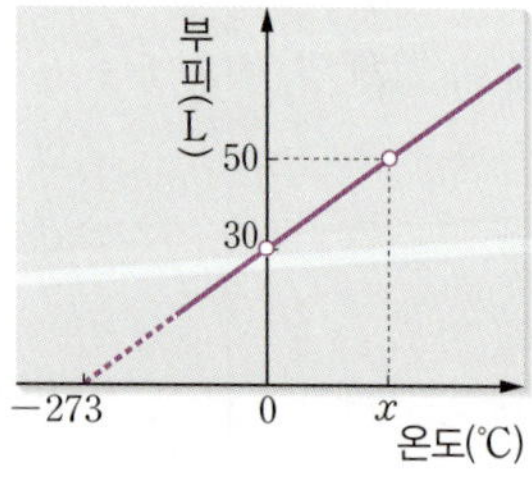

|풀이| 샤를 법칙에 따른 공식에 대입하여 다음과 같이 구한다.

$$50 \, \text{L} = 30 \, \text{L} + 30 \, \text{L} \times \frac{x}{273} \qquad \therefore x = 182$$

1-1 0 ℃, 1 기압에서 부피가 100 mL인 기체의 온도를 같은 압력에서 546 ℃로 높였을 때 기체의 부피는 몇 mL가 되는지 구하시오.

1-2 0 ℃, 1 기압에서 부피가 150 mL 인 기체를 압력을 일정하게 유지하면서 가열하였다. 이 기체의 부피가 300 mL가 되었을 때 기체의 온도는 몇 ℃인지 구하시오.

그림은 일정한 압력에서 기체의 온도와 부피 관계를 나타낸 것이다.

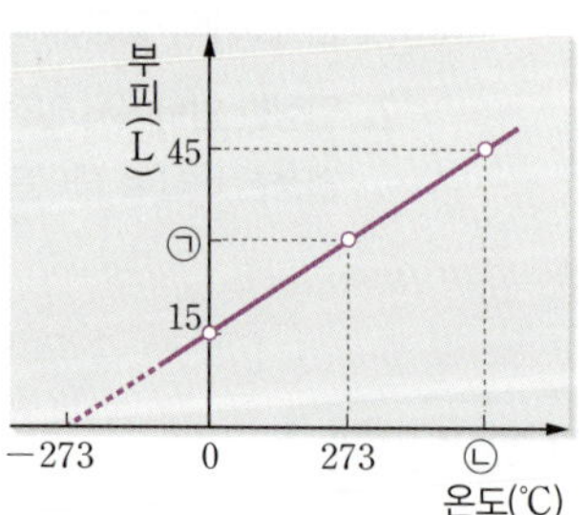

2-1 273 ℃에서 기체의 부피(㉠)를 구하시오.

2-2 기체의 부피가 45 L일 때의 온도(㉡)를 구하시오.

기체의 온도와 압력에 따른 부피 변화

섭씨온도와 절대 온도에 따른 기체의 부피 변화는 어떻게 다른지 알아보고, 온도와 압력이 모두 변할 때 일정한 양의 기체의 부피는 어떻게 변하는지 알아보자.

1 온도에 따른 기체의 부피 변화

샤를 법칙에서 기체의 부피와 섭씨온도 사이에는 비례 관례가 성립하지 않는다. 과학 용어 사전 152쪽

$$V_t = V_0 + V_0 \times \frac{t}{273} = \frac{V_0}{273} \times (273 + t) \ (V_0: 0\,^\circ\text{C일 때 기체의 부피}, \ V_t: t\,^\circ\text{C일 때 기체의 부피})$$

위 식에서 섭씨온도를 절대 온도로 바꾸어 정리할 수 있다. 절대 온도는 $-273\,^\circ\text{C}$를 0으로 정한 온도로, 단위는 K(켈빈)이다. 절대 온도(T)와 섭씨온도(t) 사이에는 '$T = 273 + t$'의 관계가 성립하므로 샤를 법칙에 따른 공식에서 $(273 + t)$를 절대 온도(T)로 나타낼 수 있다. 또한, $\frac{V_0}{273}$는 일정한 상수이므로 k로 나타내면, 일정한 압력에서 일정한 양의 기체의 부피는 절대 온도에 비례한다는 것을 알 수 있다.

$$V = kT \ (k: \text{상수}) \ \longrightarrow \ V \propto T \ (V: \text{기체의 부피}, \ T: \text{절대 온도})$$

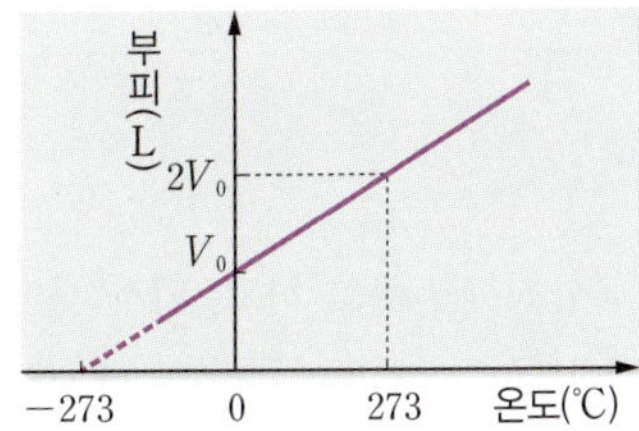

섭씨온도에 따른 기체의 부피 변화

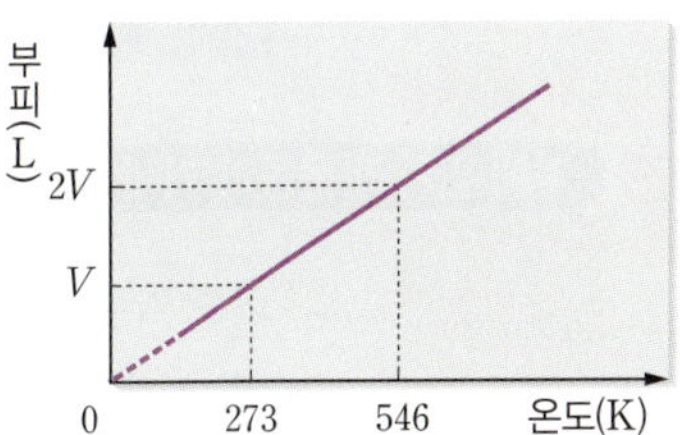

절대 온도에 따른 기체의 부피 변화

2 보일·샤를 법칙

온도가 일정할 때 기체의 압력과 부피 관계를 나타낸 보일 법칙과, 압력이 일정할 때 기체의 온도와 부피 관계를 나타낸 샤를 법칙을 통합하여 만든 법칙이다. 보일·샤를 법칙에 따르면 일정한 양의 기체의 부피(V)는 압력(P)에 반비례하고, 절대 온도(T)에 비례한다.

- 보일 법칙: $V \propto \dfrac{1}{P}$
- 샤를 법칙: $V \propto T$
- 보일·샤를 법칙: $V \propto \dfrac{T}{P}$, $\dfrac{PV}{T} = k \ (k: \text{상수}) \ \longrightarrow \ \dfrac{P_1 V_1}{T_1} = \dfrac{P_2 V_2}{T_2}$

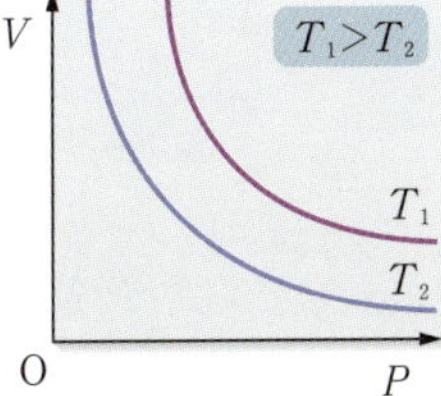

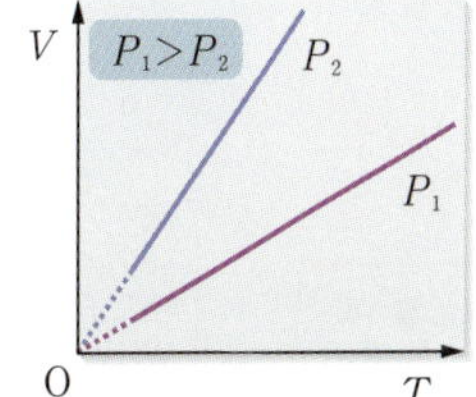

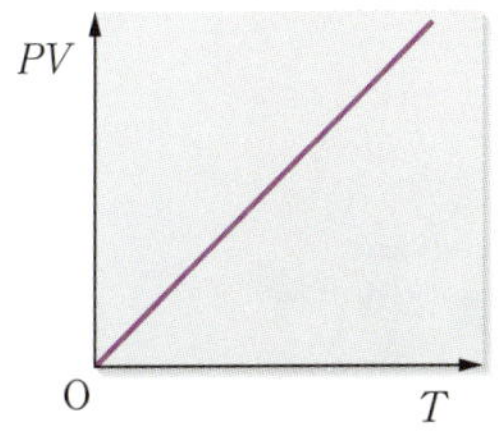

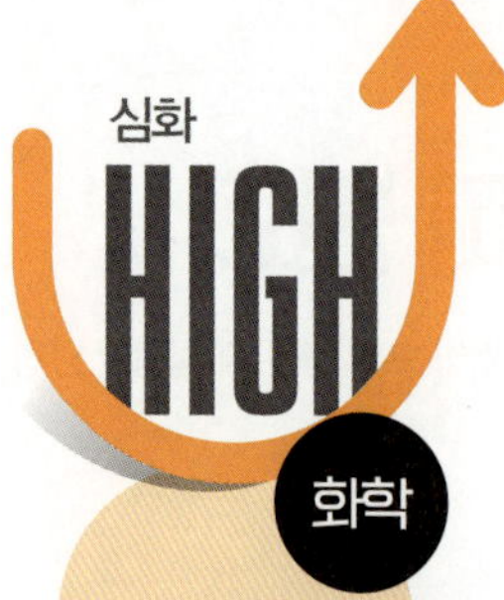

이상 기체와 기체 입자의 운동

기체 입자는 스스로 자유롭게 운동하며 에너지가 변하는데, 이러한 운동으로 다양한 기체의 성질을 설명할 수 있다.
이상 기체와 기체 입자의 운동에 관한 자료를 살펴보며, 기체의 성질을 탐구해 보자.

1 이상 기체와 실제 기체

실제로 우리 주변에 존재하는 기체를 실제 기체라고 한다. 실제 기체는 기체의 종류에 따라 입자의 크기가 다르고, 입자 사이에 인력과 반발력이 존재하며, 입자들이 충돌할 때 에너지가 손실되기도 한다. 기체의 성질을 탐구하기 위해 보일 법칙이나 샤를 법칙을 실제 기체에 적용하면 다양한 변수를 고려해야 하므로 기체의 압력과 부피, 온도와 부피의 관계가 잘 맞지 않는다. 따라서 실제로는 존재하지 않는 기체인 이상 기체로 가정하여 기체의 성질을 탐구한다. 실제 기체와 이상 기체의 성질을 비교하면 다음 표와 같다.

구분	실제 기체	이상 기체
입자의 크기	기체의 종류에 따라 다름.	매우 작음. (부피는 0)
입자의 질량	있음.	있음.
입자 사이의 인력과 반발력	있음.	없음.
기체에 관한 법칙	높은 온도와 작은 압력에서 대체로 일치함.	완전히 일치함.

2 기체 입자의 운동과 기체에 관한 법칙

이상 기체는 입자들이 끊임없이 불규칙한 운동을 하고, 입자 사이에 인력과 반발력이 존재하지 않으며, 입자의 크기를 무시할 수 있다. 또한, 입자들이 충돌할 때 에너지 손실이 없으며, 입자의 운동 에너지는 기체의 종류와 입자의 크기, 모양과 관계없이 절대 온도에 비례한다.

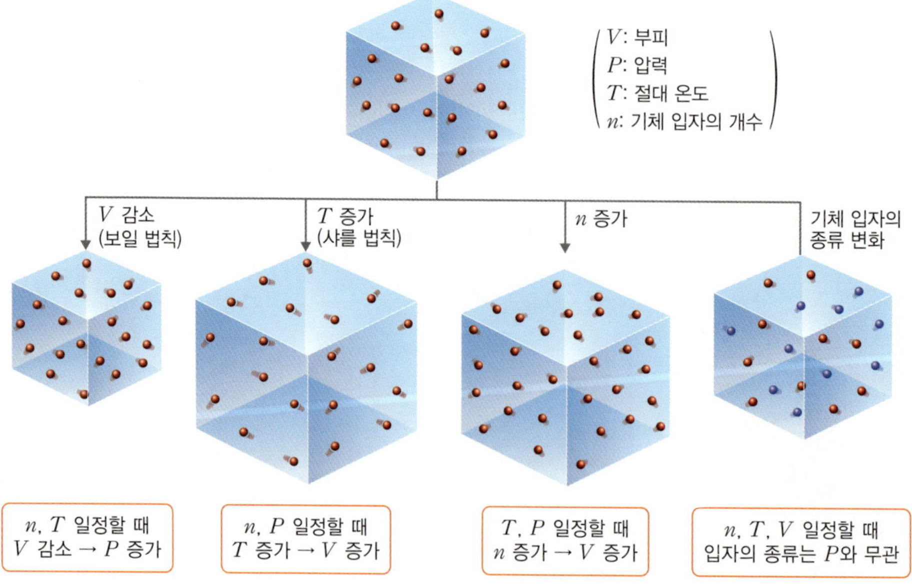

비주얼 Visual 핵|심|정|리

1-1 기체의 온도와 부피 관계

① 기체의 온도에 따른 부피 변화: 일정한 압력에서 기체의 온도가 높아지면 기체의 부피가 늘어나고, 기체의 온도가 낮아지면 기체의 부피가 줄어든다.

② 샤를 법칙: 일정한 압력에서 일정한 양의 기체는 온도가 높아지면 부피가 일정한 비율로 늘어난다.

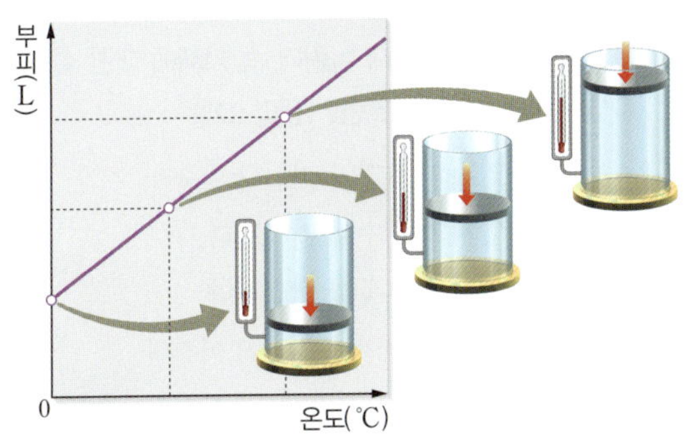

1-2 입자의 운동으로 설명하는 기체의 온도와 부피 관계

일정한 압력에서 **용기 속 기체의 온도**가 변하면 **기체 입자의 운동**이 느려지거나 빨라져 **기체의 부피**가 변한다.

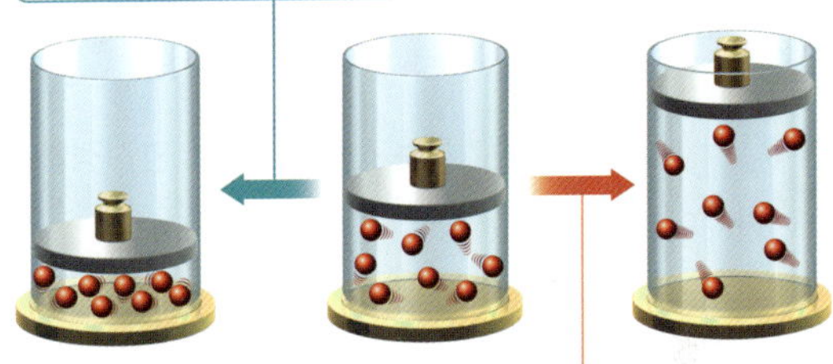

2-1 온도에 따라 기체의 부피가 변하는 현상

- 햇빛이 비치는 창가에 둔 과자 봉지가 부푼다.
- 열기구 속 기체를 가열하면 열기구가 떠오른다.
- 겨울철 창고에 보관한 농구공이 바람이 빠진 것처럼 찌그러진다.
- 뜨거운 음식이 들어 있는 그릇에 비닐 랩을 씌우면 비닐 랩이 부풀어 오른다.
- 냉장고 안에서 찌그러져 있던 페트병을 냉장고 밖으로 꺼내 두면 페트병이 다시 펴진다.

열기구

찌그러진 농구공

2-2 기체의 온도와 부피 관계를 이용한 문제 해결

설거지를 하다가 그릇이 포개져 잘 빠지지 않을 때 바깥쪽 그릇을 뜨거운 물에 담가 두면 그릇이 빠진다.

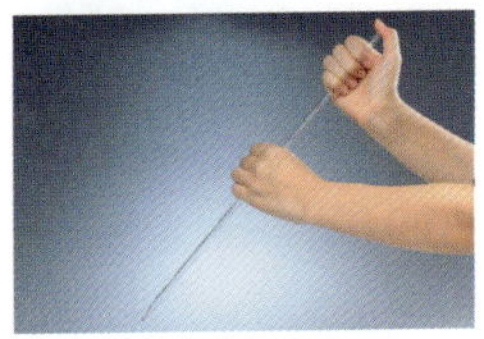

피펫의 끝부분에 액체가 남아 있을 때 피펫의 윗부분을 막고, 중간 부분을 손으로 감싸 쥐면 피펫 속 액체가 밀려 나온다.

뜨거운 바람을 넣어 가열한 플라스틱 병의 입구를 풍선 표면에 밀착시키면 병 속에 풍선이 빨려 들어가 풍선에 병이 붙는다.

중요

01 그림은 일정한 압력에서 용기 속에 들어 있는 일정한 양의 기체의 온도를 높였을 때의 변화를 나타낸 것이다.

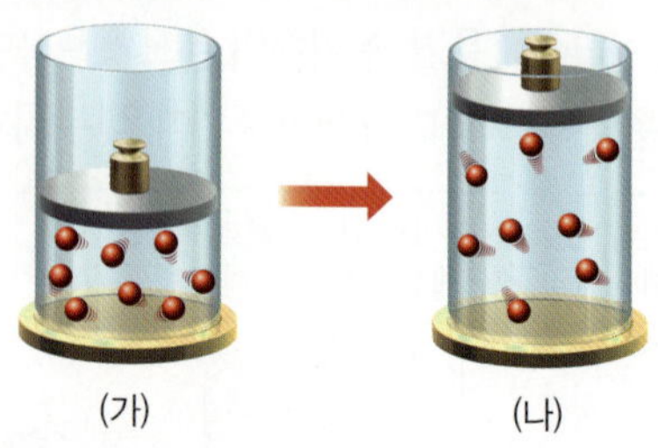

(가) (나)

(가)에서 (나)로 될 때 증가하는 것을 모두 고르면? (정답 2개)

① 기체의 부피
② 기체 입자의 크기
③ 기체 입자의 개수
④ 기체 입자의 질량
⑤ 기체 입자 운동의 빠르기

02 다음은 오줌싸개 인형에 대한 설명이다.

오줌싸개 인형을 뜨거운 물에 넣었다가 ㉠ 찬물에 넣으면 인형 속으로 물이 들어오고, ㉡ 이 인형 위에 뜨거운 물을 부으면 인형 속 물이 뿜어져 나온다.

이에 대한 설명으로 옳지 않은 것은?

① 샤를 법칙과 관련된 현상이다.
② ㉠에서 인형 속 기체 입자의 운동이 느려진다.
③ ㉠에서 인형 속 기체 입자 사이의 거리가 가까워진다.
④ ㉡에서 인형 속 기체의 부피가 늘어난다.
⑤ ㉡에서 인형 속 기체의 압력이 외부 압력보다 작다.

[03~04] 오른쪽 그림은 일정한 압력에서 실린더 속에 들어 있는 일정한 양의 기체의 온도에 따른 부피 변화를 나타낸 것이다.

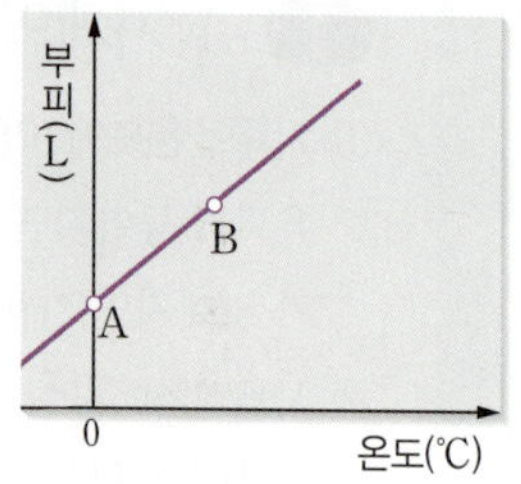

03 A에서 B로 변할 때 실린더 속 기체에 대한 설명으로 옳지 않은 것을 모두 고르면? (정답 2개)

① 기체 입자의 크기가 커진다.
② 기체 입자의 개수가 많아진다.
③ 기체 입자의 운동이 빨라진다.
④ 기체 입자 사이의 거리가 멀어진다.
⑤ 기체 입자가 용기 벽면에 충돌하는 세기가 강해진다.

중요

04 위 그림과 관련 있는 현상으로 옳은 것은?

① 공기를 채운 고무공 위에 앉으면 고무공이 찌그러진다.
② 자동차 에어백은 사고 발생 시 사람이 받는 충격을 줄여 준다.
③ 과자 봉지를 높은 산 위로 가지고 가면 과자 봉지가 팽팽해진다.
④ 공기가 들어 있는 풍선을 액체 질소에 넣으면 풍선이 쭈그러든다.
⑤ 감압 용기에 풍선을 넣고 용기 속 공기를 빼내면 풍선의 크기가 커진다.

05 표는 일정한 압력에서 일정한 양의 기체의 온도와 부피 관계를 나타낸 것이다.

기체의 온도(℃)	0	273	546
기체의 부피(L)	a	㉠	$3a$

㉠에 들어갈 기체의 부피를 구하시오.

중요
06 오른쪽 그림과 같이 25 ℃의 공기가 들어 있는 주사기의 끝을 막고 얼음물에 담갔더니 피스톤이 움직였다. 이 실험에 대한 설명으로 옳은 것을 보기에서 모두 고르시오.

보기
ㄱ. 주사기 속 기체의 부피가 줄어든다.
ㄴ. 주사기 속 기체 입자의 운동이 빨라진다.
ㄷ. 주사기 속 기체 입자의 개수가 많아진다.
ㄹ. 주사기 속 기체 입자 사이의 거리가 가까워진다.

중요
07 빈 삼각 플라스크의 입구에 공기를 뺀 풍선을 씌운 다음, 삼각 플라스크를 뜨거운 물에 넣었더니 풍선이 부풀어 올랐다.

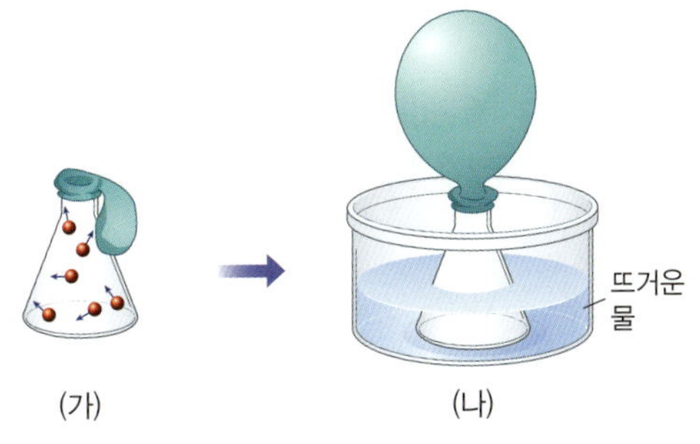

삼각 플라스크 속 기체 입자의 운동이 (가)와 같을 때, (나)에서 기체 입자의 운동을 옳게 나타낸 것은? (단, 화살표의 길이는 입자 운동의 빠르기를 의미한다.)

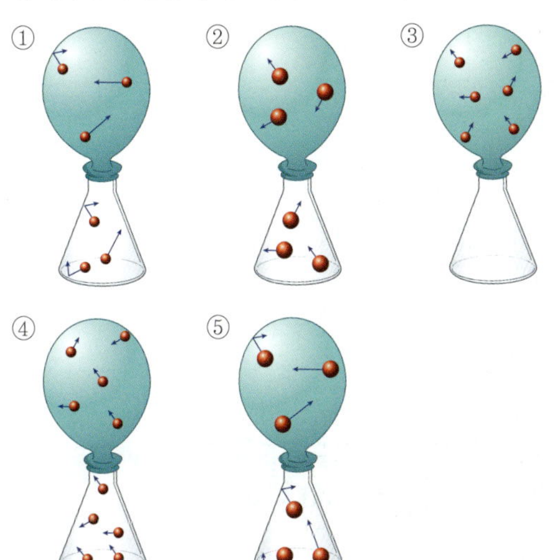

08 오른쪽 그림과 같이 스포이트의 끝에 잉크가 남아 있을 때 스포이트를 손으로 감싸 쥐었더니 잉크 방울이 위쪽으로 이동하였다. 이러한 현상이 일어나는 까닭으로 옳은 것은?

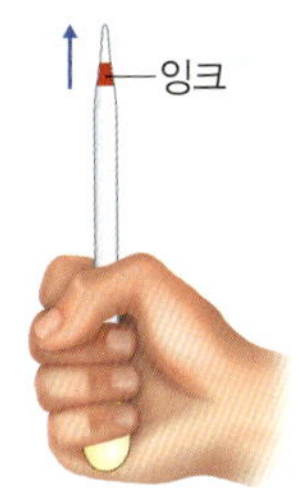

① 스포이트 속 잉크 방울이 커졌기 때문에
② 스포이트 외부의 압력이 작아졌기 때문에
③ 스포이트 속 기체의 온도가 낮아졌기 때문에
④ 스포이트 속 기체 입자의 개수가 많아졌기 때문에
⑤ 스포이트 속 기체 입자의 운동이 빨라졌기 때문에

[09~10] 다음은 압력이나 온도에 따라 기체의 부피가 변하는 몇 가지 예이다.

(가) 겨울철 창고에 보관한 농구공이 찌그러진다.
(나) 햇빛이 비치는 창가에 둔 과자 봉지가 부푼다.
(다) 잠수부가 물속에서 내뿜은 공기 방울은 수면 가까이 올라갈수록 커진다.

09 (가)~(다) 중 샤를 법칙과 관련된 현상을 모두 고른 것은?
① (나)　　　　② (가), (나)
③ (가), (다)　　④ (나), (다)
⑤ (가), (나), (다)

10 (가)~(다)에 대한 설명으로 옳지 <u>않은</u> 것은?
① (가)에서 농구공 속 기체 입자의 운동이 느려진다.
② (나)에서 과자 봉지 속 기체의 부피가 늘어난다.
③ (다)에서 공기 방울 속 기체의 압력이 작아진다.
④ (나)와 (다)에서 기체 입자 사이의 거리가 모두 가까워진다.
⑤ (가)~(다)에서 기체 입자의 크기는 모두 변하지 않는다.

01 그림은 용기에 일정한 양의 기체를 넣고 온도나 압력을 달리하였을 때 용기 속 기체를 입자 모형으로 나타낸 것이다. (단, 용기 속 기체의 종류는 모두 같고, 기체의 온도는 (가)=(나)이며, 대기압의 영향은 무시한다.)

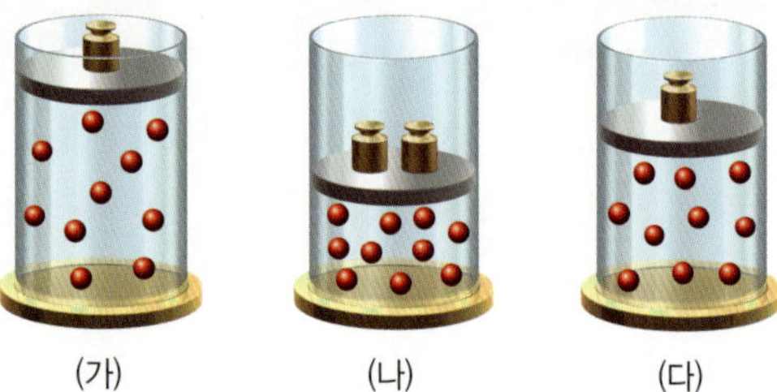

(가)~(다)에 대한 설명으로 옳은 것을 보기에서 모두 고르시오.

보기

ㄱ. 기체의 압력은 (가)>(다)이다.

ㄴ. 기체의 온도는 (나)>(다)이다.

ㄷ. 기체 입자의 충돌 횟수는 (나)>(가)이다.

---

02 그림은 압력이 일정할 때 일정한 양의 기체의 온도와 부피 관계를 나타낸 것이다.

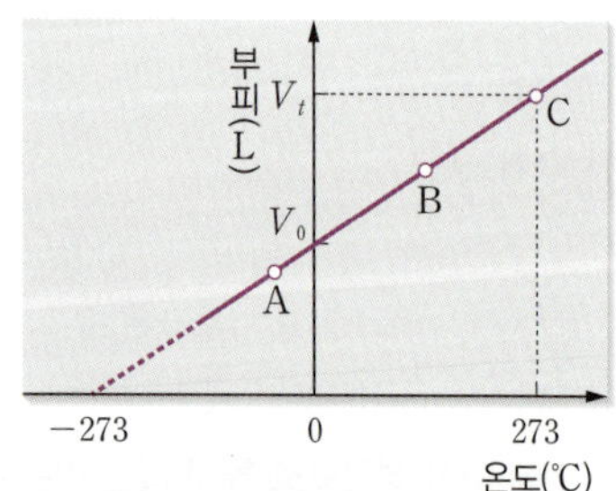

이에 대한 설명으로 옳은 것을 보기에서 모두 고른 것은?

보기

ㄱ. V_t는 V_0의 2배이다.

ㄴ. 기체 입자의 운동은 A에서가 C에서보다 빠르다.

ㄷ. 기체 입자의 개수는 B에서가 A에서보다 많다.

① ㄱ   ② ㄴ   ③ ㄷ

④ ㄱ, ㄷ   ⑤ ㄴ, ㄷ

[03~04] 다음은 기체의 온도와 부피 관계를 알아보기 위한 실험이다. (단, 대기압은 일정하다.)

[실험 과정]

오른쪽 그림과 같이 장치하고 주사기를 담근 물의 온도를 높이면서 주사기 속 기체의 부피를 측정한다.

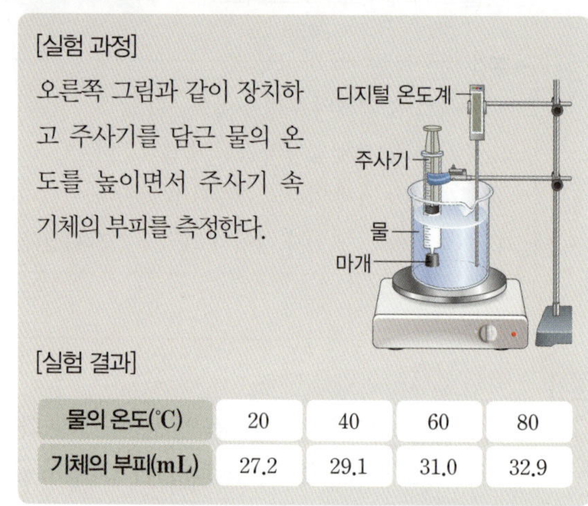

[실험 결과]

물의 온도(℃)	20	40	60	80
기체의 부피(mL)	27.2	29.1	31.0	32.9

03 위 실험 결과를 바탕으로 기체의 온도와 부피 관계를 그래프로 옳게 나타낸 것은?

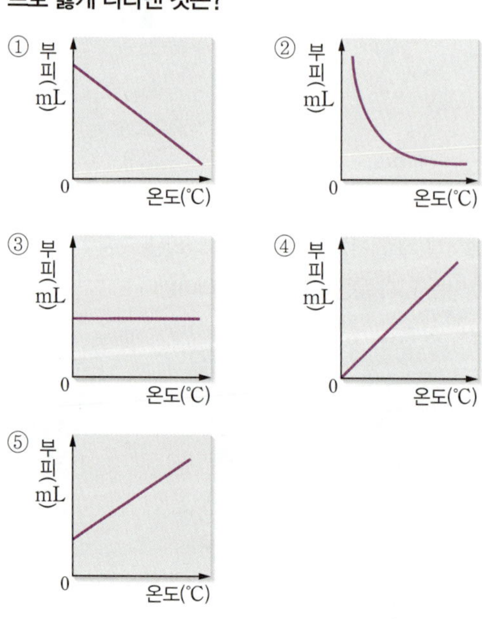

04 위 실험 결과를 바탕으로 물의 온도가 30 ℃일 때 주사기 속 기체의 부피는 몇 mL인지 구하시오.

 문제　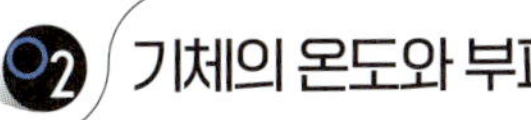 기체의 온도와 부피

☞ 제시된 Keyword를 이용하여 문제를 해결해 보자.

1 그림과 같이 플라스틱 컵에 뜨거운 바람을 불어 넣어 가열한 뒤 컵의 입구를 풍선에 밀착시켰더니 시간이 지나면서 컵 속에 풍선이 빨려 들어가 풍선에 컵이 붙었다.

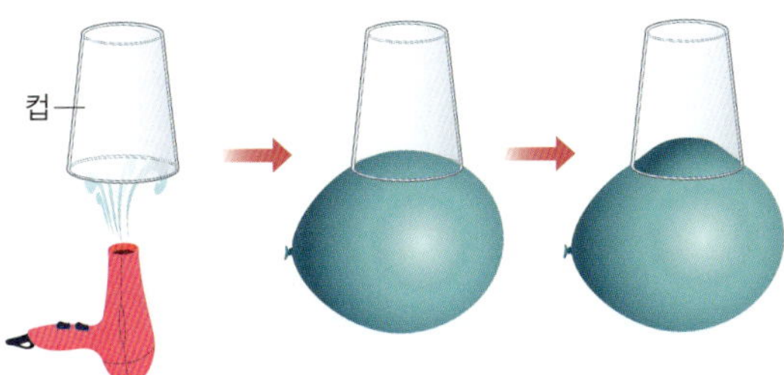

이러한 현상이 일어나는 까닭을 기체의 온도와 부피 관계 및 입자의 운동으로 설명하시오.

Keyword 기체의 온도, 기체의 부피, 입자의 운동

---

2 오른쪽 그림과 같이 건조된 플라스크에 가는 유리관을 끼우고, 유리관 중간에 잉크 방울을 넣은 다음 플라스크를 양손으로 감싸 쥐었더니 잉크 방울이 움직였다.

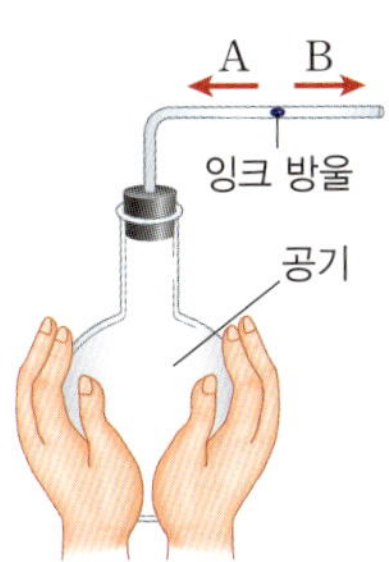

(1) 잉크 방울은 A와 B 중 어느 쪽으로 움직였는지 쓰시오.

---

(2) 잉크 방울이 (1)과 같이 움직인 까닭을 기체의 온도와 부피 관계 및 입자의 운동으로 설명하시오.

Keyword 기체의 온도, 기체의 부피, 입자의 운동

도전! 단계적 서술형

3 그림 (가)와 같이 뚜껑을 닫아 둔 페트병을 냉장고에 넣어 두었더니 페트병이 찌그러졌고, 이 페트병을 그림 (나)와 같이 냉장고 밖으로 꺼내 두었더니 페트병이 다시 펴졌다.

(가) 　　　 (나)

(1) **[자료 분석]** (가)와 (나)의 현상을 설명할 수 있는 법칙을 쓰고, 그 법칙의 내용을 설명하시오.

Keyword 기체의 온도, 기체의 부피

---

(2) **[문제 이해]** (가)에서 페트병이 찌그러진 까닭을 기체의 온도와 부피 관계를 이용하여 설명하시오.

Keyword 기체의 온도, 기체의 부피

---

(3) **[문제 해결]** (나)에서 페트병이 다시 펴진 까닭을 기체의 온도와 부피 관계를 이용하여 설명하시오.

Keyword 기체의 온도, 기체의 부피

---

(4) **[가산점 줍줍!]** (가)와 (나)에서 페트병 속 기체 입자 운동의 빠르기 및 기체 입자의 개수와 크기 변화를 비교하여 설명하시오.

Keyword 기체 입자의 운동, 기체 입자의 개수와 크기

---

1 그림은 25 ℃, 1 기압에서 1 L의 강철 용기 속을 진공으로 만든 후, 20 mL의 기체 X를 모두 강철 용기 속에 넣는 모습을 나타낸 것이다. 이때 용기 속에는 기체 X만 존재한다.

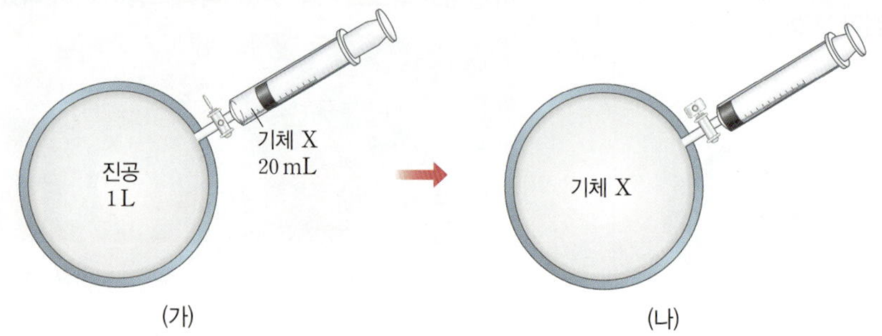

이에 대한 설명으로 옳은 것을 보기에서 모두 고른 것은? (단, 온도와 대기압은 일정하고, 피스톤의 질량과 마찰은 무시한다.)

보기

ㄱ. (가)에서 주사기 속 기체 X의 부피는 (나)에서 용기 속 기체 X의 부피와 같다.

ㄴ. (가)에서 (나)로 될 때 기체 입자의 충돌 횟수는 감소한다.

ㄷ. (나)에서 용기 속 기체 X의 압력은 1 기압보다 작다.

① ㄱ   ② ㄴ   ③ ㄱ, ㄷ

④ ㄴ, ㄷ   ⑤ ㄱ, ㄴ, ㄷ

Solution **Tip**

기체의 부피는 기체가 들어 있는 용기의 부피와 같다.

---

2 오른쪽 그림 (가)와 같이 J자 모양의 관에 수은을 넣었더니 기체의 부피가 100 mL이었다. 일정한 온도에서 그림 (나)와 같이 수은을 더 넣었더니 기체의 부피가 줄어들었다. 이에 대한 설명으로 옳은 것을 보기에서 모두 고른 것은? (단, 대기압은 1 기압이고, 수은 기둥 760 mm의 압력은 1 기압이다.)

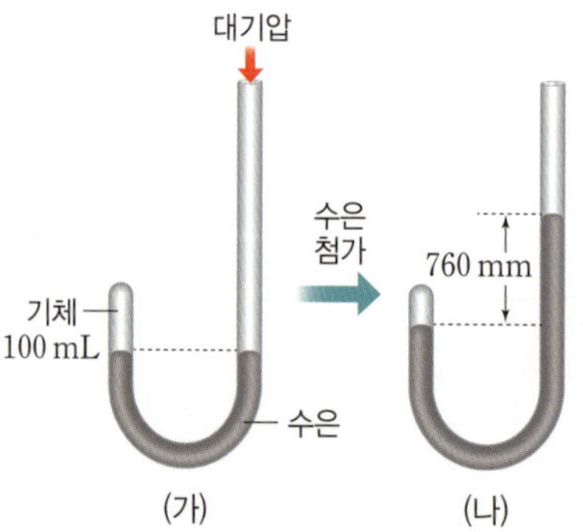

보기

ㄱ. (가)에서 기체의 압력은 대기압과 같다.

ㄴ. (나)에서 기체의 부피는 25 mL이다.

ㄷ. (나)에서 기체의 압력은 2 기압이다.

① ㄱ   ② ㄴ   ③ ㄱ, ㄷ

④ ㄴ, ㄷ   ⑤ ㄱ, ㄴ, ㄷ

Solution **Tip**

보일 법칙에 따르면 온도가 일정할 때 기체의 압력과 부피를 곱한 값은 항상 일정하다.

대기압

1기압=수은 기둥 76 cm의 압력
=76 cmHg=760 mmHg

3 다음은 기체의 온도와 부피 관계를 알아보기 위한 실험이다.

그림 (가)와 같이 장치하고 물을 가열하면서 실린더 속 기체의 온도에 따른 기체의 부피를 측정하였다. 이때 피스톤 위에 올려놓은 추의 개수를 달리하여 기체의 부피를 측정한 결과가 (나)와 같았다.

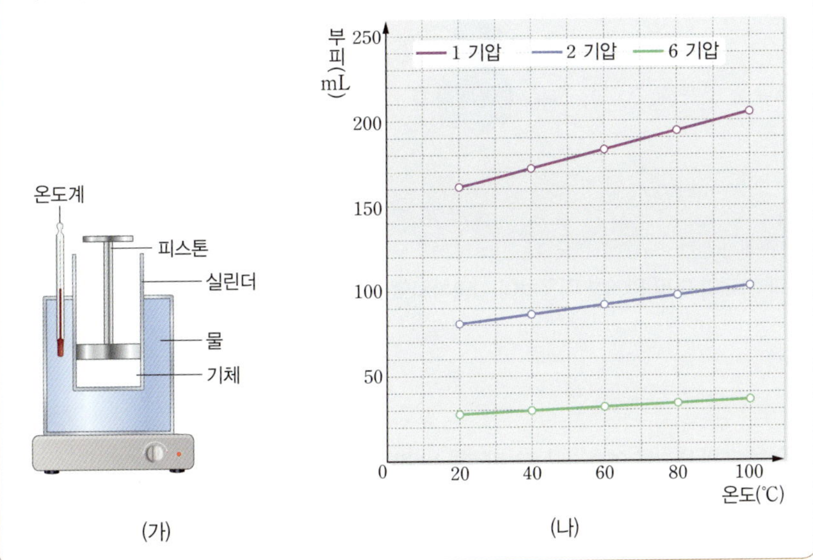

이에 대한 설명으로 옳은 것을 보기에서 모두 고른 것은? (단, 대기압은 1 기압으로 일정하고, 추 1개가 누르는 압력은 1 기압이다.)

보기

ㄱ. 압력이 커질수록 기체의 온도에 따른 부피 변화가 크다.

ㄴ. 2 기압, 300 K에서 실린더 속 기체의 부피는 80 mL보다 크다.

ㄷ. 피스톤 위에 추를 5개 올려놓고 기체의 온도를 20 ℃로 맞추면 실린더 속 기체의 부피는 50 mL보다 크다.

① ㄱ ② ㄴ ③ ㄷ

④ ㄱ, ㄴ ⑤ ㄱ, ㄷ

Solution **Tip**

온도가 일정할 때 일정한 양의 기체의 부피는 압력에 반비례하고, 압력이 일정할 때 일정한 양의 기체의 부피는 절대 온도에 비례한다.

절대 온도

−273 ℃를 0으로 정한 온도로, 단위는 K(켈빈)을 사용한다.

절대 온도(K)
　　=섭씨온도(℃)+273

4 다음은 페트병과 빨대를 이용하여 모형 잠수함을 만드는 실험 과정과 결과이다.

[실험 과정]

(가) 가위를 이용하여 빨대를 작게 자르고, 빨대에 고무찰흙을 붙여 모형 잠수함을 만든다.

(나) 고무찰흙으로 빨대 한쪽 끝부분을 막고, 물이 가득 담긴 페트병에 넣는다.

(다) 페트병의 뚜껑을 닫은 뒤 페트병의 옆 부분을 손으로 눌러 변화를 관찰한다.

[실험 결과]

• 모형 잠수함이 물속으로 가라앉았다.

(1) 위와 같은 결과가 나온 까닭을 압력과 기체의 부피 관계를 이용하여 설명하시오.

(2) 위 실험에서 페트병을 누른 손을 떼었을 때의 변화를 예측하고, 그 까닭을 압력과 기체의 부피 관계를 이용하여 설명하시오.

5 오른쪽 그림은 서로 다른 절대 온도 T_1과 T_2에서 일정한 양의 기체 X의 압력에 따른 부피 관계를 나타낸 것이다. 이에 대한 설명으로 옳은 것을 보기에서 모두 고른 것은?

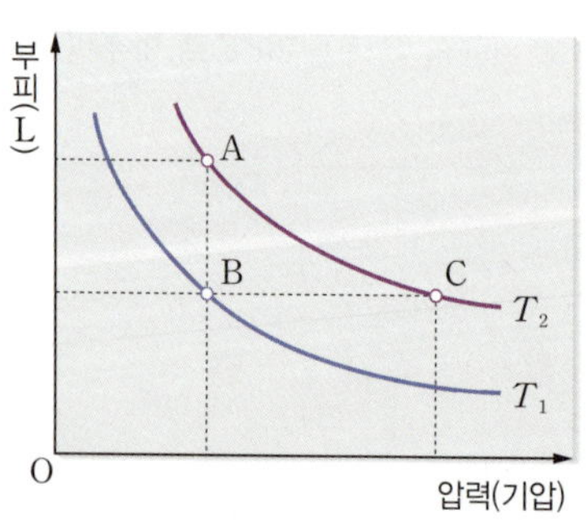

보기

ㄱ. 온도는 $T_1 < T_2$이다.

ㄴ. A에서 B로의 변화는 샤를 법칙으로 설명할 수 있다.

ㄷ. A에서 C로의 변화는 공기가 들어 있는 풍선을 액체 질소에 넣으면 풍선이 쭈그러드는 현상을 설명할 수 있다.

① ㄴ   ② ㄷ   ③ ㄱ, ㄴ
④ ㄱ, ㄷ   ⑤ ㄱ, ㄴ, ㄷ

Solution Tip

손으로 페트병을 눌러 외부 압력이 커지면 모형 잠수함 속 기체의 부피가 줄어든다.

Solution Tip

온도가 일정할 때 일정한 양의 기체의 부피는 압력에 반비례하고, 압력이 일정할 때 일정한 양의 기체의 부피는 절대 온도에 비례한다.

6 표는 기체 X에 관한 자료이다.

구분	온도(℃)	압력(기압)	부피(L)	기체 입자의 개수(개)
(가)	273	0.5	$8V$	$2x$
(나)	273	1	㉠	x
(다)	273	2	$2V$	$2x$
(라)	0	1	V	x

이에 대한 설명으로 옳은 것을 보기에서 모두 고른 것은?

보기

ㄱ. ㉠은 $2V$이다.

ㄴ. (가)와 (다)를 통해 일정한 양의 기체의 압력과 부피는 반비례 관계임을 알 수 있다.

ㄷ. (나)와 (라)를 통해 일정한 양의 기체의 온도가 높아지면 기체의 부피가 늘어난다는 것을 알 수 있다.

① ㄱ   ② ㄷ   ③ ㄱ, ㄴ

④ ㄴ, ㄷ   ⑤ ㄱ, ㄴ, ㄷ

Solution Tip

온도와 기체의 양이 일정할 때 압력에 따른 기체의 부피 변화를 통해 보일 법칙을 확인할 수 있고, 압력과 기체의 양이 일정할 때 온도에 따른 기체의 부피 변화를 통해 샤를 법칙을 확인할 수 있다.

7 다음은 기체 입자의 운동과 기체의 성질에 관한 설명이다.

- 기체 입자는 무질서한 방향으로 끊임없이 불규칙한 운동을 한다.
- 기체 입자 사이에는 인력이나 반발력이 작용하지 않는다.
- 기체 입자 자체의 크기는 기체가 차지하는 전체 부피에 비해 무시할 수 있을 정도로 작다.
- 기체 입자는 충돌할 때 에너지가 손실되지 않는다.
- 기체 입자의 운동 에너지는 절대 온도에 비례하며, 입자의 크기, 모양 및 종류와는 관계없다.
- 온도가 일정할 때 일정한 양의 기체에 작용하는 압력이 커지면 기체의 부피가 줄어들고, 압력이 일정할 때 일정한 양의 기체의 온도가 높아지면 기체의 부피가 늘어난다.

위 내용으로 설명할 수 있는 현상을 보기에서 모두 고른 것은?

보기

ㄱ. 방 안에서 향수를 뿌리면 방 전체에서 향수 냄새가 난다.

ㄴ. 찌그러진 탁구공을 뜨거운 물에 넣으면 탁구공이 원래대로 펴진다.

ㄷ. 놀이공원의 범퍼카에는 완충 장치가 들어 있어 자동차가 충돌할 때 탑승자가 받는 충격을 줄여 준다.

① ㄱ   ② ㄷ   ③ ㄱ, ㄴ

④ ㄴ, ㄷ   ⑤ ㄱ, ㄴ, ㄷ

Solution Tip

기체의 성질은 기체 입자의 운동에 의해 나타난다.

예제

오른쪽 그림과 같이 물이 담긴 페트리 접시의 가장자리 부분에 동전이 들어 있다.

(1) 다음 준비물을 이용하여 손에 물을 묻히지 않고 물속의 동전을 꺼낼 수 있는 방법을 설계하시오.

> 유리컵　　　양초　　　점화기

(2) 위의 (1)에서 설계한 방법으로 동전을 꺼낼 수 있는 원리를 공기의 압력 변화와 관련 지어 설명하시오.

🔧 해결 전략

제시된 준비물로 공기의 압력을 변화시켜 손에 물을 묻히지 않고 물속의 동전을 꺼낼 수 있는 방법을 파악하여 다음과 같은 답안 요령으로 접근해 보자.

❶ 밀폐된 공간에서 양초가 탄 뒤 불이 꺼졌을 때 공기의 압력이 어떻게 변하는지 파악한다.
❷ 유리컵 속 공기와 대기압의 크기를 비교한다.
❸ 압력 차에 의해 물이 어떻게 이동하는지 파악한다.

📝 모범 답안

(1) 점화기를 이용하여 양초에 불을 붙인 뒤 페트리 접시의 동전이 없는 부분에 불을 붙인 양초를 세운다. → 유리컵으로 불을 붙인 양초를 덮으면 잠시 뒤 양초의 불이 꺼진다. → 유리컵 속으로 물이 밀려 들어 가면 동전을 꺼낸다.

(2) 양초의 불이 꺼지면 양초를 덮은 유리컵 속 공기의 압력이 작아지므로 유리컵 밖에서 물을 누르는 대기 압이 유리컵 속 공기의 압력보다 상대적으로 크게 작용한다. 따라서 압력 차에 의해 페트리 접시의 물 이 유리컵 속으로 밀려 들어가서 손에 물을 묻히지 않고 동전을 꺼낼 수 있다.

출제 의도
기체의 성질을 이해하는가?

문제 해결을 위한 배경 지식
• **보일 법칙**: 일정한 온도에서 일정한 양의 기체의 압력과 부피는 반비례 한다.
• **샤를 법칙**: 일정한 압력에서 일정한 양의 기체의 부피는 온도가 높아지면 일정한 비율로 늘어난다.

Keyword
(1) 양초, 불, 유리컵
(2) 공기의 압력, 대기압, 압력 차

완벽한 답안 작성을 위한 Tip
(1) 제시된 준비물을 모두 이용하여 공 기의 압력 변화를 이용한 실험을 설 계하면 완벽한 답안이 될 수 있다.
(2) 양초를 덮은 유리컵 속 공기의 압력 과 대기압의 압력 차를 설명하면 완벽한 답안이 될 수 있다.

정답과 해설 082쪽

1 **가치·태도**

다음은 영지가 생활 속 문제를 해결하기 위해 아빠와 나눈 대화의 일부이다.

(1) 위 상황에서 꽉 끼어 있는 두 그릇을 분리하기 위한 방법을 제시하고, 그 원리를 다음 〈조건〉에 맞게 설명하시오.

조건
- 샤를 법칙을 이용할 것
- 기체 입자의 운동과 입자 사이의 거리를 설명할 것

(2) 위 (1)의 원리를 활용하여 해결할 수 있는 생활 속 문제를 한 가지 제시하고, 그 문제를 해결하기 위한 방법을 샤를 법칙을 이용하여 설명하시오.

- 생활 속 문제:

- 그 문제를 해결하기 위한 방법:

Solution **Tip**

(1) 온도에 따른 기체의 부피 변화를 이용하여 꽉 끼어 있는 두 그릇을 분리하기 위한 방법을 생각해 본다.
(2) 온도에 따른 기체의 부피 변화를 이용하여 해결할 수 있는 생활 속 문제를 파악한다.

Keyword

(1) 기체의 온도, 기체 입자의 운동, 입자 사이의 거리, 기체의 부피
(2) 기온, 공기의 부피

2 [과정·기능]
다음은 스털링 엔진에 대한 설명이다.

1816년 스코틀랜드의 목사 로버트 스털링에 의해 개발된 스털링 엔진이 최근 다시 주목받고 있다. 당시 주로 사용되던 증기 기관은 불안정하고 위험하여 폭발 사고가 자주 일어났으며, 이를 대체하기 위해 새로운 모습의 엔진이 개발되었다. 스털링 엔진은 조용한 작동 방식 덕분에 초기 잠수함의 동력원으로 사용되었으나, 증기 기관에 비해 효율이 떨어지고 급격히 발전하는 내연 기관에 밀려 미니어처 장난감의 동력원 정도로만 쓰였다. 하지만 최근 석유 자원의 고갈과 신재생 에너지의 중요성이 강조되면서, 다양한 종류의 열을 에너지로 전환하여 전기와 열을 동시에 생산하는 시설로 재조명되고 있다.

스털링 엔진을 이용한 잠수함

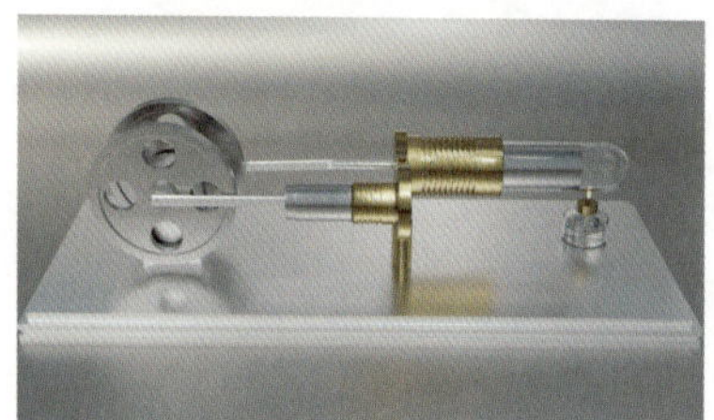

스털링 엔진 모식도

스털링 엔진의 기본 구조와 작동 순서는 다음과 같다.

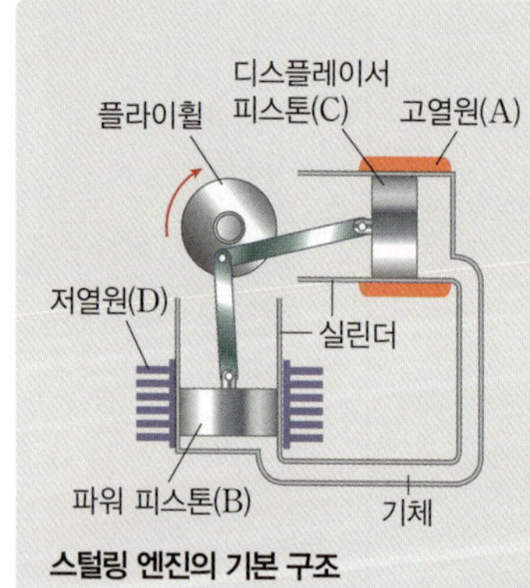

스털링 엔진의 기본 구조

(가) A에서 실린더 속 기체가 가열된다.

(나) 피스톤 B를 위로 밀어 올린다.

(다) 플라이휠이 시계 방향으로 돌면서 피스톤 C가 오른쪽으로 밀린다.

(라) 피스톤 B의 아래로 기체가 모이고, D에서 냉각시키면 피스톤 B는 아래로 내려온다.

(마) (가)~(라)가 반복되면 플라이휠이 계속 돌면서 장치가 작동한다.

위 자료를 바탕으로 스털링 엔진이 작동하는 원리를 다음 〈조건〉에 맞게 설명하시오.

조건
- 기체의 성질을 이용할 것
- (가)~(라) 과정이 일어나는 원리를 구분하여 설명할 것

3 지식·이해
다음은 열기구에 대한 설명이다.

오래전부터 열기구는 다양한 목적의 이동 수단으로 사용되었다. 열기구는 엔진으로 인한 소음이 없어 조용히 비행할 수 있고, 적은 양의 가스를 태워 에너지원으로 사용하기 때문에 환경친화적이다. 또한, 항공기에 비해 긴 활주로나 공항이 필요 없고, 운행 비용이 저렴하다는 장점이 있다. 하지만 기상 조건의 영향을 크게 받아 바람이 너무 강하거나 날씨가 좋지 않으면 비행할 수 없으며, 바람의 방향에 따라 이동하기 때문에 열기구를 조종하는 데 매우 숙련된 기술이 필요하다. 또한, 높은 고도에서 화재나 추락 등의 큰 사고가 발생할 위험이 있다.

오늘날 열기구는 장거리 이동 수단으로 사용되기보다는 안전이 확보된 레저 활동이나 광고 등의 제한적인 용도로 사용되고 있다. 열기구는 비교적 간단한 원리로 위로 뜨거나 아래로 내려오는데, 그 과정은 다음과 같다.

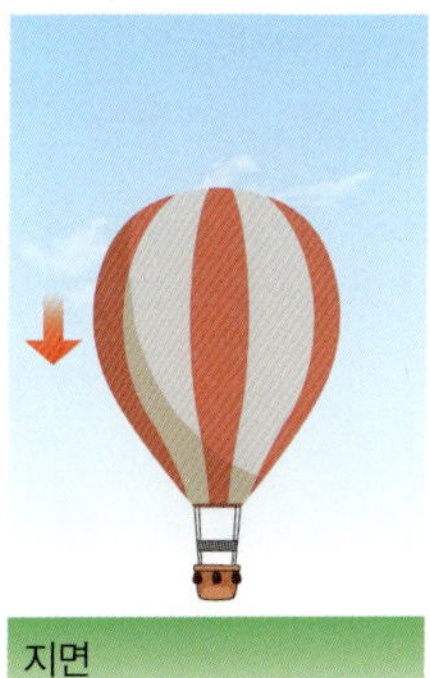

열기구의 공기 주머니 속 기체를 연소 장치로 가열하면 열기구가 위로 뜬다. 열기구가 일정한 높이에 도달하면 조종사는 연소 장치의 불꽃 세기를 조절하여 기체의 온도를 높이거나 낮춰 열기구의 높이를 조정한다. 열기구의 공기 주머니 위쪽의 밸브를 열어 뜨거워진 기체를 내보내면 열기구가 서서히 지면으로 내려온다.

위 자료를 바탕으로 열기구가 위로 떠오르는 과정과 지면으로 내려오는 과정에서 열기구 속 기체의 변화를 다음 용어를 모두 이용하여 설명하시오. (단, 열기구의 고도에 따른 대기압은 일정하다고 가정한다.)

기체의 온도	기체의 부피	기체 입자의 개수
기체 입자의 크기	기체 입자의 운동	기체 입자 사이의 거리

Solution **Tip**

열기구에 대한 설명을 통해 열기구 속 기체에 관한 다양한 변화를 파악한다.

Keyword

기체의 온도, 기체의 부피, 기체 입자의 개수, 기체 입자의 크기, 기체 입자의 운동, 기체 입자 사이의 거리

기본량과 단위

길이, 질량, 온도와 같이 측정할 수 있는 수많은 양을 물리량이라고 하며, 물리량은 각자 다른 고유한 단위를 가진다. 자연 현상을 설명하는 데 단위가 가지는 의미는 무엇일까? 고등학교에서 배우게 될 『통합과학1』의 '과학의 기초' 단원의 내용을 미리 살펴보자.

중2

밀도는 어떤 물질의 단위 부피당 질량을 뜻하며, 밀도가 큰 물질은 밀도가 작은 물질 아래로 가라앉는다.

어떤 온도에서 용매 $100\ g$에 최대로 녹을 수 있는 용질의 g 수를 용해도라고 한다. 일반적으로 고체의 용해도는 온도가 높을수록 커지고, 기체의 용해도는 온도가 낮을수록 커진다.

통합과학

기본량은 다른 물리량으로 바꿔 사용할 수 없는 고유한 양이다. 국제단위계(SI, System of International Unit)에서는 기본량의 단위로 7개의 기본 단위를 정하여 사용한다.

물질이 고체에서 액체로 상태 변화 할 때 일정하게 유지되는 온도를 녹는점, 액체에서 기체로 상태 변화 할 때 일정하게 유지되는 온도를 끓는점이라고 한다.

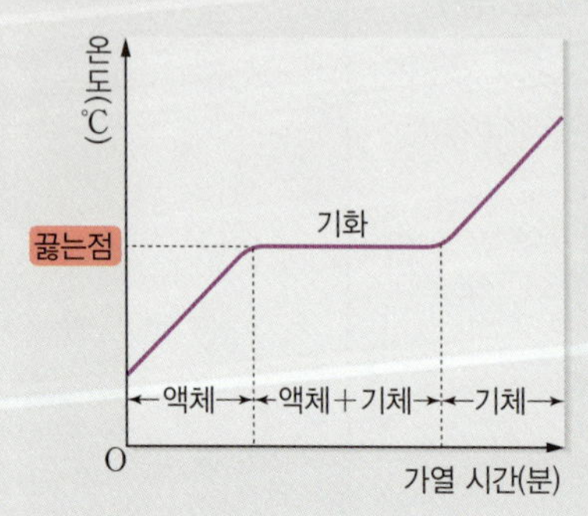

기본량을 조합해 유도하는 물리량을 유도량이라고 하며, 기본량 이외의 모든 물리량이 이에 해당한다. 과학에서 사용하는 수많은 유도량의 단위는 모두 7개의 기본 단위를 곱하거나 나누어서 나타낼 수 있다.

부피는 입체적인 물체가 차지하는 공간의 크기를 나타내는 물리량이다. 가로, 세로, 높이를 곱하여 m^3 단위로 나타낸다.

유도량	유도 단위
넓이	m^2
부피	m^3
속력	m/s
밀도	kg/m^3
압력	$kg/(m \cdot s^2)$
농도	mol/m^3
힘	$kg \cdot m/s^2$

일상생활에서 사용하는 다양한 단위 찾아보기

자동차의 속력은 거리를 시간으로 나눈 km/h 등의 단위로 나타낸다.

미세 먼지 농도는 특정 지역에서 공기 $1\ m^3$에 포함된 미세 먼지의 양을 뜻하는 $\mu g/m^3$ 등의 단위로 나타낸다.

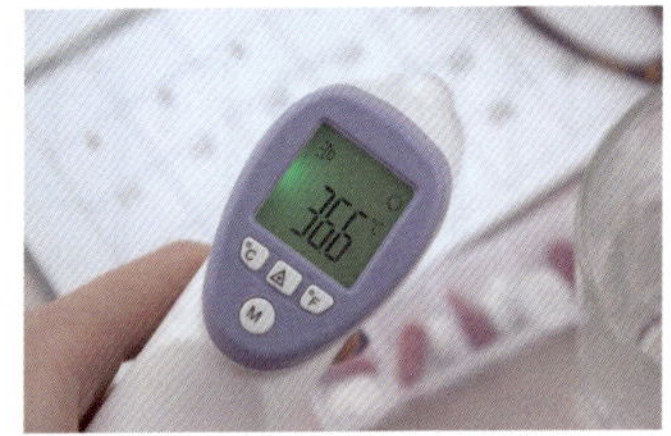

온도의 기본 단위는 K(켈빈)이지만, 일상생활에서는 °C(섭씨도)를 주로 사용한다.

가전제품의 소비 전력은 1 V(볼트)의 전압으로 1 A(암페어)의 전류가 흐를 때의 전력량인 W(와트)로 나타낸다.

과일이나 음료에 포함된 당분의 농도는 용액 100 g에 들어 있는 당분의 질량인 Brix(브릭스)로 나타낸다.

자동차의 연비는 연료 1 L당 자동차가 주행할 수 있는 거리를 뜻하는 km/L 등의 단위로 나타낸다.

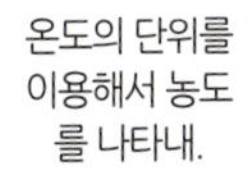

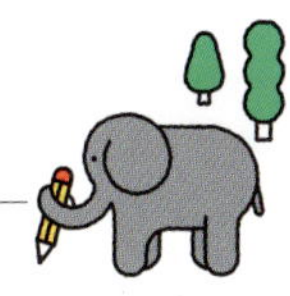

다음은 기본량과 유도량에 대한 학생들의 대화이다.

제시한 내용이 옳은 학생을 모두 고른 것은?

① 선호   ② 미라   ③ 선호, 창희

④ 선호, 미라   ⑤ 창희, 미라

정답 ⑤

풀이

- 선호: 농도는 일정량의 부피나 질량에 대해 어떤 성분이 얼마나 포함되어 있는지를 나타내는 유도량이다.
- 창희: 같은 기본량마다 다른 단위를 사용하면 혼동을 줄 수 있으므로 각 기본량마다 과학자들이 정한 기본이 되는 단위를 사용한다.
- 미라: 부피는 m^3와 같이 길이의 단위를 세 번 곱한 형태로 나타낼 수 있다.

Science Talk

우주복에
숨은 과학 원리

우주 탐사에서 우주복은 '1인용 지구'로 불릴 만큼, 극한의 환경을 가진 진공 상태의 우주에서 우주인이 다양한 임무를 수행할 수 있도록 도와준다. 우주복 내부는 압력과 온도를 일정하게 유지해야 하는데, 만약 우주복 없이 우주에 노출되면 외부 압력이 거의 0에 가까워져 우리 몸은 밖으로 팽창되어 위험에 빠진다. 또한, 우주복은 산소를 공급하고 호흡을 통해 배출되는 이산화 탄소를 제거하는 기능이 있어야 한다. 이 외에도 비행선과의 원활한 통신을 위한 통신 장비와 우주 먼지, 자외선, 태양 복사열 등으로부터 우주인을 보호하는 기능도 갖추고 있어야 한다. 이러한 많은 기능을 담고 있는 우주복의 세부 구조는 다음과 같다.

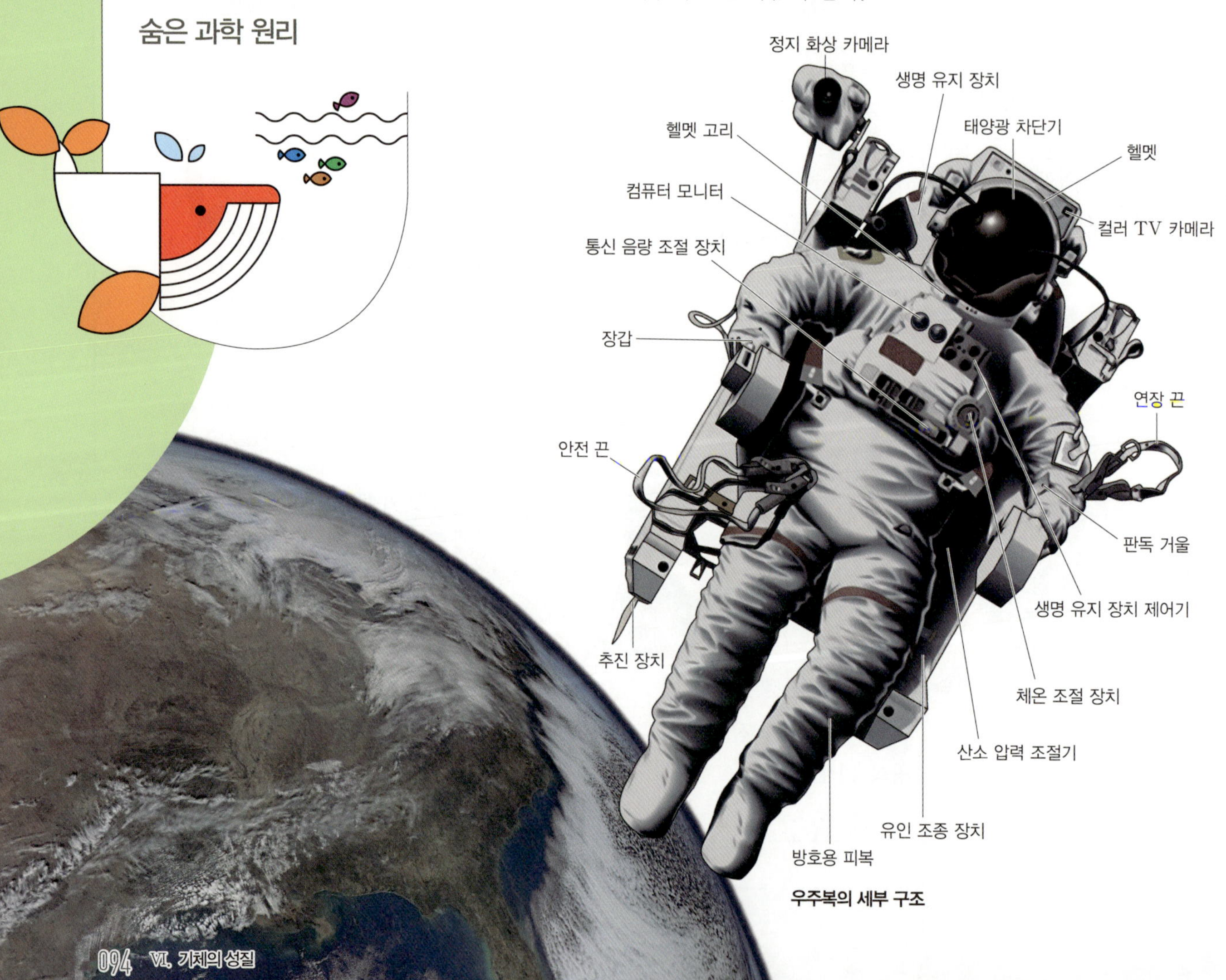

우주복의 세부 구조

기본적으로 우주복에는 다양한 첨단 장치들이 장착되어 있을 뿐만 아니라, 우주복에 사용되는 섬유는 우리가 평소에 입는 일반 의류와는 달리 여러 층으로 이루어져 있다. 외부 층은 작은 운석이나 먼지, 우주 쓰레기 등으로부터 우주인을 보호하기 위해 고강도 섬유 계열인 우레탄 코팅 나일론이나 케블라, 테플론 섬유 등의 신소재를 이용한다. 중간 층은 단열재로 구성되어 극한의 온도 변화에도 체온을 유지할 수 있도록 열을 반사하고 흡수하는 소재를 조합하여 만든다. 가장 내부 층은 압력을 일정하게 유지하고, 산소를 공급하며, 이산화 탄소를 제거하는 생명 유지 시스템과 연결되어 생체 데이터를 지속적으로 모니터링할 수 있게 구성된다. 우주복의 색상은 전통적으로 태양열을 효과적으로 반사하기 위해 흰색을 사용해 왔으나, 최근에는 눈에 잘 띄는 주황색이나 안정감을 주는 파란색의 우주복도 제작하고 있다.

아폴로 11호의 임무 수행 시 착용한 우주복(좌)과 신형 우주복(우) (출처: 미국항공우주국)

VII

태양계

1 태양계의 구성

2 지구와 달

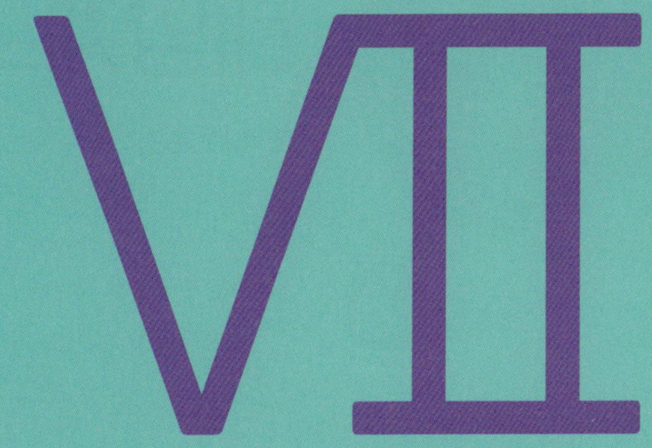

01 태양계의 구성

달력에는 눈으로 볼 수 있는 7개의 태양계 천체가 숨어 있다. 어떤 천체가 숨어 있을까?

☐ **태양계 구성원:** 태양계는 태양, 8개의 __________, 위성, 소행성 등으로 이루어져 있다.

☐ **행성의 특징:** 지구의 사막처럼 암석과 흙으로 이루어져 있는 붉은색의 행성은 (수성, 화성)이다.

1 태양계와 행성

용어 태양계

태양과 태양 주변을 공전하는 천체 및 이들과 영향을 주고받는 천체로 구성된 체계이다.

행성의 조건

태양 주변을 공전하며 모양이 둥근 천체로, 자신의 공전 궤도 안에서 이웃한 천체 없이 지배적인 역할을 해야 한다. 왜소 행성은 태양 주변을 공전하며 모양이 둥글지만, 자신의 공전 궤도 안에서 지배적인 역할을 하지 못한다.

1. 태양계의 구성 태양계는 태양, 행성, 왜소 행성, 소행성, 혜성, 위성, 유성체 등의 천체로 이루어져 있다. 탐구 104쪽 탐구 105쪽

(1) **태양:** 태양계에서 유일하게 스스로 빛을 내는 천체이다. 주로 수소와 헬륨으로 이루어져 있다.

(2) **행성:** 태양 주변을 공전하며 모양이 둥근 천체로, 수성, 금성, 지구, 화성, 목성, 토성, 천왕성, 해왕성이 있다.

(3) **왜소 행성:** 태양 주변을 공전하며 모양이 둥근 천체이지만, 행성보다 크기와 질량이 작고 공전 궤도 상에 여러 천체가 같이 있다. 예 명왕성 과학 용어 사전 153쪽

(4) **소행성:** 주로 화성과 목성 궤도 사이에서 태양 주변을 공전하는 천체로, 크기가 작고 모양이 불규칙하다.

(5) **혜성:** 태양 주변을 긴 타원이나 포물선으로 공전하며 모양이 불규칙한 천체이다. 얼음과 먼지로 이루어져 있어 태양과 가까워질 때 꼬리가 나타난다. ─ 방향: 태양 반대쪽

(6) **위성:** 행성 주변을 공전하며 모양이 불규칙한 천체이다. 예 달(지구 주변)

(7) **유성체:** 혜성이나 소행성 등에서 떨어져 나온 매우 작은 천체이다. 큰 유성체는 행성의 대기를 뚫고 지표에 떨어져 운석이 되기도 한다. 과학 용어 사전 153쪽

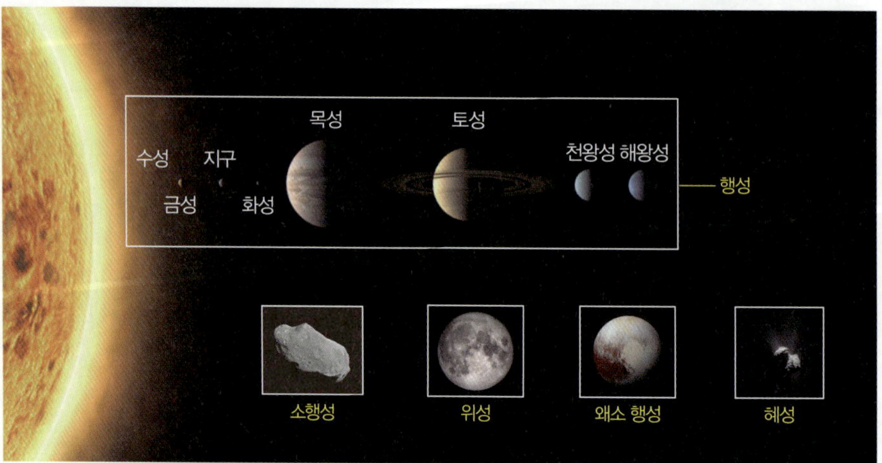

태양계의 구성

2. 행성의 특징

(1) **수성**: 태양과 가장 가까운 행성으로, 태양계 행성 중 크기가 가장 작다. 대기가 거의 없고, 자전 주기가 길어 낮과 밤의 온도 차가 매우 크다.
　　└─ 약 59일
　① 수성 표면의 평균 온도는 약 179 ℃이다. 하지만 밤에는 약 −183 ℃까지 낮아지고, 낮에는 약 427 ℃까지 높아진다.
　② 수성의 표면에는 운석 구덩이가 많아 달의 표면과 비슷하게 보이며, 수 km 높이의 단층 절벽이 있다.

수성

수성 표면의 운석 구덩이

(2) **금성**: 지구와 가장 가까운 행성으로, 크기와 질량이 지구와 가장 비슷하다. 두꺼운 대기층으로 덮여 있어서 대기압과 표면 온도가 매우 높다.
태양계 행성 중 지구에서 가장 밝게 보인다.
　① 이산화 탄소로 이루어진 두꺼운 대기층 때문에 지표 부근의 대기압이 약 90 기압이고, 이산화 탄소에 의한 온실 효과로 표면 온도는 약 470 ℃이다. 과학 용어 사전 ▶ 154쪽
　② 두꺼운 대기층과 높은 온도 때문에 금성의 표면에는 용암이 흐른 흔적과 화산이 있다.

금성

레이더로 관측한 금성 표면

(3) **지구**: 태양으로부터 적당한 거리에 떨어져 있어 태양계 행성 중 유일하게 표면에 액체 상태의 물이 존재한다. 위성으로 달이 있다.
　① 지구의 평균 온도는 약 17 ℃이며, 온도 변화가 크지 않아 생명체가 살기에 적합한 조건을 갖추고 있다.
　② 식물의 광합성 작용으로 만들어진 대기 중의 산소는 생물이 호흡하며 살아갈 수 있게 한다.

지구

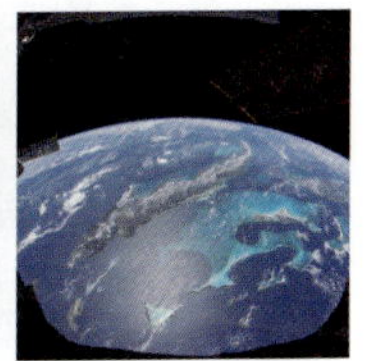

우주 정거장에서 본 지구

(4) **화성**: 대기가 아주 희박하며, 표면은 산화철을 많이 포함한 토양으로 덮여 있어 붉게 보인다. 위성으로 포보스와 데이모스가 있다.
　① 지표 부근의 대기압은 약 0.007 기압으로 낮다. 화성 표면의 평균 온도는 약 −80 ℃이며, 밤에는 약 −140 ℃까지 낮아지고 낮에는 약 20 ℃까지 높아진다.
　② 과거에 물이 흘렀던 것으로 보이는 골짜기와 강의 흔적이 남아 있으며, 극지방에는 드라이아이스와 얼음으로 이루어진 흰색의 극관이 있다. 극관은 여름에 작아지고 겨울에 커진다.

화성

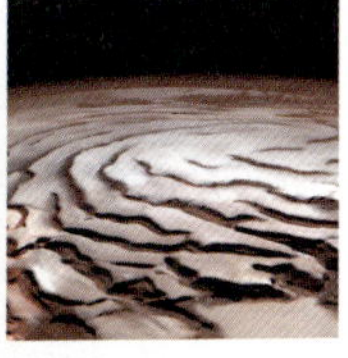

화성의 극관

수성 표면에 운석 구덩이가 많은 까닭
수성에는 대기가 거의 없어 많은 유성체가 대기에서 타지 않고 지표면으로 떨어지며, 지표면에서는 풍화가 일어나지 않는다. 따라서 한번 생긴 운석 구덩이는 오랫동안 그대로 남아 있다.

용어 **온실 효과**
이산화 탄소와 같은 대기 중의 온실 기체가 지표면에서 방출되는 에너지 중 일부를 흡수하여 다시 지표면으로 방출함으로써 평균 기온이 높게 유지되는 현상이다.

행성이 대기를 가질 조건
행성의 표면 온도가 높을수록 대기를 구성하는 입자는 활발하게 움직여 행성에서 탈출하려고 한다. 이때 행성의 중력이 충분히 크면, 대기의 입자가 탈출하지 못하도록 붙잡을 수 있다. 수성과 화성은 중력이 작아 대기의 입자를 붙잡지 못하였고, 수성은 온도도 높아 대기의 입자가 쉽게 탈출했다. 금성은 표면 온도가 높지만, 수성이나 화성보다 큰 중력 때문에 이산화 탄소로 이루어진 두꺼운 대기를 가질 수 있었다.

Check 이전에 배웠어요

☐ 행성
☐ 화성

갈릴레이 위성

목성의 위성 중 갈릴레이가 직접 만든 망원경으로 관측한 4개의 위성이다. 이오에서는 화산 활동이 관측되었으며, 유로파의 표면은 얼음으로 덮여 있어 그 밑으로 액체 상태의 바다가 있을 것으로 추정한다.

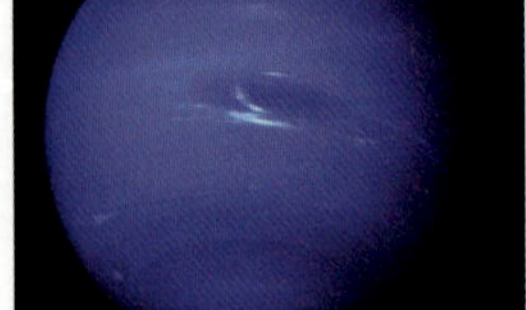

천왕성과 해왕성의 색

천왕성과 해왕성의 온도 분포와 대기 중 메테인의 농도 등을 고려하면, 두 행성은 서로 비슷한 색이어야 한다. 하지만, 해왕성은 천왕성과 달리 짙푸른 색으로 표현되었는데, 이는 보이저 2호가 촬영한 여러 사진을 합치는 과정에서 생겨난 오류였다. 최근 연구 결과로 천왕성과 해왕성의 색이 비슷하다는 사실이 밝혀졌으며, 천왕성은 해왕성보다 더 두꺼운 안개층을 갖고 있어 조금 더 밝게 보인다.

보이저 2호가 처음 촬영한 해왕성 사진

(5) **목성**: 태양계 행성 중에서 가장 크고 무겁다. 표면에 빠른 자전으로 만들어진 나란한 줄무늬와 대기의 소용돌이인 대적점이 있다.

① 주로 수소와 헬륨으로 이루어져 있다.

② 강력한 자기장에 의하여 극지방에는 오로라가 나타난다.

③ 얇고 희미한 고리와 함께 많은 위성을 거느리고 있다.

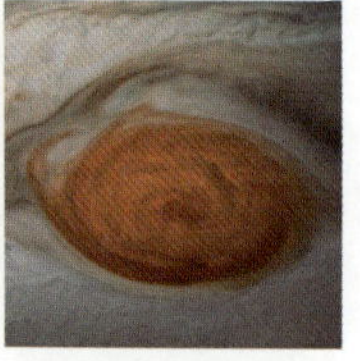

목성　　　　목성의 대적점

(6) **토성**: 태양계 행성 중에서 두 번째로 크고 무겁다. 구성 성분은 목성과 비슷하며, 얼음과 암석으로 구성된 여러 겹의 넓고 얇은 고리가 있다.

① 주로 수소와 헬륨으로 이루어져 있다.

② 자전 속도가 빨라 표면에 나란한 줄무늬가 있고, 태양계 행성 중에서 모양이 가장 납작하다.

③ 태양계 행성 중에서 가장 많은 위성을 거느리고 있다.

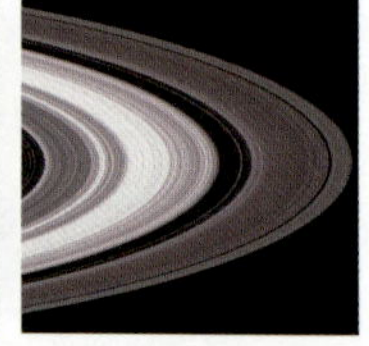

토성　　　　토성의 고리

(7) **천왕성**: 크기가 지구의 4배 정도이다. 청록색으로 보이며 희미한 고리가 있다.

① 주로 수소와 헬륨으로 이루어져 있고, 대기에 포함된 메테인이 태양 빛 중 붉은빛을 흡수하여 청록색으로 나타난다.

② 자전축이 공전 궤도면과 거의 나란하며, 어둡고 희미한 고리와 여러 개의 위성이 있다.

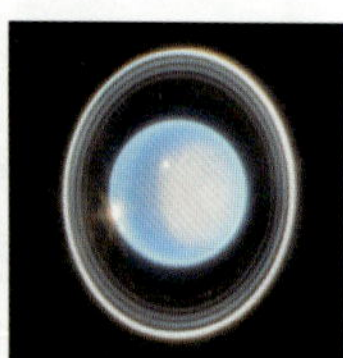

천왕성　　　　천왕성의 고리

(8) **해왕성**: 천왕성보다 크기가 조금 작지만 더 무거우며, 천왕성과 비슷한 점이 많다.

① 천왕성과 구성 성분이 비슷하며, 대기에 포함된 메테인 때문에 청록색으로 나타난다.

② 천왕성보다 대기의 흐름이 활발하여 대기의 소용돌이인 대흑점이 있다.

③ 희미한 고리와 여러 개의 위성이 있다.

해왕성　　　　해왕성의 대흑점

정답과 해설 083쪽

개념 빌드업

1. **핵심개념** 태양 주변을 공전하는 둥근 천체에는 행성과 ________이/가 있다.

2. 태양 주변을 공전하지만 모양이 불규칙한 천체는 ________와/과 혜성이 있다.

3. 행성 주변을 공전하는 천체를 ________(이)라 하고, 대표적으로 ________은/는 지구 주변을 공전하는 천체이다.

4. 태양계 행성 중에 고리와 함께 많은 위성을 거느리고 있는 행성의 개수는 ________개이다.

1. 특징에 따른 분류 행성의 크기, 질량, 구성 성분 등의 물리적 특징에 따라 구분한다. 탐구 104쪽

(1) **지구형 행성**: 지구와 특징이 비슷한 고체 행성 → 수성, 금성, 지구, 화성

   ① 상대적으로 크기와 질량이 작고, 위성 수가 적거나 없으며, 고리가 없다.

   ② 표면이 주로 단단한 암석과 흙으로 이루어져 있다.

(2) **목성형 행성**: 목성과 특징이 비슷한 기체 행성 → 목성, 토성, 천왕성, 해왕성

   ① 상대적으로 크기와 질량이 크고, 위성 수가 많으며, 고리가 있다.

   ② 고체 표면이 없고 수소나 헬륨과 같은 가벼운 기체로 이루어져 있다.

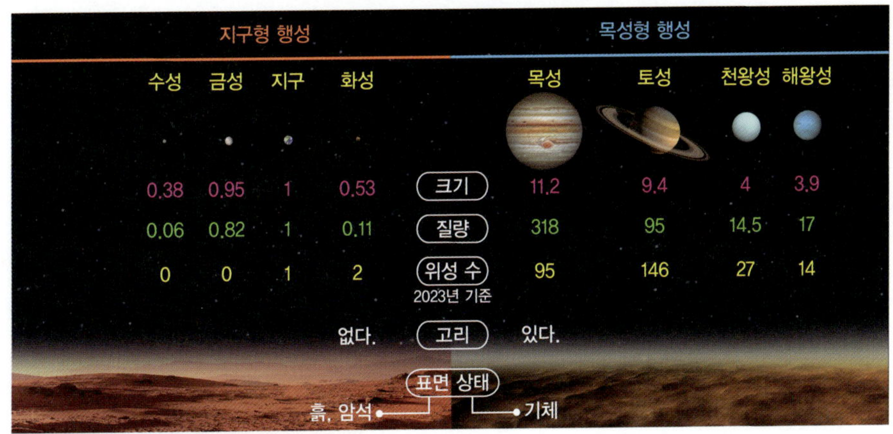

	지구형 행성					목성형 행성			
	수성	금성	지구	화성		목성	토성	천왕성	해왕성
크기	0.38	0.95	1	0.53		11.2	9.4	4	3.9
질량	0.06	0.82	1	0.11		318	95	14.5	17
위성 수 (2023년 기준)	0	0	1	2		95	146	27	14
고리	없다.					있다.			
표면 상태	흙, 암석					기체			

특징에 따른 태양계 행성의 분류

2. 위치에 따른 분류 행성이 지구의 공전 궤도보다 안쪽에서 공전하는지, 바깥쪽에서 공전하는지에 따라 구분한다.

(1) **내행성**: 지구보다 안쪽 궤도를 도는 행성이다. 지구를 기준으로 태양 반대편에 위치할 수 없어, 한밤중에는 관측할 수 없다. → 수성, 금성 새벽녘 동쪽 하늘 또는 초저녁 서쪽 하늘에서 관측할 수 있다.

(2) **외행성**: 지구보다 바깥쪽 궤도를 도는 행성이다. 지구를 기준으로 태양 반대편에 위치할 수 있어, 한밤중에 남쪽 하늘에서 관측할 수 있다.

   → 화성, 목성, 토성, 천왕성, 해왕성 초저녁부터 새벽까지 관측할 수 있다.

행성은 별처럼 깜빡이지 않는다고?

밤하늘의 별을 보면 깜빡이는 것처럼 보이는데, 이는 별빛이 지구의 대기를 통과할 때 대기의 흔들림에 따라 일어나는 현상이다. 그러나 행성은 별과 달리 깜빡임이 거의 없다. 그 까닭은 멀리 떨어진 별은 보이는 면적이 아주 작아 점처럼 보이지만, 비교적 가까운 행성은 별보다 보이는 면적이 넓어 대기의 영향을 덜 받기 때문이다.

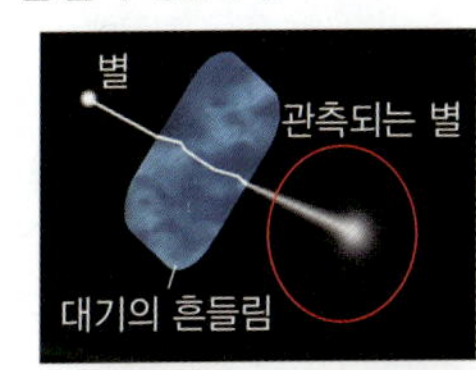

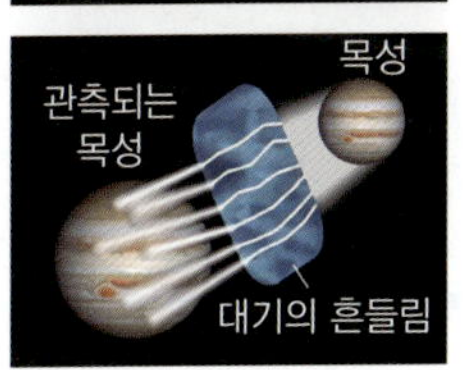

정답과 해설 083쪽

개념 빌드업

1. **핵심 개념** 지구형 행성은 목성형 행성보다 크기와 질량이 (크, 작)고, 위성의 수가 (많, 적)으며, 고리가 (있다, 없다).

2. 태양계에서 지구보다 안쪽 궤도를 도는 행성을 ____(이)라 하고, 지구보다 바깥쪽 궤도를 도는 행성을 ________(이)라고 한다.

1. 태양의 표면 밝고 둥글게 보이는 태양의 표면을 광구라고 하며, 평균 온도는 약 6000 ℃이다. 광구에서는 쌀알 무늬와 흑점을 볼 수 있다.

(1) 쌀알 무늬: 광구 아래에서 일어나는 대류 때문에 광구에는 마치 쌀알을 뿌려놓은 것과 비슷한 모양의 쌀알 무늬가 나타난다.

(2) 흑점: 광구에서 상대적으로 주변보다 온도가 낮은 곳은 어두운 반점인 흑점으로 나타난다. 흑점의 평균 온도는 약 4000 ℃이다.

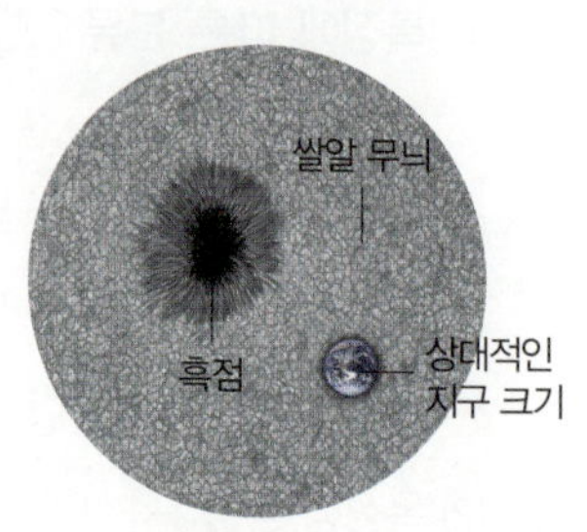

흑점과 쌀알 무늬

탐구 + 태양의 표면 관찰

날씨가 맑은 날, 망원경을 설치한 뒤, 태양 필터 또는 태양 투영판 등 태양 관측 장치를 설치하여 태양 표면을 관측할 수 있다.

① 경통을 태양 쪽으로 향하게 하여 시야에 넣고 초점을 맞춘다.

② 접안렌즈나 투영판을 이용하여 태양 표면을 관찰한다.
→ 태양 필터의 종류에 따라 태양의 색이 다르게 보이며, 표면의 흑점을 관측할 수 있다.
→ 태양 투영판에 비친 태양의 모습에서 흑점을 관측할 수 있다. 태양 투영판의 위치가 접안렌즈에서 멀어질수록 태양의 상이 커져, 흑점을 크게 관측할 수 있다.

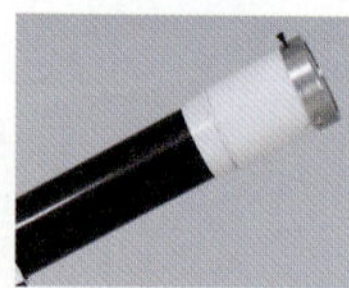

태양 필터 설치

태양 투영판 설치

태양 필터를 사용하여 관측한 태양

태양 투영판을 사용하여 관측한 태양

2. 태양의 대기 광구 위로 넓게 퍼져있으며, 매우 희박하다. 평소에는 광구가 너무 밝아서 잘 볼 수 없지만, 광구의 강한 빛이 가려지는 개기일식 때 볼 수 있다.

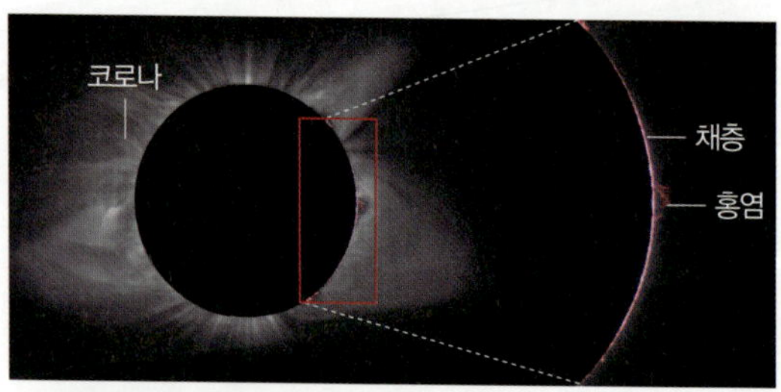

태양의 코로나, 채층, 홍염

(1) 채층: 광구 바로 위에 있는 얇고 붉은 대기층이다.

(2) 코로나: 채층 위에 넓게 분포하는 매우 희박한 대기층으로, 개기일식 때 옅은 진주색으로 빛나는 것을 관측할 수 있다. 두께는 수십 만 km~수백 만 km 정도이고, 온도는 100만 ℃ 이상으로 매우 높다.

쌀알 무늬

태양 내부에서 온도가 높아진 물질이 상승하는 부분은 밝게 보이며, 상승한 물질의 온도가 낮아져 하강하는 부분은 어둡게 보인다.

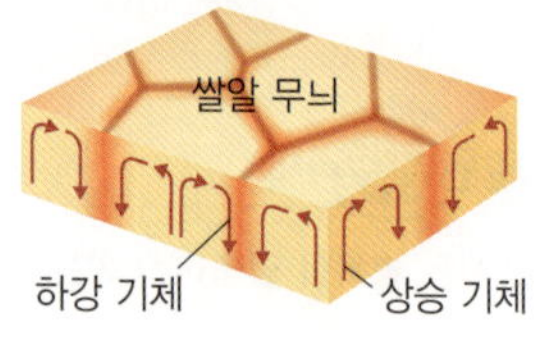

흑점의 이동과 태양의 자전

지구의 북반구에서 볼 때 흑점은 동쪽에서 서쪽으로 이동한다. 흑점의 위치가 변하는 까닭은 태양이 시계 반대 방향으로 자전하기 때문이다. 이때, 태양의 표면은 고체가 아니기 때문에 태양의 위도에 따라 흑점의 이동 속도가 다르게 나타난다. 태양의 자전 주기는 평균 약 27일이지만, 태양의 적도에서는 약 25일, 양극 지역에서는 약 35일이다.

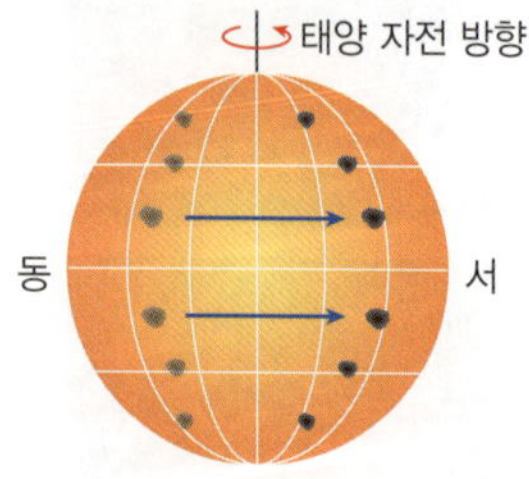

8일 뒤 흑점의 이동 방향

Link

개기일식은 2권 119쪽을 보면 자세히 알 수 있어요.

(3) **홍염**: 온도가 높은 물질이 채층 위로 솟아오르는 현상으로, 주로 흑점 주변에서 발생한다. 홍염은 불꽃 모양이나 고리 모양 등 형태가 다양하다. 홍염의 온도는 약 10000 ℃로, 광구나 채층보다 온도가 높다. 과학 용어 사전 154쪽

(4) **플레어**: 흑점 부근에서 짧은 시간 동안 많은 양의 에너지와 물질이 방출되는 폭발 현상이다. 과학 용어 사전 154쪽

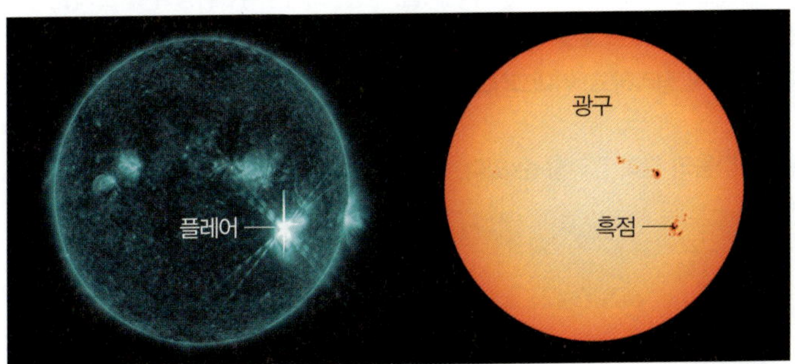

태양의 자외선 사진(왼쪽)과 가시광선 사진(오른쪽) 흑점 근처에서 강한 폭발이 보인다.

3. 태양의 활동
태양의 활동에 의한 피해를 줄이기 위해 지속적으로 태양의 활동을 관측, 분석, 예측하는 시스템이 필요하다.

(1) **흑점 수의 변화**: 태양 표면에서 관측되는 흑점의 개수는 약 11년을 주기로 변화한다. 흑점의 수가 많은 시기(극대기)에는 코로나가 커지고 홍염과 플레어도 자주 나타나는 등 태양 활동이 활발해진다.

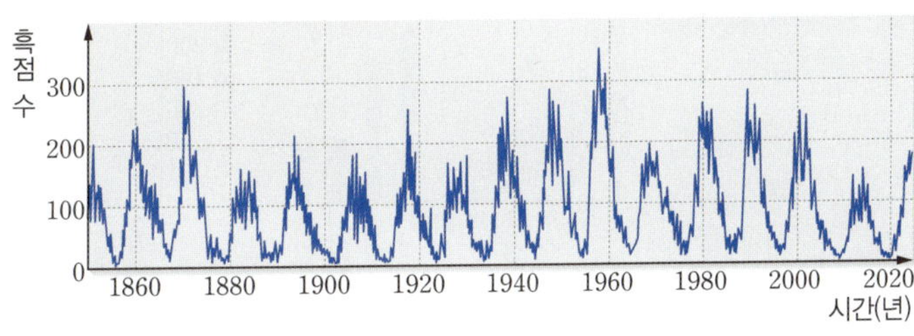

흑점 수의 주기적인 변화

(2) **태양 활동이 지구에 미치는 영향**: 태양 활동이 활발하면 태양풍이 강해지면서 극지방에서는 오로라가 자주 발생한다. 자기 폭풍이 발생하여 장거리 무선 통신이 끊어지거나, 송전 시설이 고장 나 대규모 정전이 일어날 수도 있다. 또한, 위성 위치 확인 시스템(GPS)의 통신 오류가 생기기도 하고, 인공위성의 부품이 파손되거나 궤도를 이탈하기도 한다. 북극 지방 하늘길이 막힐 수도 있으며, 우주에서 활동하는 우주 비행사가 더 많은 태양 방사선에 노출될 수 있다. 과학 용어 사전 155쪽

가시광선과 자외선
빛을 분리했을 때 우리 눈에 보이는 빛을 가시광선이라고 한다. 표면 온도가 약 6000 ℃인 태양에서 방출되는 빛 중에서 가장 세기가 큰 영역이 가시광선이다. 가시광선의 보라색보다 바깥쪽의 맨눈으로 보이지 않는 영역을 자외선이라 한다.

태양 활동과 코로나 크기 변화
태양 활동이 활발할 때는 코로나가 커지고, 태양 활동이 약할 때는 코로나가 작아진다.

태양 활동이 활발할 때 / 태양 활동이 약할 때

용어 태양풍
플레어가 많이 발생하면 높은 에너지를 가진 고온의 입자가 많이 방출되어 지구에 도달하는데, 이러한 입자의 흐름을 태양풍이라고 한다.

용어 자기 폭풍
지구 자기력이 미치는 공간을 지구 자기장이라 하는데, 강력한 태양풍에 의해 지구 자기장이 불규칙하게 변하는 현상을 자기 폭풍이라고 한다.

정답과 해설 083쪽

개념 빌드업

1. **핵심개념** 태양의 표면인 광구에서는 ________와/과 ________을/를 관찰할 수 있다.

2. 흑점 부근에서 짧은 시간 동안 많은 양의 에너지와 물질이 방출되는 폭발 현상을 ________(이)라고 한다.

3. 태양 활동이 활발하면 극지방 하늘에서는 ________이/가 자주 발생한다.

 태양계 천체 자료 수집 및 분석하기

목표 | 태양계를 구성하는 천체의 특징을 조사하여 분석하고, 태양계 행성을 특징에 따라 분류하고 비교할 수 있다.

과정

❶ 누리망(인터넷)에서 태양계를 구성하는 천체의 특징과 행성의 반지름, 질량, 고리 유무, 위성 수를 조사한다.

❷ 스프레드시트를 활용하여 행성의 반지름 자료를 표로 정리하고, 그래프 그리기 기능을 활용하여 막대그래프로 나타낸다.

❸ 같은 방법으로 행성의 질량 자료를 표로 정리하고, 막대그래프로 나타낸다.

결과 및 정리

1. 태양계를 구성하는 천체의 특징은 다음과 같이 정리할 수 있다.

구분	태양	행성	왜소 행성	소행성	혜성	위성
스스로 빛을 내는가?	○	×	×	×	×	×
태양을 중심으로 공전하는가?	-	○	○	○	○	×
모양이 둥근가?	○	○	○	×	×	△*
궤도 주변에서 지배적인 역할을 하는가?	-	○	×	×	×	×

  ＊ **예** 지구의 위성인 달은 모양이 둥글지만, 화성의 위성인 포보스와 데이모스는 모양이 불규칙하다.

2. 행성은 반지름과 질량이 작은 수성, 금성, 지구, 화성과 반지름과 질량이 큰 목성, 토성, 천왕성, 해왕성으로 분류할 수 있다.
 └→ 수성, 금성, 지구, 화성은 지구형 행성이라 하고, 목성, 토성, 천왕성, 해왕성은 목성형 행성이라고 한다.

3. 지구형 행성과 목성형 행성의 특징 비교

특징	지구형 행성	목성형 행성
반지름, 질량	작다.	크다.
고리 유무	없다.	있다.
위성 수	없거나 적다.	많다.
표면 상태	흙, 암석	기체

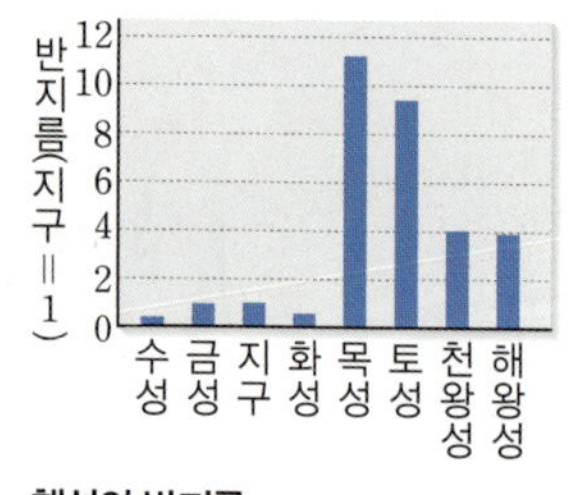

행성의 반지름

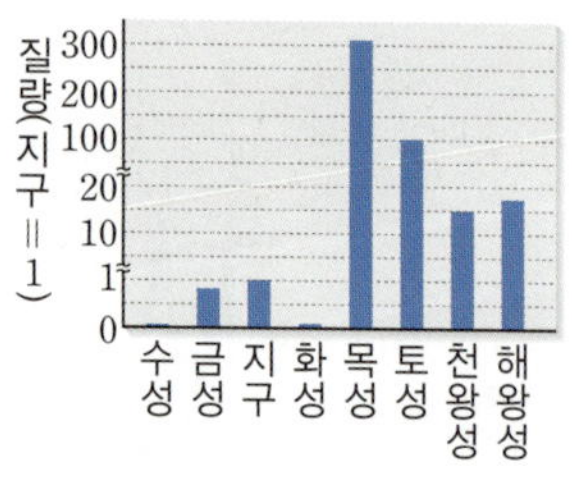

행성의 질량

탐구 확인 문제

정답과 해설 083쪽

1 위 탐구에 대한 설명으로 옳은 것은 ○, 옳지 <u>않은</u> 것은 ×로 표시하시오.

(1) 태양계 천체 중 위성은 모두 둥근 모양이다.
                (   )

(2) 태양계 천체 중 왜소 행성은 공전 궤도 주변에서 지배적인 역할을 한다.   (   )

(3) 행성은 반지름과 질량을 이용하여 두 집단으로 분류할 수 있다.   (   )

(4) 목성형 행성 중에서 반지름과 질량이 가장 큰 행성은 목성이다.   (   )

(5) 천왕성은 해왕성보다 반지름과 질량이 더 크다.
                (   )

2 (적용) 그림은 태양계 행성을 반지름과 질량을 기준으로 하여 두 집단으로 분류한 것이다. 이에 대한 설명으로 옳은 것을 보기에서 모두 고른 것은?

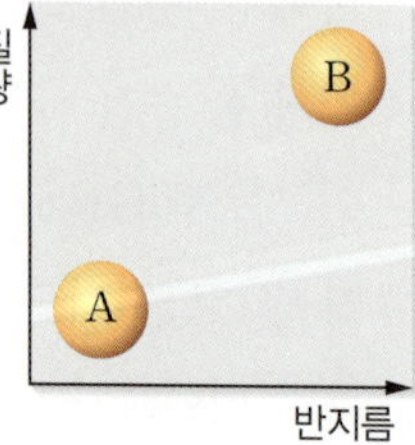

┌ 보기 ┐

ㄱ. A는 고리가 있다.

ㄴ. B는 목성형 행성이다.

ㄷ. B는 A보다 위성의 수가 많다.

① ㄱ   ② ㄷ   ③ ㄱ, ㄴ

④ ㄴ, ㄷ   ⑤ ㄱ, ㄴ, ㄷ

탐구

천체 망원경을 이용하여 달, 행성 관측하기

목표 | 천체 망원경을 이용하여 달과 행성을 관측할 수 있다.

실험 영상

과정

[천체 망원경 설치하기]

① 넓고 평평한 장소에 삼각대를 설치하고, 가대를 삼각대 위에 고정한다.

② 가대에 균형추를 부착한 뒤, 경통을 가대에 고정한다.

③ 경통에 파인더, 접안렌즈 등 부속 장치를 연결한다.

④ 경통과 균형추를 움직여 망원경의 균형을 맞추고, 관측하려는 천체를 향하도록 경통의 방향을 맞춘다.

⑤ 파인더와 접안렌즈 시야의 중심이 일치하게 파인더를 정렬하고, 접안렌즈의 초점을 맞춘다.

유의점 ✔ 망원경의 종류에 따라 접안렌즈로 본 모습의 상하좌우가 바뀔 수 있다.

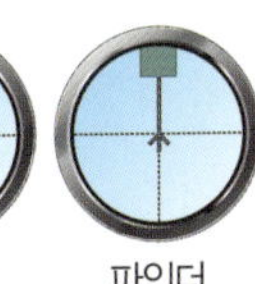

접안렌즈 　 파인더

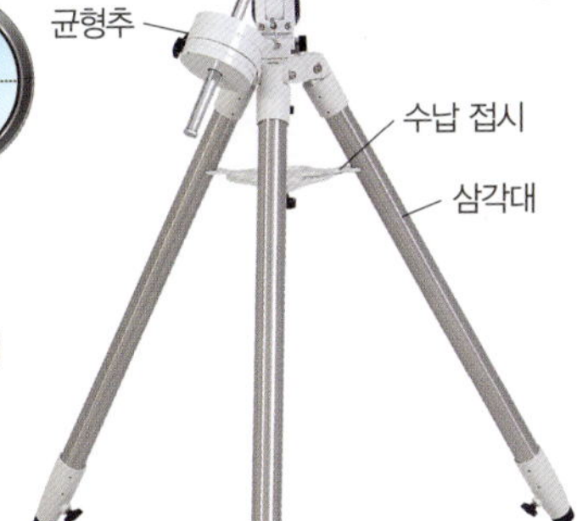

[달, 행성 관측하기]

① 천체 관측 프로그램을 이용하여 달이나 행성을 볼 수 있는 시각과 하늘에서의 위치를 찾는다.

② 천체 망원경을 설치하고 달이나 행성을 파인더로 먼저 찾은 뒤 접안렌즈를 보면서 초점을 맞춘다.

③ 달이나 행성을 눈으로 먼저 관측하고, 접안렌즈로 관측하거나 카메라로 촬영한다.

유의점 ✔ 달은 밝아서 눈이 부실 수 있으므로, 경통 앞을 일부 가리거나 필터를 연결하여 빛의 양을 줄여서 관측한다.

결과 및 정리

1. 천체 망원경의 균형을 잘 맞추면 관측할 대상을 찾은 뒤 가만히 놓아도 흔들리지 않는다.

2. 망원경으로 달의 표면과 행성의 모습 등을 관측할 수 있다.

달은 모양이 상현달(음력 7~8일)일 때 관측하기 가장 좋다.

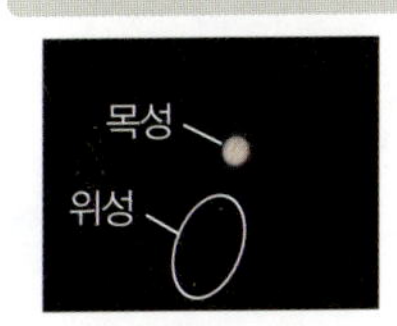

달	목성
분화구 등 달의 표면을 관측할 수 있다.	목성의 줄무늬와 위성을 관측할 수 있다.

탐구 확인 문제

정답과 해설 083쪽

1 위 탐구에 대한 설명으로 옳은 것은 ○, 옳지 <u>않은</u> 것은 ×로 표시하시오.

(1) 삼각대는 넓고 평평한 장소에 설치한다. ……(　)

(2) 파인더를 정렬할 때는 파인더를 먼저 관측하려는 천체로 향하도록 한 뒤 경통을 조정한다. ………(　)

(3) 천체 망원경으로 보름달을 관측할 때는 경통의 앞을 일부 가리고 관측한다. …………………(　)

(4) 천체 망원경으로는 위성을 관측할 수 없다. …(　)

2 천체 망원경을 이용하여 달과 행성을 관측할 때 고려해야 할 것을 보기에서 모두 고른 것은?

┌ **보기** ─────────────────────

ㄱ. 관측할 대상은 파인더로 먼저 찾는다.

ㄴ. 천체 망원경으로 달의 분화구를 관측할 수 없다.

ㄷ. 경통에 파인더와 접안렌즈 등 부속 장치를 모두 연결한 뒤 균형을 맞춘다.

└────────────────────────────

① ㄱ 　　　② ㄴ 　　　③ ㄱ, ㄷ

④ ㄴ, ㄷ 　　⑤ ㄱ, ㄴ, ㄷ

태양의 내부 구조와 표면

태양은 지구에서 가장 가까운 별로 스스로 빛을 낸다. 태양의 빛에너지와 열에너지는 지구의 모든 생명체가 살아갈 수 있는 에너지의 근원이다. 태양의 내부에서 어떤 일이 일어나고 있으며, 태양의 표면에는 어떻게 영향이 나타나는지 좀 더 깊이 있게 공부해 보자.

1 수소 핵융합 반응

태양은 기체로 이루어져 있으며, 수소가 전체 질량의 약 73 %, 헬륨이 약 25 %를 차지한다. 태양의 중심에서는 수소 4 개가 뭉쳐서 하나의 헬륨이 되는 수소 핵융합 반응이 일어나고 있다. 이 과정에서 질량의 일부가 에너지로 바뀌어 방출된다.

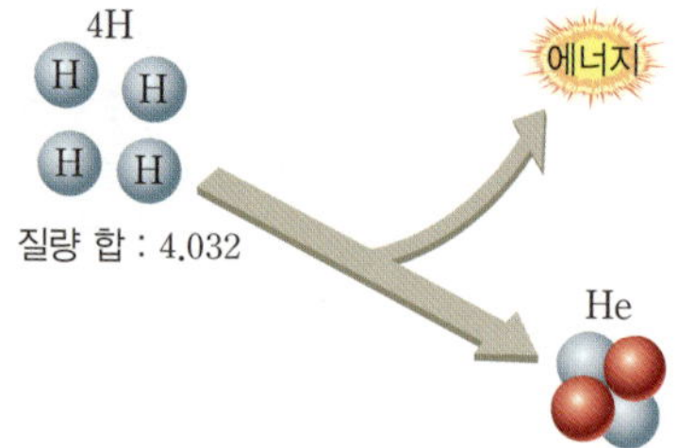

2 태양의 내부 구조

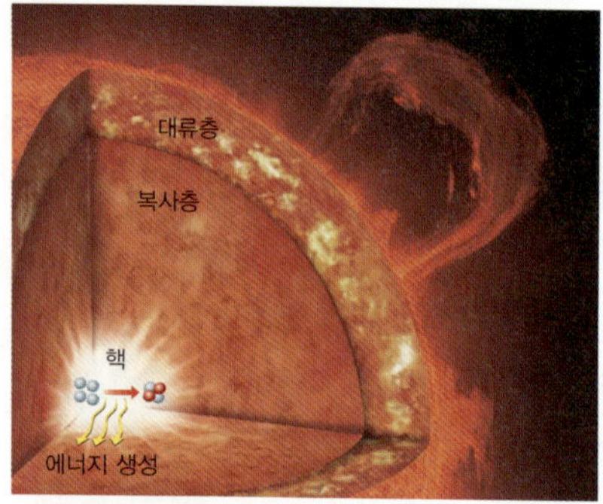

태양에서 수소 핵융합 반응이 일어나는 중심부를 핵이라고 한다. 핵의 온도는 약 1500만 ℃로, 표면의 온도보다 훨씬 높다. 핵에서 나온 에너지는 복사층에서 복사의 형태로 대류층까지 전달되며, 그 위의 대류층은 표면 바로 아래까지 이어진다. 대류층의 대류 운동은 열을 매우 빠르게 표면으로 전달하고, 표면에서는 열이 식어 온도가 약 6000 ℃까지 낮아진다.

3 쌀알 무늬와 흑점이 나타나는 까닭

우리 눈에 보이는 태양의 표면을 광구라고 하는데, 광구에서는 쌀알 무늬와 흑점을 볼 수 있다. 태양 내부의 대류층에서 온도가 높은 물질이 상승하는 부분은 밝게 보이고, 물질의 온도가 낮아져 하강하는 부분은 어둡게 보이는데, 이를 쌀알 무늬라고 한다. 한편, 태양의 자기장이 강하게 밀집된 곳에서는 대류가 잘 일어나지 않아 주변보다 온도가 낮아 검게 보이는 흑점이 생긴다. 이때 강한 자기장의 고리를 따라 고온의 가스가 이동하여 생기는 기둥을 홍염이라고 한다.

비주얼 Visual 핵|심|정|리

1 태양계와 행성

① 태양계의 구성: 태양, 행성, 왜소 행성, 소행성, 혜성, 위성 등
② 태양계 행성: 수성, 금성, 지구, 화성, 목성, 토성, 천왕성, 해왕성

2 행성의 분류

① 지구형 행성과 목성형 행성: **물리적 특징**으로 구분

구분	지구형 행성	목성형 행성
크기, 질량	작다.	크다.
위성 수	없거나 적다.	많다.
고리	없다.	있다.
표면 성분	단단한 암석 등	기체
행성	수성, 금성, 지구, 화성	목성, 토성, 천왕성, 해왕성

② 내행성과 외행성: **지구 공전 궤도**를 기준으로 안쪽의 내행성(수성, 금성)과 바깥쪽의 외행성(화성, 목성, 토성, 천왕성, 해왕성)으로 구분

3 -1 태양

① 태양 표면

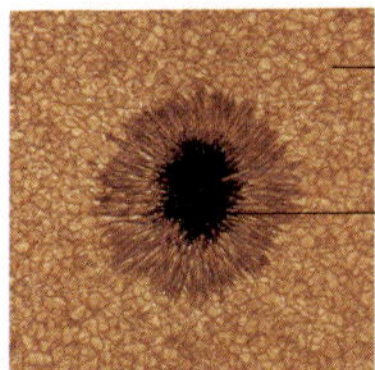

쌀알 무늬
광구 아래 대류 때문에 나타나는 무늬

흑점
상대적으로 주변보다 온도가 낮은 곳

② 태양 대기

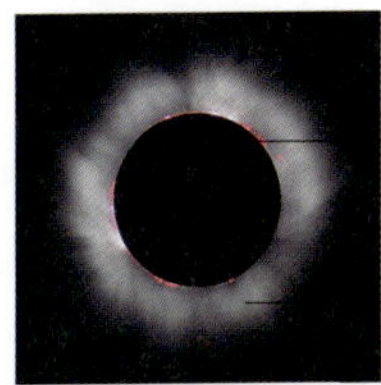

채층
광구 위 얇고 붉은 대기층

코로나
채층 위에 넓게 분포하는 대기층

③ 태양 대기에서 일어나는 현상

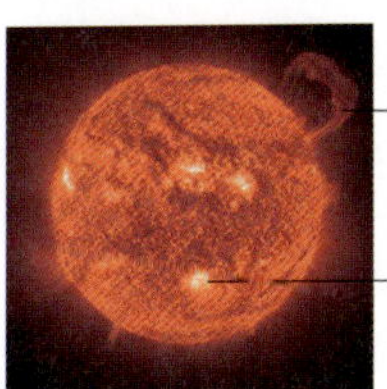

홍염
온도가 높은 물질이 채층 위로 솟아 오르는 현상

플레어
에너지와 물질이 방출되는 폭발 현상

3 -2 태양

① 흑점 수의 변화: **약 11년 주기**로 변화

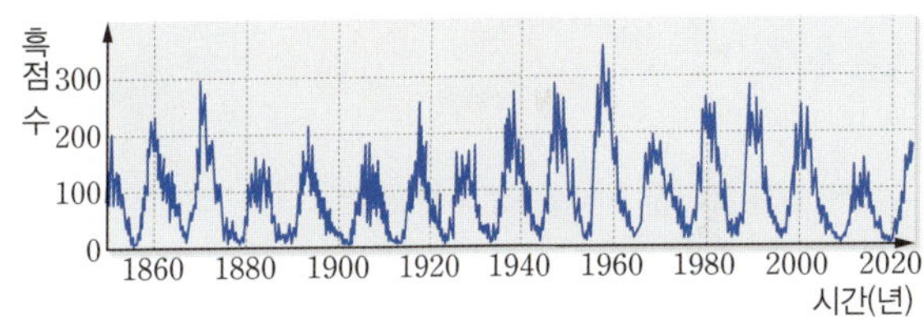

② 태양 활동이 활발할 때 변화

- 흑점 수와 코로나 크기 증가, 홍염과 플레어도 자주 발생

태양 활동이 활발할 때 **태양 활동이 약할 때**

- 지구에 미치는 영향: 오로라 발생 횟수 증가, 장거리 무선 통신 오류, 대규모 정전 발생, 위성 위치 확인 시스템(GPS) 통신 오류, 인공위성 고장, 북극 지방 항공길 사용 불가, 우주 비행사의 방사선 노출 위험 증가 등

01 태양계 천체 중 태양 주변을 공전하는 천체가 <u>아닌</u> 것은?

① 위성　　　　② 행성　　　　③ 혜성
④ 소행성　　　⑤ 왜소 행성

중요

02 그림은 태양계 구성 천체를 분류한 것이다.

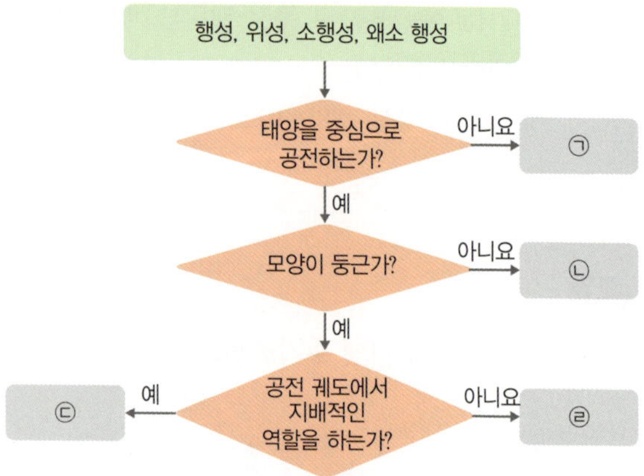

㉠~㉣에 들어갈 천체를 각각 쓰시오.

03 그림은 태양계 어느 행성의 모습을 나타낸 것이다. 이 행성의 특징으로 옳지 <u>않은</u> 것은?

① 태양계 행성 중 질량이 가장 크다.
② 대기의 소용돌이로 대적점이 나타난다.
③ 빠른 자전으로 가로줄 무늬가 나타난다.
④ 대부분 수소와 헬륨으로 이루어져 있다.
⑤ 얼음과 암석으로 된 여러 겹의 넓고 얇은 고리가 있다.

04 표는 태양계에 속한 두 행성의 특징을 나타낸 것이다.

행성	A	B
특징	·극지방에는 흰색의 극관이 있다. ·과거에 물이 흘렀던 흔적이 남아 있다.	·여러 겹의 넓고 얇은 고리가 있다. ·태양계 행성 중 가장 많은 위성을 거느리고 있다.

A와 B 두 행성의 이름을 각각 쓰시오.

05 다음은 태양계 행성에 대한 설명이다.

(가) 이산화 탄소로 이루어진 두꺼운 대기가 있어 표면 온도가 매우 높다.
(나) 수소, 헬륨, 메테인 등으로 구성되어 있고, 대기의 거대한 소용돌이인 대흑점이 있다.

(가)와 (나) 두 행성의 이름을 옳게 짝 지은 것은?

	(가)	(나)		(가)	(나)
①	수성	목성	②	화성	목성
③	화성	해왕성	④	금성	해왕성
⑤	금성	토성			

중요

06 그림은 태양계 행성의 공전 궤도를 나타낸 것이다.

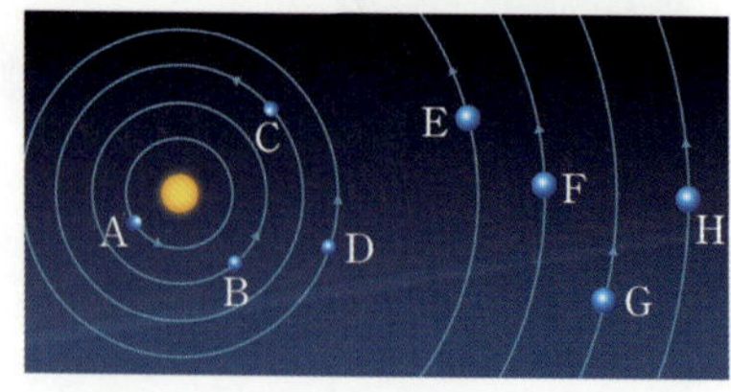

이에 대한 설명으로 옳지 <u>않은</u> 것은?

① A는 태양계 행성 중 크기가 가장 작다.
② B와 C는 크기와 질량, 표면 온도가 모두 비슷하다.
③ D에는 과거에 물이 흘렀던 흔적이 있다.
④ E와 F는 표면에 나란한 줄무늬가 있다.
⑤ G와 H는 크기와 질량, 구성 성분이 모두 비슷하다.

07 태양계에서 지구형 행성과 목성형 행성에 대한 설명으로 옳은 것은?

① 지구형 행성은 모두 위성이 없다.

② 행성의 물리적 특징에 따라 분류한 것이다.

③ 지구형 행성은 목성형 행성보다 질량이 크다.

④ 목성형 행성은 지구형 행성보다 반지름이 작다.

⑤ 목성형 행성의 표면은 암석으로 이루어져 있다.

[중요]

08 그림은 태양계 행성을 질량과 반지름을 기준으로 하여 A, B로 분류하여 나타낸 것이다. 이에 대한 설명으로 옳지 <u>않은</u> 것은?

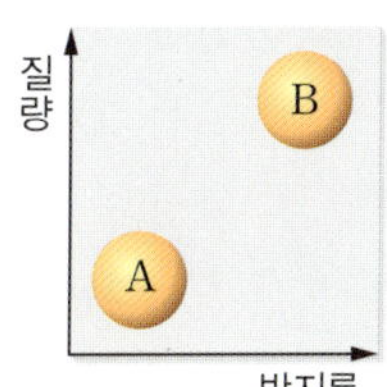

① 고리가 있는 것은 B이다.

② 위성의 수는 B가 A보다 많다.

③ A의 표면은 주로 암석으로 되어 있다.

④ B는 대부분 기체로 이루어진 행성이다.

⑤ A는 목성형 행성, B는 지구형 행성이다.

09 그림 (가)와 (나)는 서로 다른 물리량 A, B로 태양계 행성의 특징을 나타낸 그래프이다. A와 B는 각각 질량과 반지름 중 하나이다.

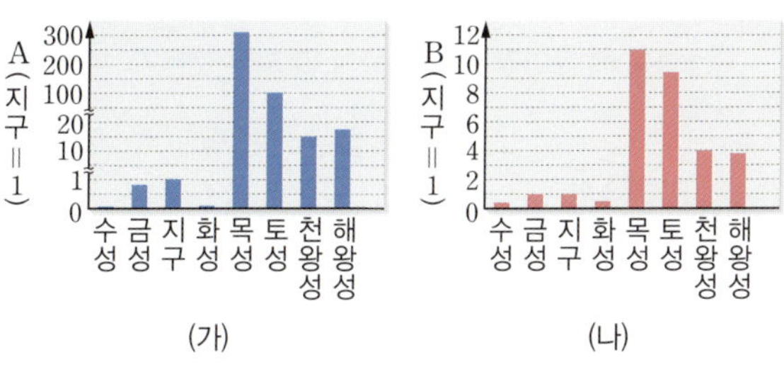

이에 대한 설명으로 옳은 것을 보기에서 모두 고른 것은?

보기
ㄱ. A는 반지름, B는 질량이다.
ㄴ. 목성은 질량과 반지름이 가장 크다.
ㄷ. (가)와 (나)를 바탕으로 태양계 행성은 두 개의 집단으로 분류할 수 있다.

① ㄱ　　　　② ㄴ　　　　③ ㄷ

④ ㄱ, ㄴ　　　⑤ ㄴ, ㄷ

10 태양에 대한 설명으로 옳지 <u>않은</u> 것은?

① 채층은 광구 바로 위를 둘러싼 붉은색 층이다.

② 태양계에서 스스로 빛을 내는 유일한 천체이다.

③ 우리 눈에 보이는 태양의 표면을 광구라고 한다.

④ 흑점은 상대적으로 주변보다 온도가 높은 곳이다.

⑤ 쌀알 무늬는 광구 아래에서 일어나는 대류 때문에 나타난다.

11 태양의 표면에서 보이는 것을 모두 고르면? (정답 2개)

① 홍염　　　　② 흑점　　　　③ 코로나

④ 플레어　　　⑤ 쌀알 무늬

[중요]

12 그림은 태양 표면의 모습을 나타낸 것이다.

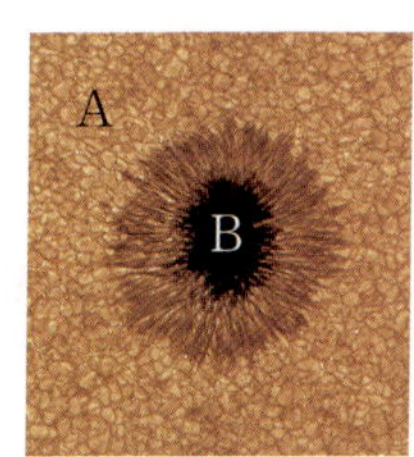

이에 대한 설명으로 옳은 것을 보기에서 모두 고른 것은?

보기
ㄱ. A는 쌀알 무늬이다.
ㄴ. 태양 활동이 활발해지면, B의 개수는 적어진다.
ㄷ. 표면 온도는 A가 B보다 높다.

① ㄱ　　　　② ㄴ　　　　③ ㄷ

④ ㄱ, ㄷ　　　⑤ ㄴ, ㄷ

13 태양의 대기에서 나타나는 현상인 A와 B의 이름을 각각 쓰시오.

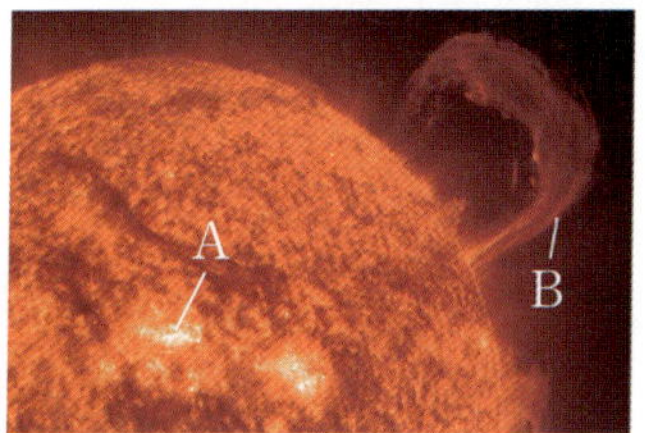

정답과 해설 083쪽

14 태양의 대기에 대한 설명으로 옳은 것을 보기에서 모두 고른 것은?

> 보기
> ㄱ. 코로나는 채층보다 온도가 더 높다.
> ㄴ. 광구 바로 위의 얇고 붉은 층은 채층이다.
> ㄷ. 채층과 코로나는 광구를 가리지 않고도 볼 수 있다.

① ㄱ   ② ㄴ   ③ ㄷ
④ ㄱ, ㄴ   ⑤ ㄴ, ㄷ

[15~16] 그림은 흑점의 개수 변화를 나타낸 것이다.

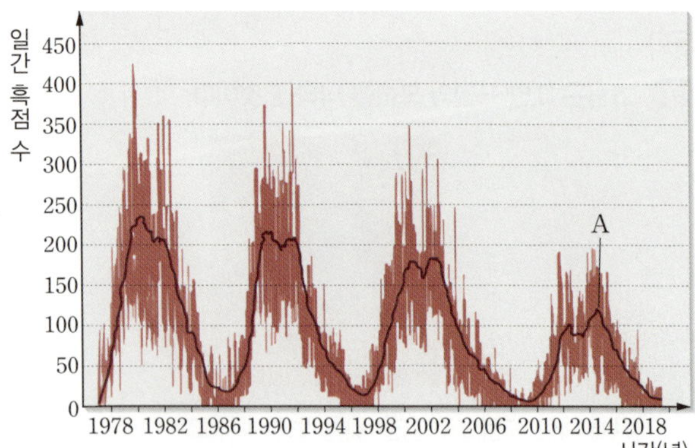

15 A 시기 이후 흑점의 개수가 가장 많을 것으로 예상되는 시기는?

① 2020년경   ② 2023년경   ③ 2025년경
④ 2028년경   ⑤ 2030년경

중요

16 A 시기에 태양에서 나타나는 현상에 대한 설명으로 옳은 것을 보기에서 모두 고른 것은?

> 보기
> ㄱ. 코로나가 넓게 발달하였다.
> ㄴ. 홍염이 더 자주 발생하였다.
> ㄷ. 2010년보다 플레어가 적게 발생하였다.

① ㄱ   ② ㄴ   ③ ㄷ
④ ㄱ, ㄴ   ⑤ ㄴ, ㄷ

17 그림 (가)와 (나)는 서로 다른 시기의 태양 대기 모습을 나타낸 것이다.

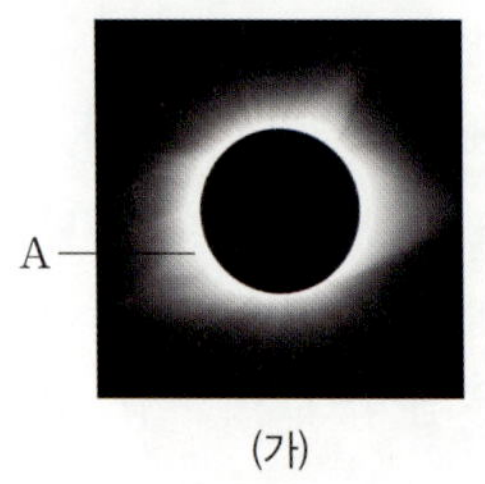

이에 대한 설명으로 옳지 <u>않은</u> 것은?

① A는 코로나이다.
② A는 개기일식 때 관측할 수 있다.
③ 태양 활동은 (가) 시기에 더 활발하다.
④ 오로라는 (가) 시기에 더 자주 발생한다.
⑤ 장거리 무선 통신 오류는 (나) 시기에 발생할 확률이 더 높다.

18 다음은 플레어와 오로라에 대한 설명이다.

> 태양에서 일어나는 강력한 폭발 현상인 플레어는 (㉠) 주변에서 자주 일어난다. 태양 폭풍이라고도 하는데, 플레어가 발생하면 지구의 자기장에 큰 변동이 생긴다. 오로라는 태양이 방출하는 입자의 흐름인 (㉡)이/가 지구 대기와 부딪히면서 빛을 내는 현상이다.

㉠과 ㉡에 들어갈 단어를 옳게 짝 지은 것은?

	㉠	㉡		㉠	㉡
①	흑점	코로나	②	흑점	태양풍
③	광구	코로나	④	쌀알 무늬	태양풍
⑤	쌀알 무늬	코로나			

중요

19 태양의 활동이 활발할 때, 태양 활동이 지구에 미치는 영향으로 옳지 <u>않은</u> 것은?

① 인공위성이 고장 날 수 있다.
② 송전 시설은 큰 영향을 받지 않는다.
③ 장거리 무선 통신 오류가 발생할 수 있다.
④ 고위도 지역에서는 오로라가 더 넓게 발생한다.
⑤ 우주인이 더 많은 태양 방사선에 노출될 수 있다.

01 그림 (가)~(다)는 태양계를 구성하는 천체 중 왜소 행성, 소행성, 혜성을 순서 없이 나타낸 것이다.

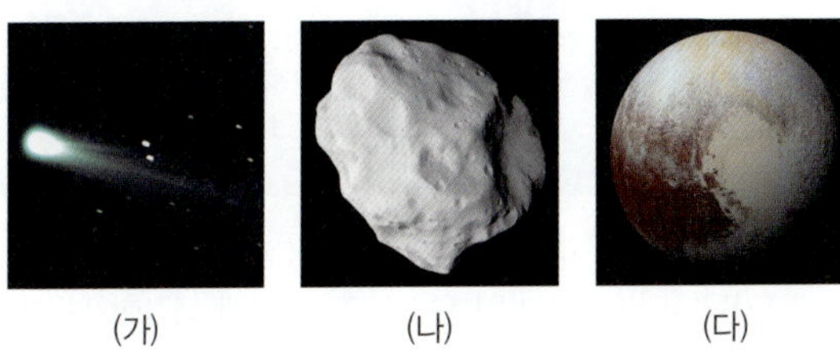

(가)　　　　　(나)　　　　　(다)

이에 대한 설명으로 옳은 것을 보기에서 모두 고른 것은?

> **보기**
> ㄱ. (가)는 태양 주변을 원 궤도로 공전한다.
> ㄴ. (나)는 화성과 목성 궤도 사이에 많이 분포한다.
> ㄷ. (다)의 공전 궤도 주변에는 여러 천체가 같이 있다.

① ㄱ　　　　② ㄴ　　　　③ ㄱ, ㄷ
④ ㄴ, ㄷ　　　⑤ ㄱ, ㄴ, ㄷ

02 표는 태양계를 구성하는 행성 A~D의 상대적인 물리량을 나타낸 것이다.

행성	A	B	C	D
반지름	0.53	1	9.4	4
질량	0.11	1	95	14.5
위성 수(개)	2	1	146	27
고리	없음.	없음.	있음.	있음.

이에 대한 설명으로 옳은 것을 보기에서 모두 고른 것은? (단, 위성 수는 2023년을 기준으로 한 것이다.)

> **보기**
> ㄱ. A는 이산화 탄소로 이루어진 두꺼운 대기가 있다.
> ㄴ. C와 D는 모두 청록색으로 보인다.
> ㄷ. A, B는 지구형 행성, C, D는 목성형 행성이다.

① ㄱ　　　　② ㄷ　　　　③ ㄱ, ㄷ
④ ㄴ, ㄷ　　　⑤ ㄱ, ㄴ, ㄷ

03 그림은 태양의 대기와 태양에서 일어나는 현상을 나타낸 것이다.

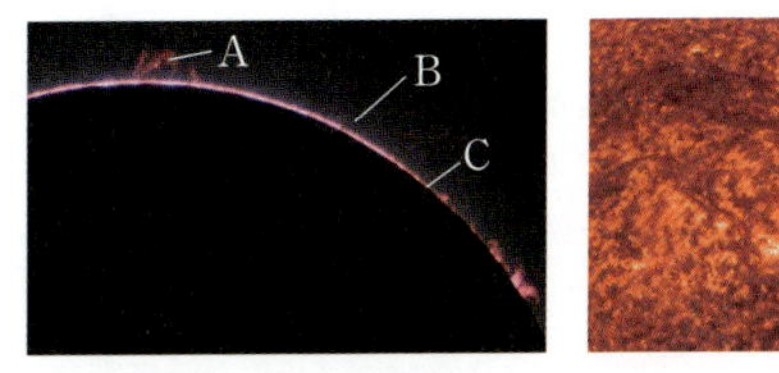
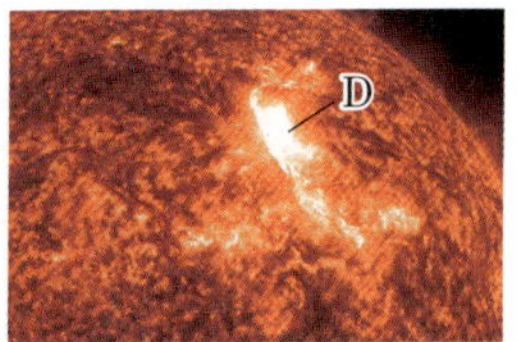

이에 대한 설명으로 옳지 <u>않은</u> 것은?

① A는 홍염으로, 온도가 높은 물질이 코로나까지 솟아오르는 현상이다.
② B는 개기일식 때 진주색의 뿌연 연기처럼 보인다.
③ C는 태양의 대기인 채층이다.
④ D는 흑점 부근에서 일어나는 강력한 폭발 현상이다.
⑤ 흑점의 수가 적은 시기에는 A와 D가 자주 나타난다.

04 다음은 캐링턴 사건에 대한 설명이다.

> 1859년 8월 28일 늦은 밤 캐링턴은 태양의 흑점에서 발생한 연속적인 플레어를 관측하여 그 과정을 기록하였다. 이때 관측한 플레어는 당시부터 현재까지 기록된 플레어 중 가장 강력한 것이었다. 이후 태양 활동이 지구에 영향을 줄 수도 있다는 사실이 알려져, 태양 흑점과 태양 활동과의 연관성을 밝히는 계기가 되었다.

당시 태양 활동으로 지구에 나타난 영향에 대한 설명으로 옳은 것을 보기에서 모두 고른 것은?

> **보기**
> ㄱ. 전신 시스템이 마비되고, 전신국 직원은 전기 충격을 받기도 했다.
> ㄴ. 지구 자기장의 변화가 줄어들었고, 선박의 나침반도 제대로 작동하였다.
> ㄷ. 전 세계에 걸쳐 오로라가 발생했고, 밤에도 신문을 읽을 수 있을 만큼 오로라가 밝은 지역도 있었다.

① ㄱ　　　　② ㄴ　　　　③ ㄱ, ㄷ
④ ㄴ, ㄷ　　　⑤ ㄱ, ㄴ, ㄷ

☞ 제시된 Keyword를 이용하여 문제를 해결해 보자.

1 다음은 9번째 행성이었던 명왕성이 행성에서 제외된 과정을 설명한 것이다.

> 1930년 미국 로웰 천문대의 클라이드 톰보는 9번째 행성인 명왕성을 발견하였다. 하지만 명왕성은 달보다도 작고, 공전 궤도의 모양도 다른 행성들과는 큰 차이가 있었다. 2000년대에 들어 명왕성과 비슷한 크기의 새로운 천체들이 발견되었고, 2003년에는 명왕성보다 큰 천체가 발견되면서 이 천체를 10번째 행성으로 인정하느냐는 문제가 발생하였다. 이에 2006년 8월 국제천문연맹은 태양계의 행성을 8개로 하는 결의안을 통과시키고, 새로운 개념으로 명왕성을 분류했다.

명왕성이 새로운 행성의 조건 중 어떤 점 때문에 행성에서 제외된 것인지 설명하시오.

Keyword 행성, 궤도, 지배적, 왜소 행성

____

____

____

2 그림 (가)와 (나)는 태양계 행성 중 일부의 모습을 나타낸 것이다.

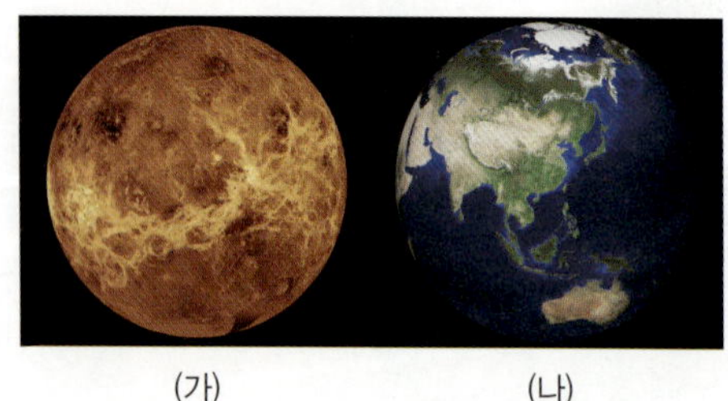

(가)   (나)

(가)와 (나)의 표면 온도를 비교하고, 표면 온도가 서로 <u>다른</u> 까닭을 설명하시오.

Keyword 대기, 이산화 탄소, 온실 효과

____

____

3 그림 (가)와 (나)는 행성 표면의 소용돌이를 나타낸 것이다.

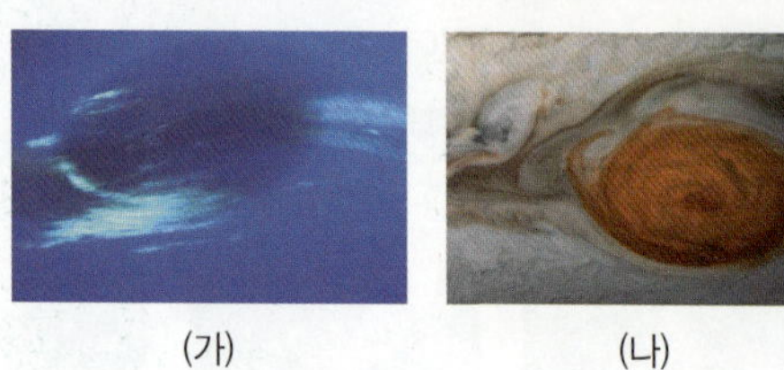

(가)   (나)

(가)와 (나)의 행성 이름을 쓰고, 그렇게 생각한 까닭을 설명하시오.

Keyword 대적점, 대흑점

____

____

____

4 표는 태양계 행성의 질량과 반지름, 위성 수를 나타낸 것이다. (단, 위성 수는 2023년을 기준으로 한 것이다.)

행성	질량 (지구=1)	반지름 (지구=1)	위성 수 (개)
수성	0.06	0.38	0
금성	0.82	0.95	0
지구	1	1	1
화성	0.11	0.53	2
목성	318	11.2	95
토성	95	9.4	146
천왕성	14.5	4	27
해왕성	17	3.9	14

이 자료에서 태양계 행성을 두 개의 집단으로 분류할 수 있는 기준을 설명하고, 그 기준에 따라 행성을 분류하시오.

Keyword 지구형 행성, 목성형 행성

____

____

5 그림은 태양 표면의 일부를 확대하여 나타낸 것이다.

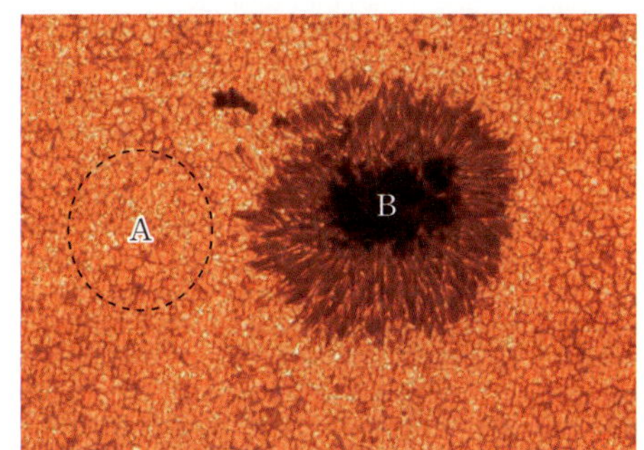

A와 B가 나타나는 까닭을 설명하시오.

Keyword 흑점, 쌀알 무늬, 온도, 대류

---

6 그림은 같은 시각에 관측한 태양의 표면과 대기 모습이다.

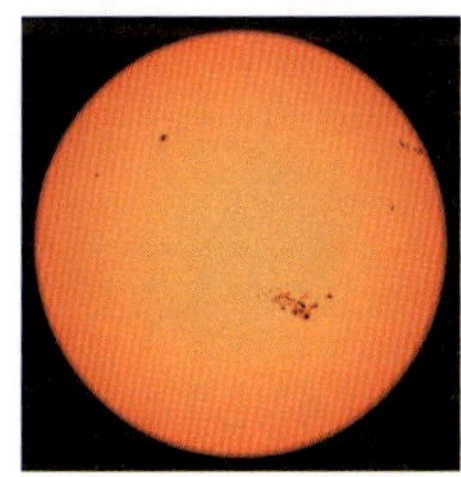 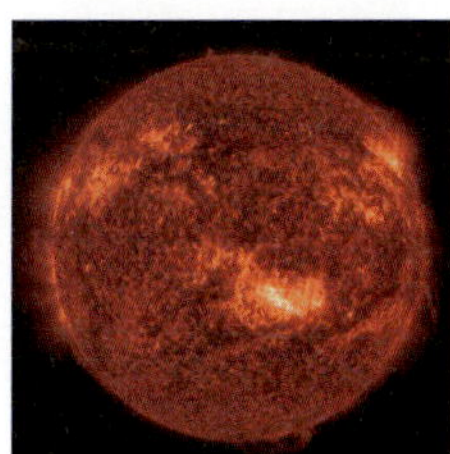

(가) 태양 표면 　　(나) 태양 대기

(가)와 (나)를 바탕으로 플레어가 발생하는 위치를 쓰고, 이때 플레어가 지구에 미치는 영향을 설명하시오.

Keyword 흑점, 태양 폭풍, 오로라, 인공위성

 단계적 서술형

7 그림 (가)는 흑점의 개수 변화를 나타낸 것이고, 그림 (나)와 (다)는 A 시기와 B 시기에 태양의 대기를 관측한 것을 순서 없이 나타낸 것이다.

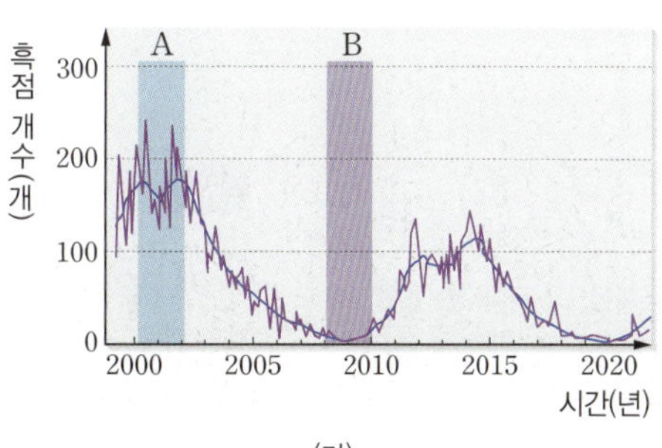

(가)

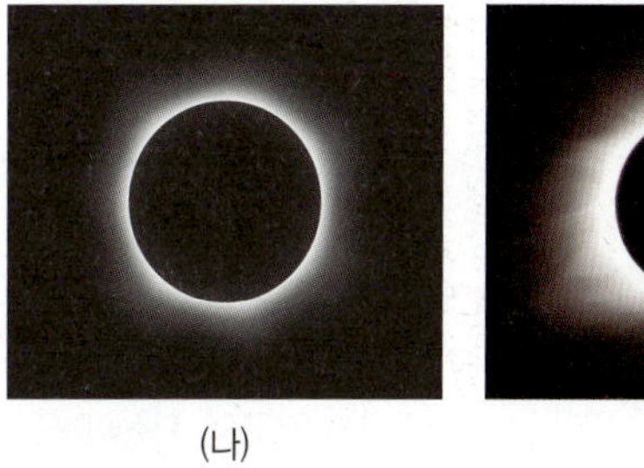 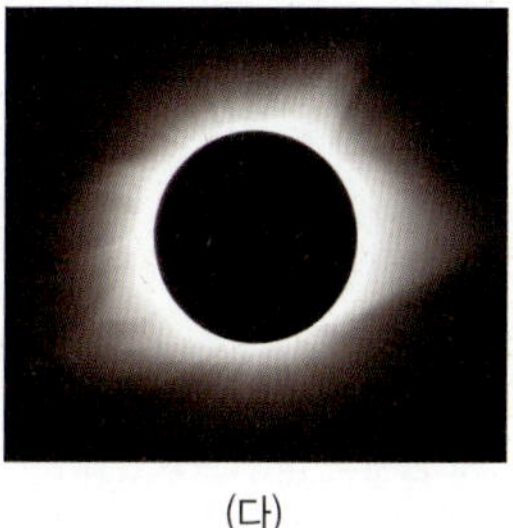

(나) 　　(다)

(1) **[자료 분석]** (가)에서 A 시기와 B 시기 이후 흑점의 개수가 가장 많은 시기와 적은 시기를 쓰시오.

　• 흑점의 개수가 가장 많은 시기: ＿＿＿＿＿＿＿＿

　• 흑점의 개수가 가장 적은 시기: ＿＿＿＿＿＿＿＿

(2) **[문제 이해]** (나)와 (다)가 A, B 중 어느 시기에 해당하는지 쓰고, 태양 대기의 영역이 서로 다른 까닭을 태양 흑점의 개수와 관련지어 설명하시오.

Keyword 코로나, 크기, 흑점

---

(3) **[문제 해결]** 앞으로 다가올 태양 활동의 극대기를 흑점과 관련지어 설명하시오.

Keyword 흑점의 개수, 주기

02 지구와 달

지구는 태양 주변을, 달은 지구 주변을 공전한다. 태양과 지구, 달의 위치에 따라 어떤 일이 일어날까?

☐ **지구의 운동:** 지구가 기울어진 채 하루에 한 바퀴씩 도는 것을 지구의 (자전, 공전)이라고 한다.

☐ **달의 모양 관찰:** 오른쪽이 둥근 반달은 (상현달, 하현달)이고, 왼쪽이 둥근 반달은 (상현달, 하현달)이다.

1 지구의 자전과 겉보기 운동

지구의 자전으로 나타나는 현상

• 낮과 밤의 반복: 태양을 향하는 지역은 낮이 되고, 그 반대 지역은 밤이 된다.

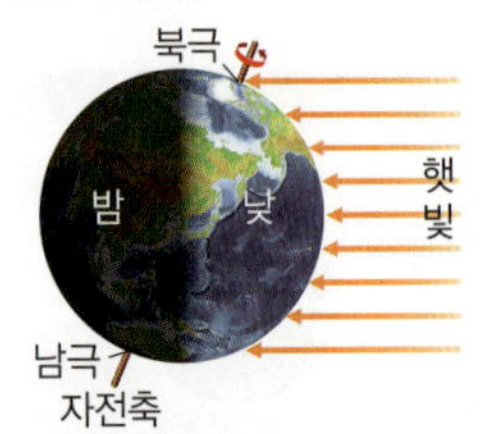

• 태양과 별의 일주 운동: 하루 동안 태양과 별은 동쪽에서 뜨고 서쪽으로 진다.

1. 지구의 자전 우주에서 지구의 북극을 내려다보면, 지구는 자전축을 중심으로 하루에 한 바퀴씩 시계 반대 방향으로 회전 운동한다. 즉, 우주에서 지구의 적도를 내려다보면 지구는 서쪽에서 동쪽으로 회전 운동한다.

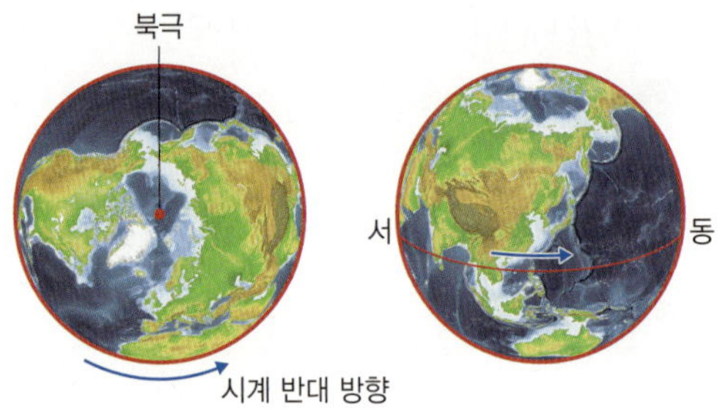

우주에서 북극(좌)과 적도(우)를 내려다 볼 때 지구 운동 방향

2. 지구의 자전에 의한 겉보기 운동과 별의 일주 운동

(1) **지구의 자전에 의한 겉보기 운동:** 지구에 있는 관측자는 지구의 자전을 느끼지 못하므로 태양, 달, 별 등이 지구의 자전 방향과 반대 방향으로 움직이는 것처럼 보인다. 과학 용어 사전 155쪽

(2) **별의 일주 운동**

북극성과 천구의 북극

북극성은 천구의 북극에 있는 별을 의미한다. 현재 북극성은 폴라리스로, 천구의 북극에서 1° 정도 떨어져 있다.

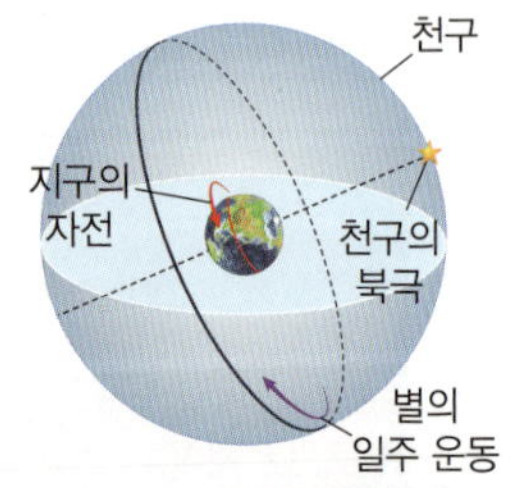

① 지구에서 밤하늘을 보면 별이 거대한 구면에 붙어 있는 것처럼 보이는데, 이러한 가상의 구를 천구라고 한다. 지구의 북극을 연장하여 천구와 만나는 지점을 천구의 북극이라고 한다. 과학 용어 사전 156쪽

② 지구는 시계 반대 방향으로 자전하므로, 천구에 붙어 있는 천체는 천구의 북극(북극성 근처)을 중심으로 시계 방향으로 회전하는 것처럼 보이는 겉보기 운동을 하는데, 이를 일주 운동이라 한다.

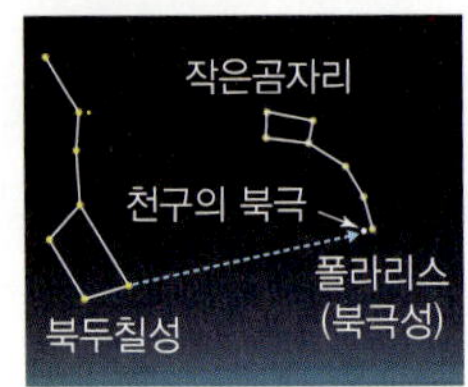

지구의 자전과 별의 일주 운동

③ 지구는 하루(24시간) 동안 지구의 자전축을 중심으로 한 바퀴(360°) 자전하므로, 별은 한 시간에 15°씩 일주 운동을 한다.

예 북두칠성은 천구의 북극을 중심으로 3시간에 45°씩 시계 반대 방향으로 회전한다.

북두칠성의 일주 운동

3. **관측 방향에 따른 별의 일주 운동** 우리나라(중위도)에서 별의 일주 운동을 관측하면 방향에 따라 그 모습이 다르게 나타난다.

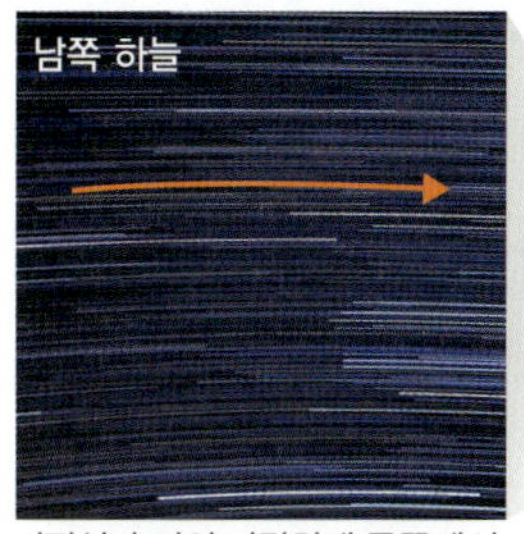

지평선과 거의 나란하게 동쪽에서 서쪽으로 이동한다.

지평선에서 오른쪽으로 비스듬히 떠오른다.

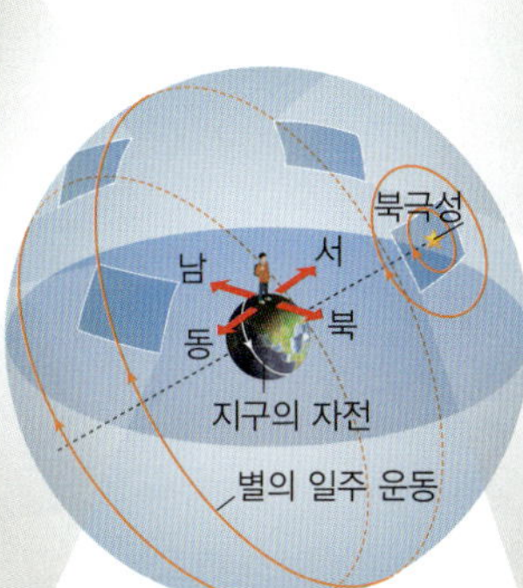

지평선에서 오른쪽으로 비스듬히 진다.

북쪽 하늘
북극성을 중심으로 시계 반대 방향으로 회전한다.

북반구 중위도 지방(우리나라)에서 관측 방향에 따른 별의 일주 운동

자료＋ 별의 일주 운동

북반구 중위도에 있는 관측자는 지구의 자전 방향(서쪽 → 동쪽)과 반대 방향인 동쪽에서 서쪽으로 별이 움직이는 겉보기 운동을 관측한다. 북쪽 하늘을 바라보았을 때 별은 시계 반대 방향으로 회전하고, 남쪽 하늘을 바라보았을 때 별은 시계 방향으로 회전한다.

북극성 주변의 별

대부분의 별은 지평선 위로 떠올랐다가 지평선 아래로 지는데, 북극성 주변의 별 중에는 지평선 아래로 지지 않는 것도 있다. 이러한 별을 주극성이라고 한다.

위도에 따른 별의 일주 운동

• 극지방: 별이 일주 운동하는 경로가 지평선과 나란하다.

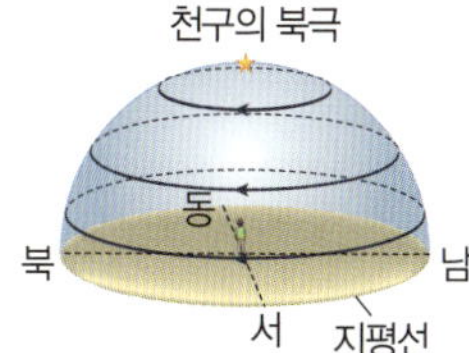

• 중위도 지방: 별이 일주 운동하는 경로가 지평선에 비스듬하게 경사져 있다.

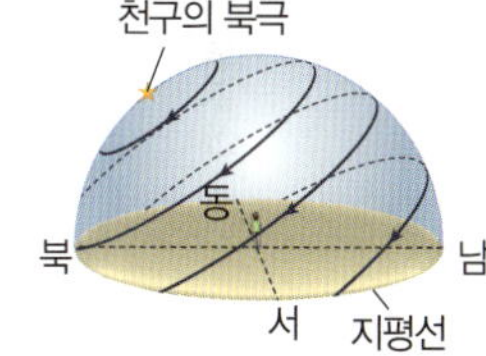

• 적도 지방: 별이 일주 운동하는 경로가 지평선에 수직이다.

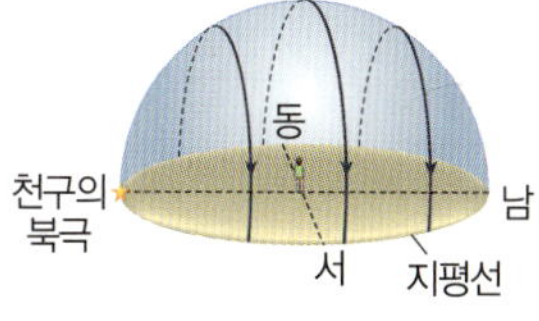

Check 이전에 배웠어요

☐ 자전
☐ 상현달, 하현달

정답과 해설 086쪽

개념 빌드업

1. **핵심개념** 지구의 자전으로 나타나는 별의 겉보기 운동을 별의 ________ 운동이라고 한다.

2. 별을 비롯한 천체는 천구의 북극을 중심으로 하루에 한 바퀴씩 (시계, 시계 반대) 방향으로 움직이는 것처럼 보인다.

3. 별은 천구의 북극을 중심으로 한 시간에 ________°씩 회전한다.

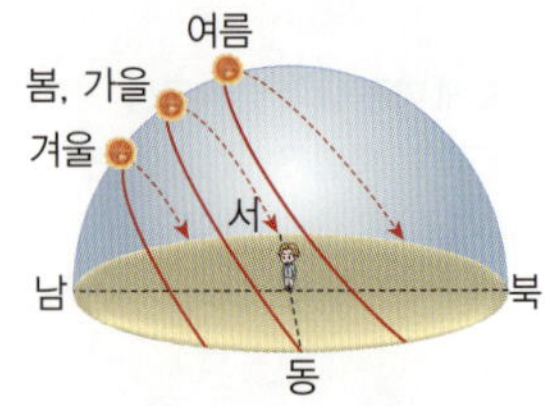

· 태양과 별의 연주 운동
· 계절에 따른 별자리 변화

1. 지구의 공전 우주에서 지구의 북극을 내려다보면, 지구는 태양을 중심으로 일 년에 한 바퀴씩 시계 반대 방향으로 회전 운동한다.

2. 지구의 공전에 의한 연주 운동과 별자리 변화

(1) **태양의 연주 운동**: 지구에 있는 관측자는 지구의 자전과 같이 공전도 느낄 수 없다. 따라서 지구에서 볼 때 태양은 별자리 사이를 이동하는 것처럼 보이는 겉보기 운동을 하는데, 이를 연주 운동이라 한다. 과학 용어 사전 155쪽

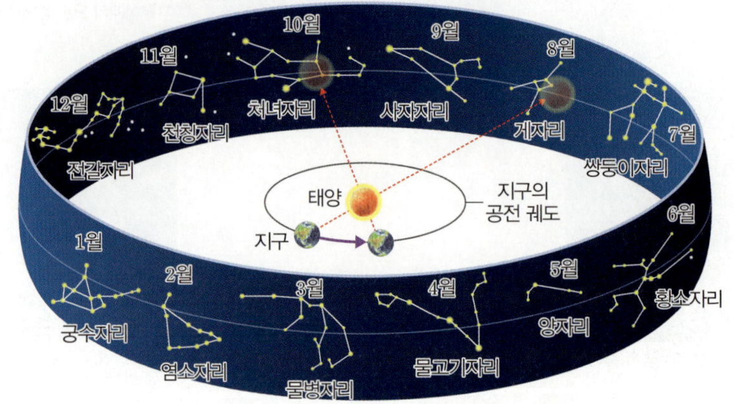

태양의 연주 운동 지구에 있는 관측자는 태양이 천구의 별자리 중 게자리에 있는 것처럼 보인다. 이후 두 달 동안 태양은 게자리에서 사자자리를 거쳐 처녀자리로 이동하는 것처럼 보인다.

① 지구는 일 년(365일) 동안 태양을 중심으로 한 바퀴(360°) 공전하므로 태양은 하루에 약 1°씩 별자리 사이를 이동한다.

② 지구는 태양을 중심으로 시계 반대 방향으로 공전하므로, 태양은 천구에서 시계 반대 방향(서쪽 → 동쪽)으로 이동한다.

③ 태양이 연주 운동을 하며 천구에서 별자리 사이를 이동하는 길을 황도라 하고, 황도에 있는 12개의 별자리를 황도 12궁이라고 한다. 과학 용어 사전 156쪽

↳ 매월 태양은 황도 12궁의 별자리를 하나씩 지나간다.

(2) **별의 연주 운동**: 매일 같은 시각에 별자리를 관측하면 별자리의 위치가 하루에 약 1°씩 동쪽에서 서쪽으로 이동한다. 시각은 태양 기준이므로, 천구의 별자리는 지구 공전 방향과 반대인 시계 방향으로 이동하는 것처럼 보이는 연주 운동을 한다.

생일에 탄생 별자리를 볼 수 없다고?
생일날 태양은 천구에서 탄생 별자리 부근에 있다. 하지만, 지구에서 태양이 있는 쪽의 별자리는 볼 수 없으므로, 탄생 별자리는 생일날 볼 수 없다. 탄생 별자리는 생일로부터 6개월이 지난 뒤 한밤중 남쪽 하늘에서 잘 볼 수 있다.

2025년 9월 1일   2025년 9월 16일   2025년 10월 1일

15일 간격으로 같은 시각에 관측한 별자리

천체 관측 프로그램을 활용하여 2025년 9월 1일부터 10월 1일까지 하루 간격으로 태양과 태양 부근의 별자리 변화를 관찰한다.

① 2025년 9월 1일 태양의 위치를 관측한다. ⟶ 태양은 사자자리 근처에 있다.

② 태양은 별자리를 기준으로 하루에 약 1°씩 서쪽에서 동쪽으로 이동한다. ⟶ 태양의 연주 운동

태양과 별의 연주 운동 관계

태양과 별의 연주 운동은 지구의 공전 때문에 나타나는 겉보기 운동이다. 태양의 연주 운동과 별의 연주 운동은 서로 다른 현상이 아니라, 별자리와 태양 중 무엇을 기준으로 하느냐에 따라 이동하는 대상이 다르게 보이는 것이다.

지구 관측자 시점	우주 관측자 시점
	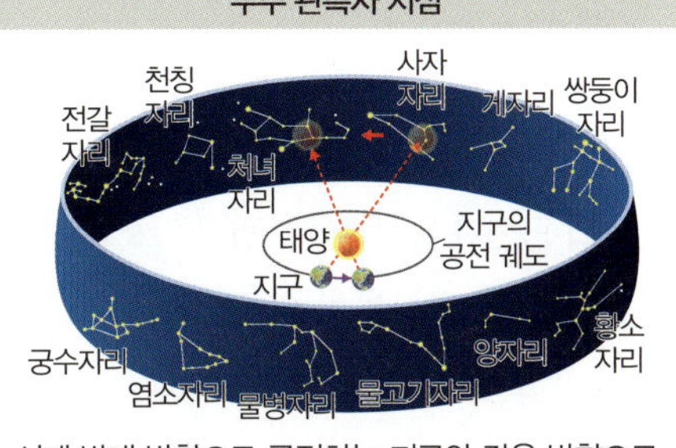

시계 반대 방향으로 공전하는 지구와 같은 방향으로 태양이 이동하는 것처럼 보인다.

③ 별자리는 태양을 기준으로 하루에 약 1°씩 동쪽에서 서쪽으로 이동한다. ⟶ 별의 연주 운동

북두칠성의 연주 운동

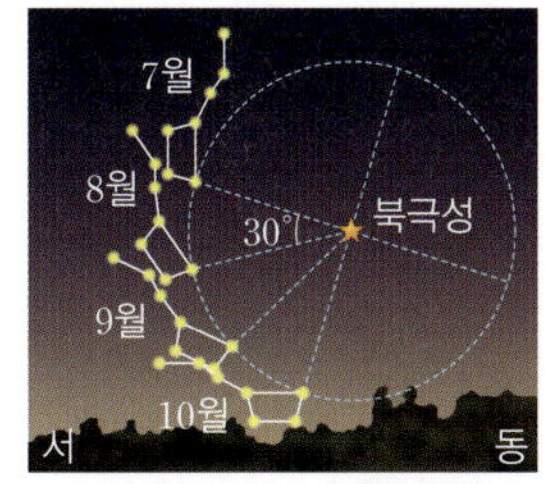

지구 관측자 시점	우주 관측자 시점

시계 반대 방향으로 공전하는 지구와 반대 방향으로 별자리가 이동하는 것처럼 보인다.

북두칠성을 1개월 간격으로 같은 시각에 관측하면, 북극성을 중심으로 약 30°씩 시계 반대 방향으로 회전한다. 계절은 3개월마다 바뀌므로, 계절에 따라 북두칠성의 위치는 약 90°씩 시계 반대 방향으로 변한다.

(3) 계절에 따른 별자리의 변화: 태양이 있는 쪽의 별자리는 관측하기 어렵고, 태양의 반대쪽에 있는 별자리는 한밤중에 남쪽 하늘에서 잘 보인다. 지구의 공전으로 태양이 보이는 위치가 달라지면서 계절에 따라 밤하늘에 보이는 별자리도 달라진다.

구분	3월(봄)	6월(여름)	9월(가을)	12월(겨울)
태양 쪽 별자리	물병자리	황소자리	사자자리	전갈자리
한밤중 남쪽 하늘의 별자리	사자자리	전갈자리	물병자리	황소자리

정답과 해설 086쪽

1. **핵심개념** 태양은 별자리를 배경으로 __________ 쪽에서 __________ 쪽으로 하루에 약 1°씩 이동하는 것처럼 보이는 연주 운동을 한다.

2. 천구에서 태양이 지나는 길을 __________(이)라 하고, 이 길에 있는 12개의 별자리를 __________(이)라고 한다.

3. 계절에 따라 보이는 별자리가 달라지는 까닭은 지구의 __________ 때문이다.

③ 달의 위상 변화

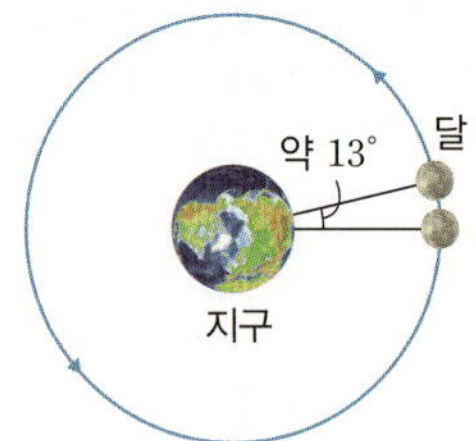

달은 지구 주변을 약 27.3일에 한 바퀴씩, 지구 자전과 같은 방향인 시계 반대 방향으로 공전한다. 지구가 한 바퀴 자전하는 동안 달은 약 13°만큼 지구 주변을 공전하므로, 지구에 있는 관측자는 달이 매일 서쪽에서 동쪽으로 약 13°씩 이동하는 것처럼 보인다.

1. 달의 공전과 모양 변화 매일 같은 시각에 달을 관측하면, 달은 하루에 약 13°씩 서쪽에서 동쪽으로 이동하면서 모양이 달라진다.

$$\frac{360°}{27.3일} ≒ 13°/일$$

해가 진 직후 달의 위치와 모양

2. 달의 위상 변화  탐구 120쪽

(1) 달의 공전과 위상 변화: 달은 스스로 빛을 내지 못하지만, 태양을 향하는 달의 절반은 햇빛을 반사하여 밝게 보인다. 달은 지구 주변을 약 한 달에 한 바퀴씩 시계 반대 방향으로 공전하는데, 이때 태양, 지구, 달의 상대적인 위치가 달라진다. 따라서 지구에서 보이는 달의 모양도 달라지는데, 이를 달의 위상 변화라고 한다.

(2) 달의 위상 변화: 달의 위상은 삭 → 초승달 → 상현달 → 망(보름달) → 하현달 → 그믐달 → 삭의 순서로 변한다. 과학 용어 사전 156쪽

> 달의 왼쪽 일부분이 밝게 보일 때
> 달의 오른쪽 일부분이 밝게 보일 때

① 삭: 달이 태양과 같은 방향에 위치하여 달이 보이지 않을 때 음력 1일

② 상현: 달이 삭과 망 사이에 위치하여 오른쪽이 둥근 반달(상현달)로 보일 때

③ 망: 달이 태양과 반대 방향에 위치하여 보름달로 보일 때 음력 15일

④ 하현: 달이 망과 삭 사이에 위치하여 왼쪽이 둥근 반달(하현달)로 보일 때

알면 보이는 과학

추석과 설날에는 무슨 달을 볼 수 있을까?

추석의 순우리말인 '한가위'는 크다는 뜻의 '한'과 가운데라는 뜻의 '가위'가 합쳐진 것으로, '8월의 가운데에 있는 큰 날'을 의미한다. 즉, 추석은 음력 8월 15일로 보름달을 볼 수 있다. 설날은 새해의 첫날로 음력 1월 1일이다. 이때는 삭이므로 달을 볼 수 없다.

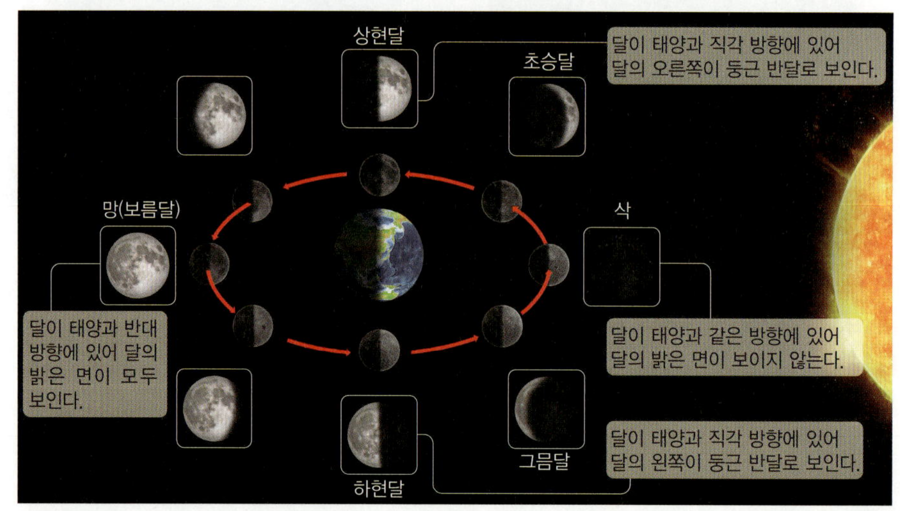

달의 위상 변화

정답과 해설 086쪽

1. 핵심개념 달의 위상은 삭 → ________ → ________ → 망(보름달) → ________ → ________ → 삭의 순서로 변한다.

2. 달은 지구의 자전과 (같은, 반대) 방향으로 공전하며, 이때 달의 위상이 달라진다.

④ 일식과 월식

1. 일식 달이 태양 앞으로 지나면서 태양의 일부 또는 전체를 가리는 현상으로, 지구에서 달의 그림자가 생기는 지역에서만 볼 수 있다. 과학 용어 사전 157쪽

(1) 일식이 일어날 때 달의 위치: 태양, 달, 지구의 순서로 일직선을 이룰 때 일어나며, 이때 달의 위상은 삭이다. 탐구 121쪽

(2) 일식의 종류

　① 개기일식: 달이 태양을 완전히 가리는 현상으로, 태양 빛이 달에 의해 모두 차단되는 지역에서 볼 수 있다. 이때 태양의 대기인 코로나와 채층 등을 관측할 수 있다.

　② 부분일식: 달이 태양의 일부만 가리는 현상으로, 태양 빛의 일부가 달에 의해 차단되는 지역에서 볼 수 있다.

2. 월식 달이 지구의 그림자로 들어가 달의 일부 또는 전체가 가려지는 현상으로, 지구에서 달이 보이는 모든 지역에서 볼 수 있다. 과학 용어 사전 157쪽

(1) 월식이 일어날 때 달의 위치: 태양, 지구, 달의 순서로 일직선을 이룰 때 일어나며, 이때 달의 위상은 망(보름달)이다. 탐구 121쪽

(2) 월식의 종류

　① 개기월식: 달이 지구의 그림자로 완전히 들어가 달 전체가 어두워지면서 붉게 보이는 현상이다.

　② 부분월식: 달이 지구의 그림자로 들어가면서 달의 일부가 어두워지는 현상이다.

개기월식 때 달이 붉게 보이는 까닭
달이 지구의 그림자로 완전히 들어가도 지구의 대기에서 굴절된 태양 빛 중 붉은색 빛이 달에 반사되기 때문이다.

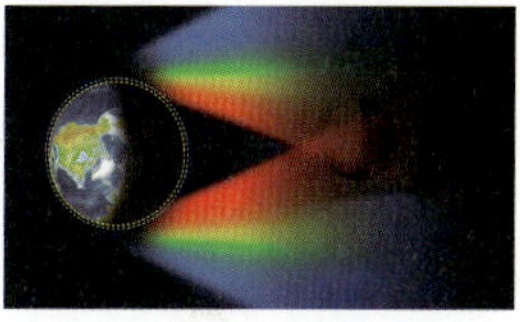

일식과 월식의 진행(북반구 기준)
- 달이 태양의 오른쪽부터 가리면서 일식이 시작되고, 일식이 끝날 때는 태양의 오른쪽부터 나타난다.
- 달의 왼쪽부터 지구의 그림자 속으로 들어가면서 월식이 시작되고, 월식이 끝날 때는 달의 왼쪽부터 나타난다.

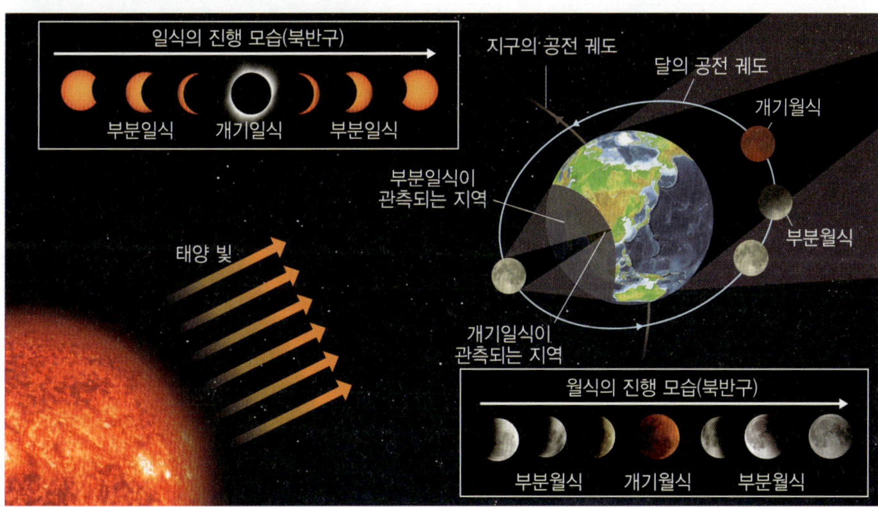

일식과 월식의 진행

정답과 해설 086쪽

개념 빌드업

1. **핵심개념** 달이 지구의 그림자로 들어가 달이 가려지는 현상을 (일식, 월식)이라 한다.

2. 태양, 달, 지구의 순서로 일직선을 이룰 때 (일식, 월식)이 일어날 수 있다.

탐구

달의 위상 변화 관찰하기

목표 | 달의 위상 변화가 일어나는 원리를 설명할 수 있다.

과정

❶ 한 사람은 막대에 꽂은 스타이로폼 공을, 다른 한 사람은 적당히 떨어진 지점에서 카메라를 들고 선다.

❷ 한쪽에 전등을 켠 뒤, 교실을 어둡게 한다.

❸ 스타이로폼 공을 든 사람은 원을 그리며 카메라를 든 사람 주변을 시계 반대 방향으로 천천히 돈다.

❹ 카메라를 든 사람은 제자리에서 공을 향해 돌면서 공의 모습을 촬영한다.

유의점 ✔ 전등 빛을 직접 보지 않도록 주의한다.

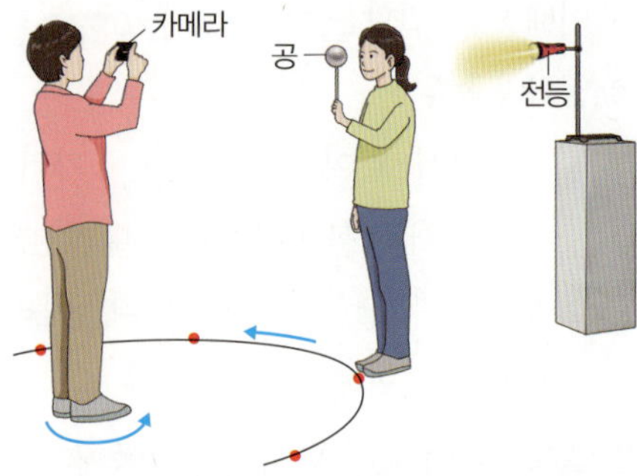

결과 및 정리

1. 카메라를 든 사람은 지구의 관찰자, 스타이로폼 공은 달, 전등은 태양에 비유할 수 있다.

   → 달의 공전으로 태양, 지구, 달의 상대적인 위치가 변한다.

2. 스타이로폼 공은 전등을 향하는 절반은 밝지만, 스타이로폼 공을 촬영한 사진은 공의 위치에 따라 밝게 보이는 부분이 달라진다.

   → 달은 태양을 향하는 절반은 항상 밝으나, 지구에 있는 관찰자는 달의 위치에 따라 달이 보이는 면적이 달라진다.

Tip

카메라의 렌즈와 스타이로폼 공이 일직선이 되도록 하면 보이는 면적의 변화를 더 선명하게 볼 수 있다.

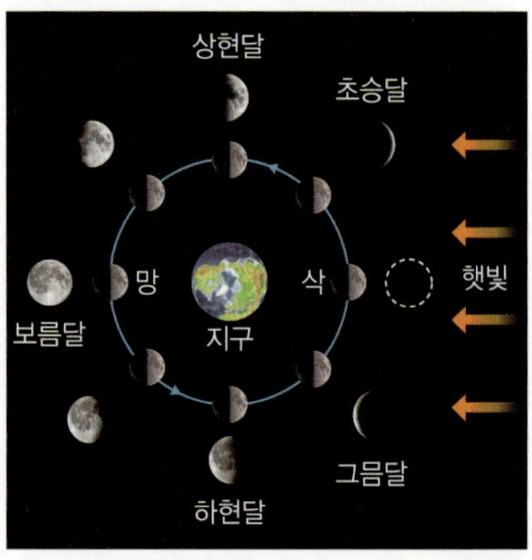

탐구 확인 문제

정답과 해설 086쪽

1 위 탐구에 대한 설명으로 옳은 것은 ○, 옳지 <u>않은</u> 것은 ×로 표시하시오.

(1) 스타이로폼 공은 달, 전등은 태양을 비유한 것이다.
    ·· (　)

(2) 스타이로폼 공은 전등의 빛을 반사하여 전등을 향하는 부분이 밝게 보인다. ························· (　)

(3) 스타이로폼 공이 전등의 반대 방향에 있을 때는 공의 밝은 부분을 볼 수 없다. ······················· (　)

(4) 스타이로폼 공의 왼쪽 반원이 밝게 보일 때는 상현을 의미한다. ··· (　)

2 _{적용} 그림은 달의 공전 궤도를 나타낸 것이다. A~H 중 달의 밝은 면이 가장 적게 보일 때와 가장 많이 보일 때 달이 위치하는 곳을 각각 쓰시오.

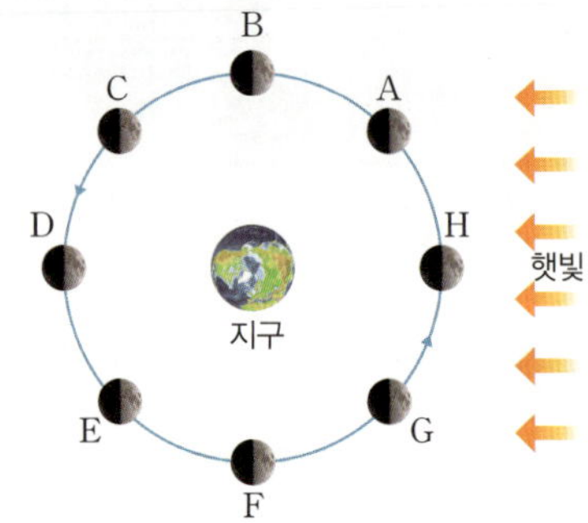

탐구 일식과 월식의 원리 알아보기

목표 | 모형실험으로 일식과 월식이 일어나는 원리를 알 수 있다.

과정

❶ 큰 스타이로폼 공과 작은 스타이로폼 공을 ㄷ자 모양의 철사로 고정하고, 큰 스타이로폼 공은 압정으로 받침대에 고정한다.

❷ 어두운 방 안에서 손전등을 켠 뒤, 손전등을 기준으로 작은 스타이로폼 공이 큰 스타이로폼의 왼쪽 직각 방향에 오도록 놓는다.

❸ 큰 스타이로폼 공을 중심으로 작은 스타이로폼 공을 시계 반대 방향으로 회전시킨다. 이때 큰 스타이로폼 공의 표면에 나타나는 작은 스타이로폼 공의 그림자를 관찰한다.

❹ 손전등을 기준으로 작은 스타이로폼 공이 큰 스타이로폼 공의 오른쪽 직각 방향에 오도록 놓는다.

❺ 큰 스타이로폼 공을 중심으로 작은 스타이로폼 공을 시계 반대 방향으로 회전시킨다. 이때 작은 스타이로폼 공이 큰 스타이로폼 공의 그림자에 가려지는 현상을 관찰한다.

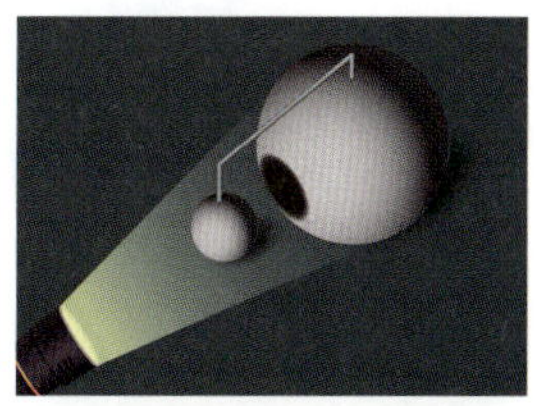

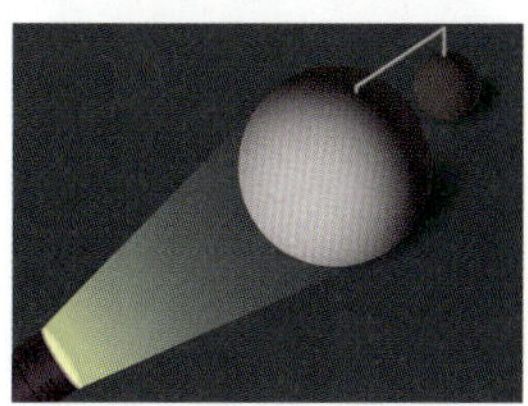

유의점 ✔ 손전등의 빛을 직접 보지 않도록 주의한다.
압정을 사용할 때에는 면장갑을 끼고 다치지 않게 주의한다.

결과 및 정리

1. 이 실험에서 손전등은 태양, 큰 스타이로폼 공은 지구, 작은 스타이로폼 공은 달에 비유할 수 있다.

2. 손전등–작은 스타이로폼 공–큰 스타이로폼 공 순서로 일직선을 이룰 때, 작은 스타이로폼 공이 손전등 빛을 가려 큰 스타이로폼 공에 그림자가 생긴다. → 태양–달–지구의 순서로 일직선을 이루어 달이 태양을 가리는 일식에 해당한다.

3. 손전등–큰 스타이로폼 공–작은 스타이로폼 공 순서로 일직선을 이룰 때, 작은 스타이로폼 공이 큰 스타이로폼 공의 그림자에 가려진다. → 태양–지구–달의 순서로 일직선을 이루어 달이 지구 그림자에 의해 가려지는 월식에 해당한다.

4. 작은 스타이로폼 공이 손전등 빛을 가릴 때는 오른쪽부터 가리며, 작은 스타이로폼 공이 큰 스타이로폼 공의 그림자에 가려질 때는 왼쪽부터 가려진다.
→ 일식은 달이 태양의 오른쪽부터 가리면서 시작되고, 월식은 달이 왼쪽부터 지구의 그림자 속으로 들어가면서 시작된다.

탐구 확인 문제

정답과 해설 086쪽

1 위 탐구에 대한 설명으로 옳은 것은 ○, 옳지 <u>않은</u> 것은 ×로 표시하시오.

⑴ 큰 스타이로폼 공은 지구, 작은 스타이로폼 공은 달을 비유한 것이다. ……………………………… (　　)

⑵ 작은 스타이로폼 공이 큰 스타이로폼 공의 그림자에 가려질 때 일식과 같은 현상이 일어난다. …… (　　)

⑶ 손전등–큰 스타이로폼 공–작은 스타이로폼 공 순서로 일직선을 이룰 때 월식과 같은 현상이 일어난다. ………………………………………………… (　　)

⑷ 작은 스타이로폼 공이 큰 스타이로폼 공의 그림자에 가려질 때, 오른쪽부터 가려진다. …………… (　　)

2 적용 그림은 작은 스타이로폼 공을 시계 반대 방향으로 회전시켜 손전등–작은 스타이로폼 공–큰 스타이로폼 공 순서로 일직선이 된 모습을 나타낸 것이다. 이를 바탕으로 일식이 진행될 때 태양의 어느 쪽부터 가려지는지 쓰시오.

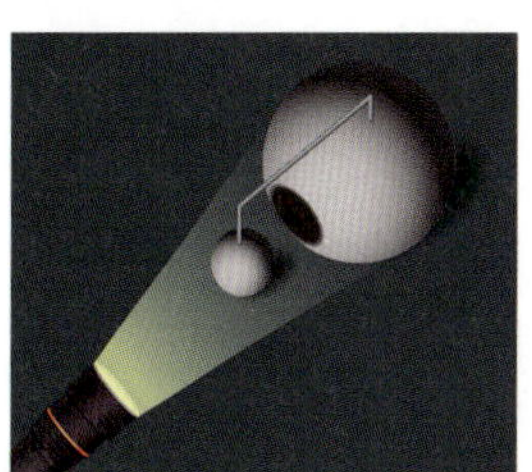

일식과 월식

일식은 달의 그림자, 월식은 지구의 그림자 때문에 나타나는 현상이다. 어두운 그림자와 약간 어두운 그림자가 생기는 까닭을 알아보고, 일식과 월식에 적용하여 좀 더 깊이 있게 공부해 보자.

1 본그림자와 반그림자가 나타나는 까닭

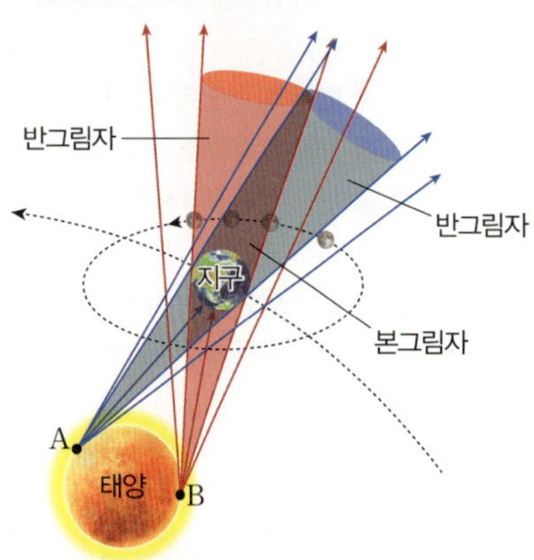

지구의 그림자는 태양의 양 끝점 A와 B에서 각각 출발하는 빛이 지구에 가려져 생긴다. 점 A에서 출발하는 빛(파란색 화살표)이 만든 그림자와 점 B에서 출발하는 빛(붉은색 화살표)이 만든 그림자가 겹치는 곳에서는 태양 빛이 모두 차단되는데, 이를 본그림자라고 한다.

한편, 점 A와 B 중에서 한 점에서 출발한 빛은 차단되고, 다른 한 점에서 출발한 빛은 차단되지 않으면 약간 어두운 그림자가 생기는데, 이를 반그림자라고 한다.

2 달이 지구의 반그림자에 있을 때, 보름달로 보이는 까닭

일식이 일어날 때, 달의 반그림자가 생기는 지역에서는 부분일식을 볼 수 있다. 그러나 달이 지구의 반그림자를 지날 때는 부분월식을 볼 수 없는데, 이때를 반영식이라 한다. 달은 지구의 반그림자에 있더라도 태양 빛의 일부를 반사할 수 있으므로 달의 밝기가 약간 어두워질뿐, 달의 모양은 거의 그대로이다. 달이 본그림자에 일부 들어갔을 때 부분월식을 볼 수 있다.

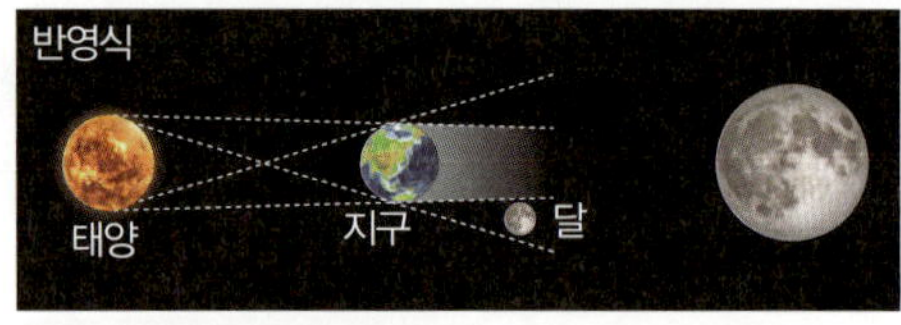

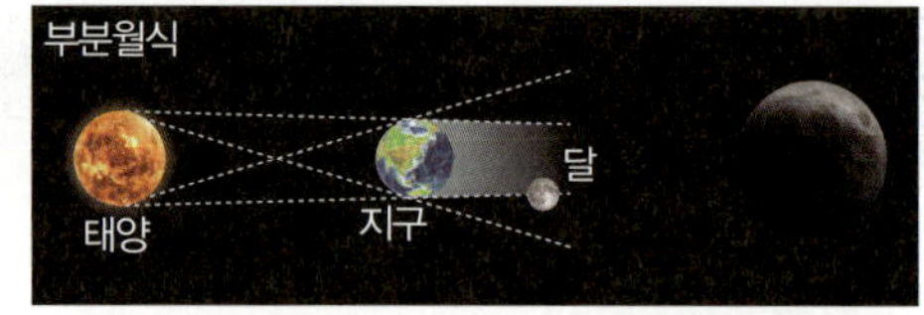

3 일식과 월식이 매달 일어나지 않는 까닭

일식과 월식은 매달 일어나지 않는다. 그 까닭은 지구가 태양 주변을 공전하는 면과 달이 지구 주변을 공전하는 면이 5° 정도 경사져 있기 때문이다. 삭이더라도 달의 그림자가 지구에 닿지 않으면 일식이 생기지 않는다. 또한, 망이더라도 달이 지구의 그림자로 들어가지 않으면 월식이 생기지 않는다.

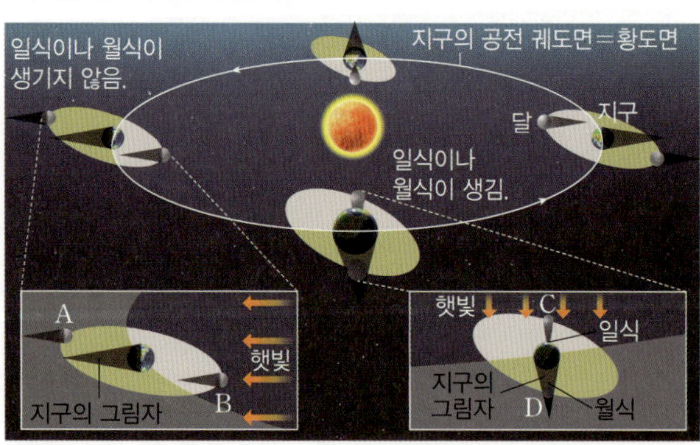

비주얼 Visual 핵|심|정|리

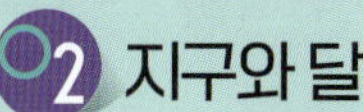

1 지구의 자전과 겉보기 운동

① 지구의 자전 방향: 시계 반대 방향(서쪽 → 동쪽)
② 별의 일주 운동: 천구의 북극(북극성 근처)을 중심으로 시계 방향으로 회전

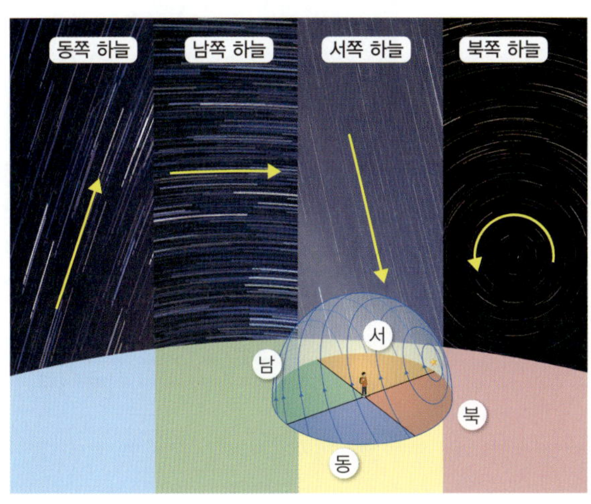

2 지구의 공전과 별자리 변화

① 지구의 공전 방향: 시계 반대 방향(서쪽 → 동쪽)
② 태양의 연주 운동: 별자리를 기준으로 시계 반대 방향
③ 별의 연주 운동: 태양을 기준으로 시계 방향

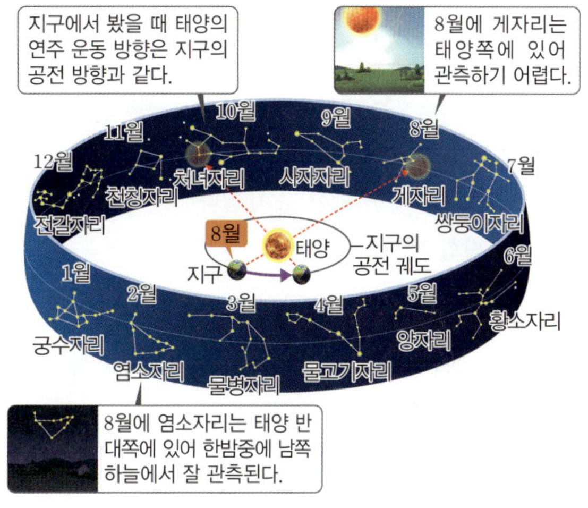

3 달의 위상 변화

① 달의 공전: 달은 매일 약 13°씩 지구 주변을 시계 반대 방향(서쪽 → 동쪽)으로 공전 ⤻ 태양, 지구, 달의 상대적인 위치 변화로 달의 모양인 위상도 변화
② 달의 위상 변화

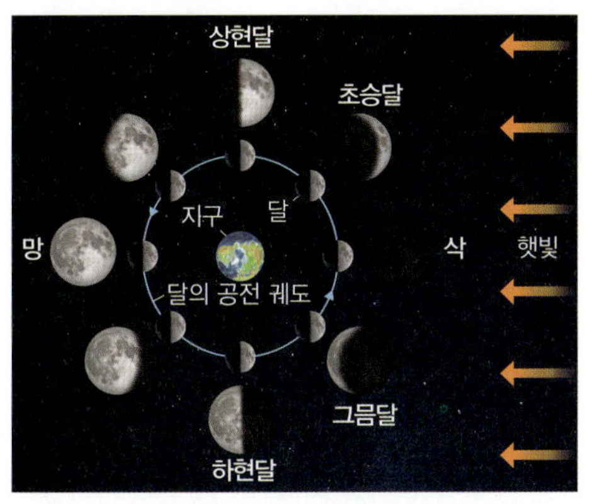

4 일식과 월식

① 일식: 달이 태양의 일부 또는 전체를 가리는 현상
- 태양, 달, 지구의 순서로 일직선상에 위치 ⤻ 삭
- 일식의 종류: 개기일식, 부분일식
- 개기일식 때 태양의 대기인 코로나, 채층 관측 가능
② 월식: 달이 지구의 그림자 속으로 들어가 가려지는 현상
- 태양, 지구, 달의 순서로 일직선상에 위치 ⤻ 망
- 월식의 종류: 개기월식, 부분월식
- 개기월식 때 달은 완전히 가려지는 것이 아닌 검붉은색으로 보임.

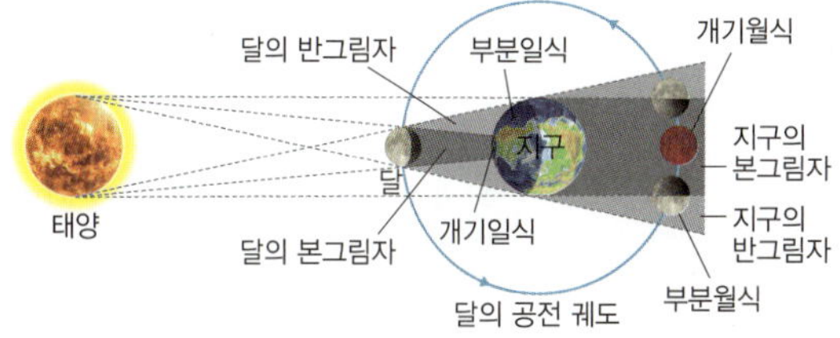

01 지구의 자전과 일주 운동에 대한 설명으로 옳지 <u>않은</u> 것은?

① 우리나라 북쪽 하늘의 별은 시계 방향으로 회전한다.

② 별은 천구의 북극을 중심으로 하루에 한 바퀴씩 회전한다.

③ 천구의 별은 지구의 자전과 반대 방향으로 일주 운동을 한다.

④ 지구 관측자는 별이 동쪽에서 떠서 서쪽으로 지는 것처럼 보인다.

⑤ 우주에서 지구의 북극을 내려다보면, 지구는 시계 반대 방향으로 자전한다.

02 그림은 우리나라에서 관측한 별이 A를 중심으로 일주 운동하는 모습을 나타낸 것이다.

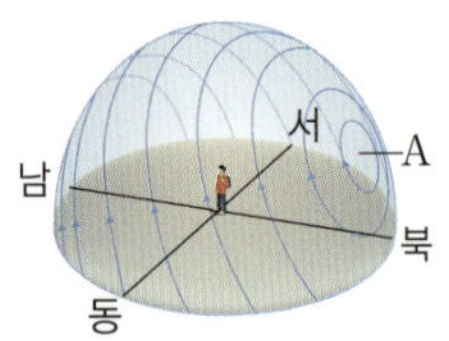

이에 대한 설명으로 옳은 것을 보기에서 모두 고른 것은?

보기

ㄱ. A에 있는 별은 북극성이다.

ㄴ. 지구의 자전 때문에 나타나는 현상이다.

ㄷ. 천구의 별은 시계 방향으로 하루에 한 바퀴씩 실제 회전한다.

① ㄱ　　　　② ㄴ　　　　③ ㄷ

④ ㄱ, ㄴ　　　⑤ ㄴ, ㄷ

03 그림 (가)와 (나)는 우리나라의 어느 쪽 하늘에서 관측한 별의 일주 운동 모습인지 각각 쓰시오.

(가)　　　　　　　　　(나)

04 그림은 우리나라에서 관측한 북두칠성의 일주 운동을 나타낸 것이다.

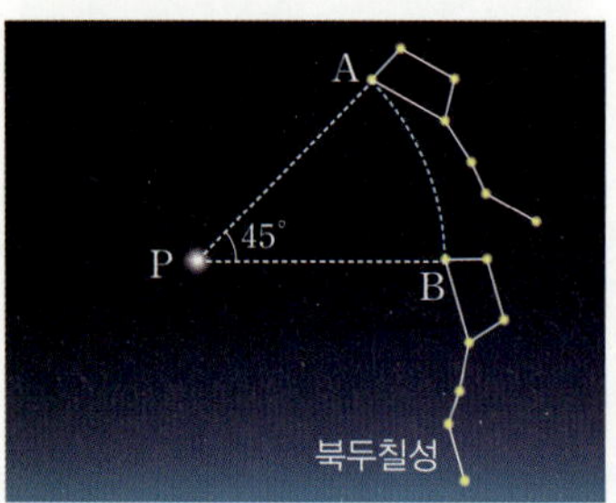

이에 대한 설명으로 옳은 것을 보기에서 모두 고른 것은?

보기

ㄱ. P에 있는 별은 북극성이다.

ㄴ. 북두칠성은 A에서 B로 이동한다.

ㄷ. A와 B를 관측한 시각은 3시간 차이가 난다.

① ㄱ　　　　② ㄴ　　　　③ ㄷ

④ ㄱ, ㄴ　　　⑤ ㄱ, ㄷ

[중요]
05 그림은 지구의 자전과 천구를 나타낸 것이다.

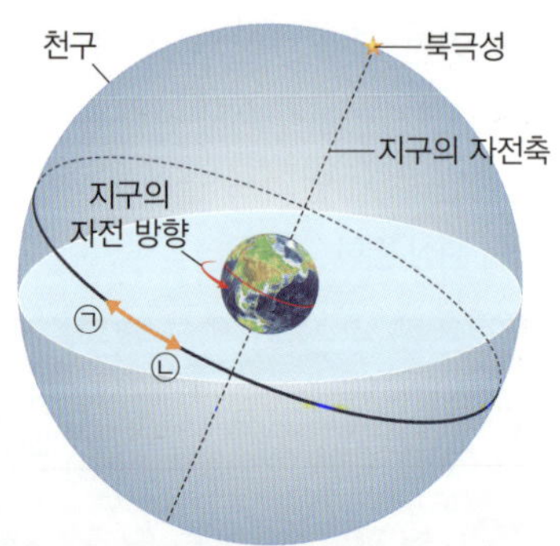

이에 대한 설명으로 옳은 것을 보기에서 모두 고른 것은?

보기

ㄱ. 별의 일주 운동 방향은 ㉡이다.

ㄴ. 지구의 자전은 겉보기 운동이다.

ㄷ. 지구 관측자는 지구의 자전을 느끼지 못한다.

① ㄱ　　　　② ㄴ　　　　③ ㄷ

④ ㄱ, ㄷ　　　⑤ ㄴ, ㄷ

06 태양의 연주 운동에 대한 설명으로 옳지 <u>않은</u> 것은?

① 지구는 시계 반대 방향으로 공전한다.

② 지구의 공전으로 나타나는 겉보기 운동이다.

③ 태양의 반대편에 있는 별자리는 한밤중에 잘 관측할 수 있다.

④ 태양의 연주 운동 방향은 지구의 공전 방향과 반대 방향이다.

⑤ 태양의 연주 운동으로 계절에 따라 잘 관측되는 별자리가 달라진다.

[07~08] 그림은 지구의 공전과 별자리 변화를, A~D는 3개월 간격으로 지구의 위치를 나타낸 것이다.

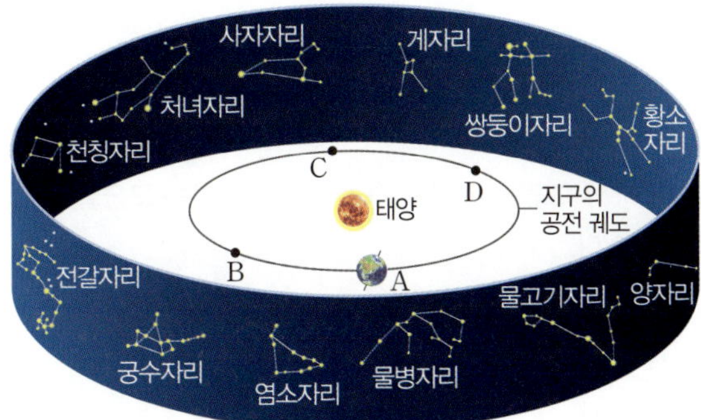

중요

07 지구가 A에 위치할 때에 대한 설명으로 옳은 것을 보기에서 모두 고른 것은?

보기

ㄱ. 태양은 사자자리 쪽에 있다.

ㄴ. 한밤중 동쪽 하늘에서 물병자리를 관측할 수 있다.

ㄷ. A로부터 3개월 뒤 지구는 B에 위치한다.

① ㄱ 　② ㄴ 　③ ㄷ

④ ㄱ, ㄷ 　⑤ ㄴ, ㄷ

08 현재 지구가 A에 위치할 때, 3개월 뒤 태양이 위치하는 별자리를 쓰시오.

중요

09 그림 (가)~(다)는 해가 진 직후 서쪽 하늘의 별자리를 약 15일 간격으로 관측한 것을 순서 없이 나타낸 것이다.

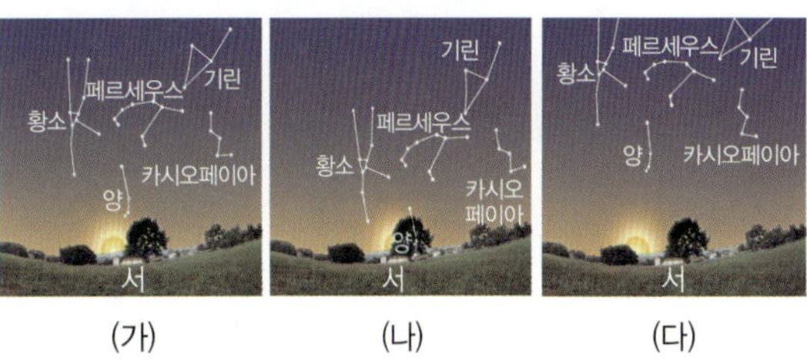

이에 대한 설명으로 옳은 것을 보기에서 모두 고른 것은?

보기

ㄱ. 관측한 순서는 (나) → (가) → (다)이다.

ㄴ. 태양은 별자리를 배경으로 서쪽에서 동쪽으로 움직인다.

ㄷ. 하루 동안 태양은 별자리를 배경으로 약 1°씩 움직인다.

① ㄱ 　② ㄴ 　③ ㄷ

④ ㄱ, ㄴ 　⑤ ㄴ, ㄷ

10 그림은 자정 무렵 계절에 따른 북두칠성의 위치를 나타낸 것이다.

A~C의 계절을 옳게 짝 지은 것은?

	A	B	C
①	봄	여름	가을
②	봄	가을	여름
③	가을	봄	여름
④	여름	봄	가을
⑤	여름	가을	봄

11 달의 공전과 모양에 대한 설명으로 옳지 <u>않은</u> 것은?

① 달은 하루에 약 13°씩 공전한다.

② 달은 햇빛을 반사하여 밝게 보인다.

③ 지구에서 보이는 달의 모양을 달의 위상이라고 한다.

④ 달의 공전 방향과 지구의 자전 방향은 서로 반대이다.

⑤ 달이 공전하면서 태양, 지구, 달의 상대적인 위치가 달라져 지구에서 보이는 달의 모양이 변한다.

[중요]
12 그림은 해가 진 직후 관측한 달의 위치와 모양 변화를 나타낸 것이다.

이에 대한 설명으로 옳은 것을 모두 고르면? (정답 2개)

① 달은 매일 같은 시각에 뜬다.

② 달의 자전으로 나타나는 현상이다.

③ 초승달은 음력 2일경 서쪽 하늘에서 볼 수 있다.

④ 해가 진 직후 남쪽 하늘에 있는 달은 하현달이다.

⑤ 하루 동안 가장 오랜 시간 볼 수 있는 달은 보름달이다.

13 다음은 달의 위상 변화에 대한 설명이다.

- A: 달이 태양과 같은 방향에 위치하여 보이지 않을 때
- B: 달이 태양과 반대 방향에 위치하여 보름달로 보일 때
- C: 달이 태양과 직각 방향을 이루어 오른쪽이 둥근 반달로 보일 때

A~C와 달의 위상을 옳게 짝 지은 것은?

	A	B	C
①	삭	망	상현
②	삭	망	하현
③	망	삭	상현
④	망	삭	하현
⑤	상현	하현	삭

14 그림 (가)~(다)는 달의 위상 변화를 순서 없이 나타낸 것이다.

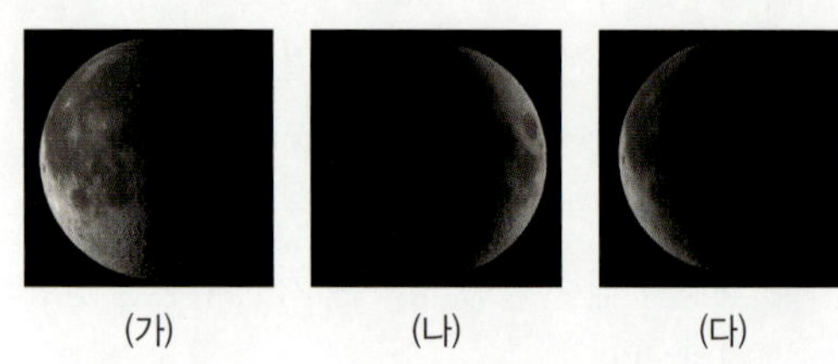

(가)   (나)   (다)

이에 대한 설명으로 옳은 것을 보기에서 모두 고른 것은?

보기
ㄱ. (가)는 달이 태양과 직각 방향에 있다.
ㄴ. (나)의 위상은 그믐달이다.
ㄷ. 달의 위상은 (다) → (가) → (나) 순으로 변한다.

① ㄱ   ② ㄴ   ③ ㄷ

④ ㄱ, ㄴ   ⑤ ㄴ, ㄷ

[15~16] 그림은 달이 지구 주변을 공전하는 모습을 나타낸 것이다.

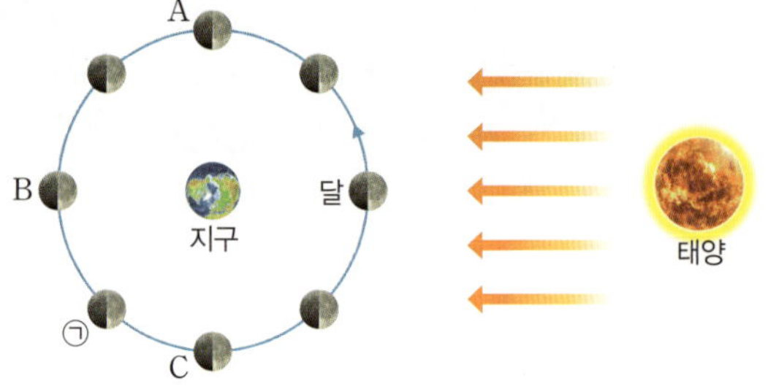

[중요]
15 달이 ㄱ에 위치할 때, 달의 위상으로 옳은 것은?

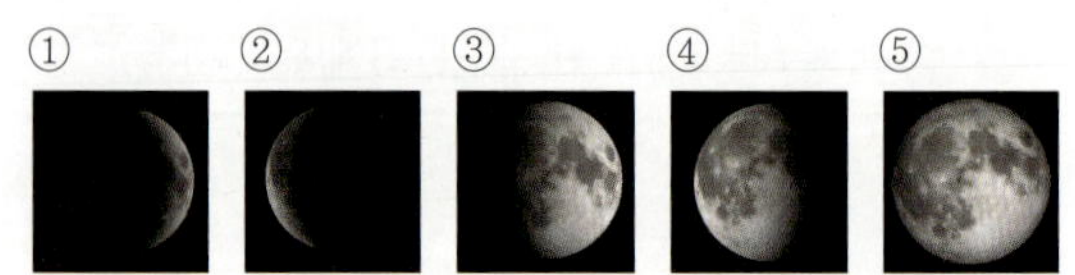

16 한밤중 남쪽 하늘에 보이는 달의 위치를 A~C 중 고르고, 이때 달의 위상을 쓰시오.

17 일식에 대한 설명으로 옳지 <u>않은</u> 것은?

① 달이 태양을 가리는 현상이다.

② 달이 삭에 위치할 때 일어날 수 있다.

③ 일식이 시작되면 태양의 오른쪽부터 가려진다.

④ 일식은 태양이 보이는 모든 지역에서 볼 수 있다.

⑤ 태양, 달, 지구 순으로 일직선을 이룰 때 일어날 수 있다.

중요

18 그림은 태양, 달, 지구의 위치를 나타낸 것이다.

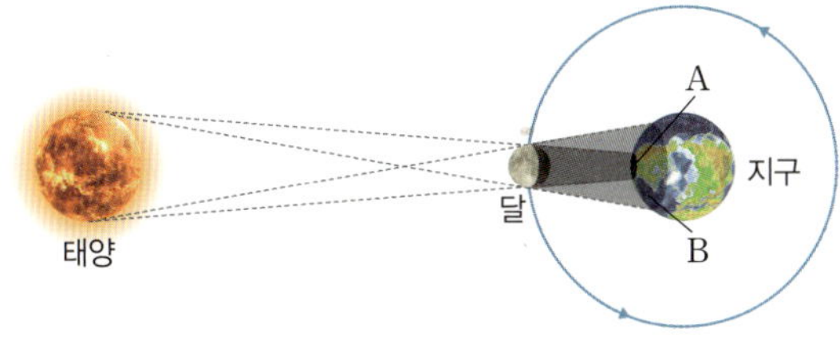

이에 대한 설명으로 옳은 것을 보기에서 모두 고른 것은?

> 보기
>
> ㄱ. 달의 위상은 망이다.
>
> ㄴ. A에서는 개기일식이 관측된다.
>
> ㄷ. B에서는 태양의 일부만 가려진 것을 볼 수 있다.

① ㄱ
② ㄴ
③ ㄷ
④ ㄱ, ㄴ
⑤ ㄴ, ㄷ

19 그림 (가)~(다)는 일식이 일어나는 과정 중 일부를 순서 없이 나타낸 것이다.

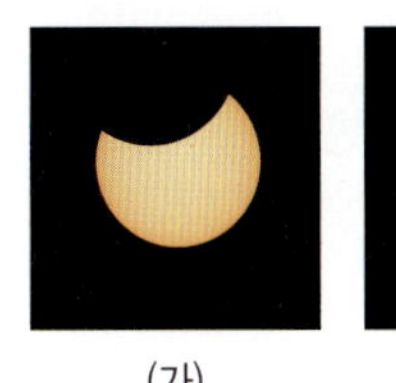

(가)   (나)   (다)

일식이 일어나는 과정을 순서대로 옳게 나열한 것은?

① (가) → (나) → (다)
② (가) → (다) → (나)
③ (나) → (다) → (가)
④ (나) → (가) → (다)
⑤ (다) → (가) → (나)

20 월식에 대한 설명으로 옳지 <u>않은</u> 것은?

① 달이 망에 위치할 때 일어날 수 있다.

② 달의 일부만 가려지면 부분월식이라고 한다.

③ 달이 지구의 그림자로 들어가 가려지는 현상이다.

④ 태양, 지구, 달 순으로 일직선을 이룰 때 일어날 수 있다.

⑤ 달이 지구의 그림자로 완전히 들어가면 달은 보이지 않는다.

21 그림은 월식이 일어나는 과정 중 달이 붉게 보이는 현상을 나타낸 것이다.

이와 같은 현상을 무엇이라고 하는지 쓰시오.

중요

22 그림은 태양, 지구, 달의 위치를 나타낸 것이다.

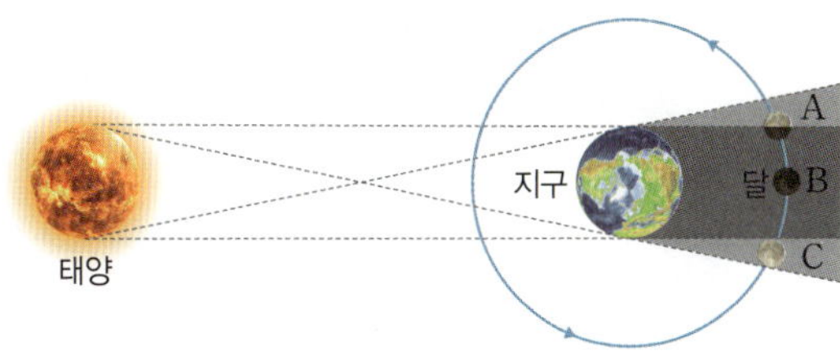

이에 대한 설명으로 옳은 것을 모두 고르면? (정답 2개)

① 달이 A에 있을 때 개기월식이 일어난다.

② 달이 B에 있을 때 달이 붉게 보인다.

③ 달이 C에 있을 때 부분월식이 일어난다.

④ 월식이 시작되기 직전에는 보름달이 보인다.

⑤ 월식이 시작되면 달의 오른쪽부터 가려진다.

01 그림 (가)는 우리나라에서 관측한 별의 일주 운동을 나타낸 것이고, (나)는 어느 방향의 일주 운동을 관측한 것이다.

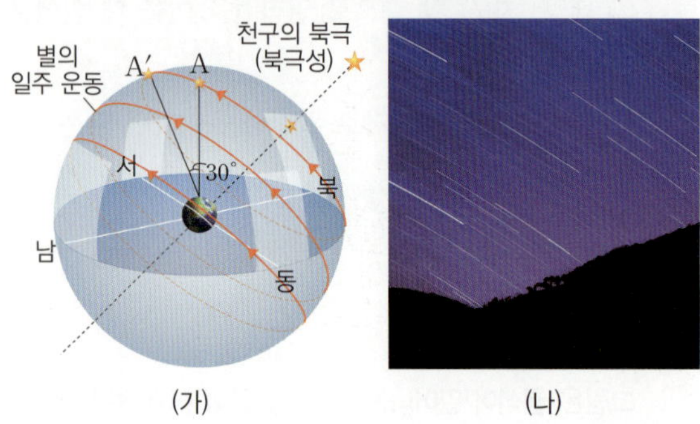

이에 대한 설명으로 옳은 것을 보기에서 모두 고른 것은?

> 보기
> ㄱ. (나)는 동쪽을 관측한 것이다.
> ㄴ. 지구는 서쪽에서 동쪽으로 자전한다.
> ㄷ. 별이 A에서 A′로 이동하는 데 2시간이 걸린다.

① ㄱ　　　② ㄷ　　　③ ㄱ, ㄴ
④ ㄴ, ㄷ　　　⑤ ㄱ, ㄴ, ㄷ

[02~03] 그림은 태양이 지나는 길 주위에 있는 12개의 별자리를 나타낸 것이다.

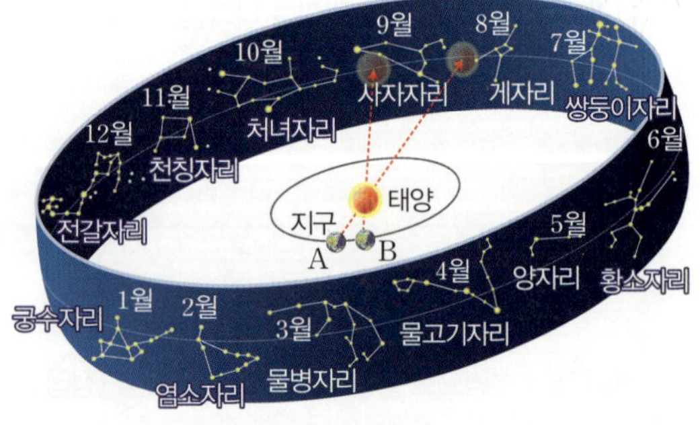

02 지구가 A에 위치할 때 한밤중 동쪽 하늘에서 볼 수 있는 별자리로 가장 옳은 것은?

① 양자리　　② 염소자리　　③ 천칭자리
④ 처녀자리　　⑤ 쌍둥이자리

03 지구가 A에서 B로 공전하는 동안 일어나는 현상에 대한 설명으로 옳은 것을 보기에서 모두 고른 것은?

> 보기
> ㄱ. 지구가 A에 있을 때 우리나라는 2월이다.
> ㄴ. 태양은 별자리 사이를 시계 반대 방향으로 이동한다.
> ㄷ. 매일 해가 진 직후 관측한 게자리는 동쪽으로 조금씩 이동한다.

① ㄴ　　　② ㄷ　　　③ ㄱ, ㄴ
④ ㄱ, ㄷ　　　⑤ ㄱ, ㄴ, ㄷ

[04~05] 그림은 9월 1일 밤 9시에 우리나라에서 관측한 북두칠성의 모습을 나타낸 것이다.

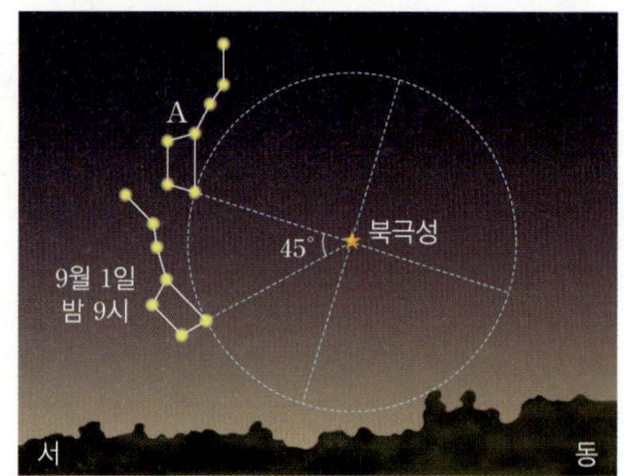

04 북두칠성의 일주 운동에 대한 설명으로 옳은 것을 보기에서 모두 고른 것은?

> 보기
> ㄱ. 북극성을 기준으로 회전한다.
> ㄴ. 시계 반대 방향으로 회전한다.
> ㄷ. 9월 2일 0시에는 A에 위치한다.

① ㄴ　　　② ㄷ　　　③ ㄱ, ㄴ
④ ㄱ, ㄷ　　　⑤ ㄱ, ㄴ, ㄷ

05 북두칠성이 밤 9시 A에 위치하는 날짜로 가장 옳은 것은?

① 7월 3일　　② 7월 18일　　③ 8월 2일
④ 10월 1일　　⑤ 10월 16일

06 그림 (가)는 어느 해 5월 달력의 일부와 달의 위상을, (나)는 지구, 달, 태양의 상대적인 위치를 나타낸 것이다.

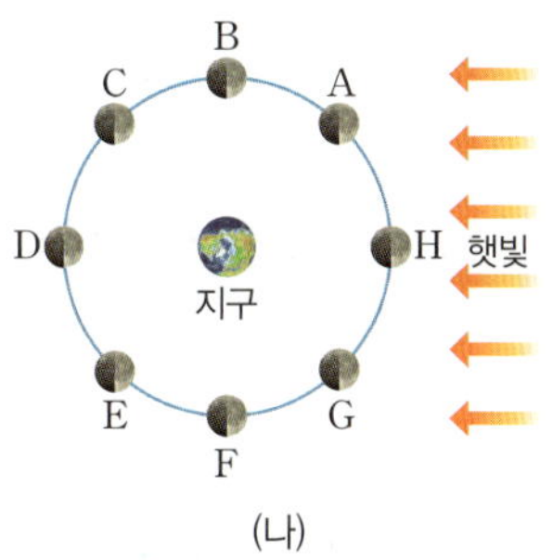

(나)

5월 10일부터 5월 23일까지 달이 공전한 구간을 그림 (나)에서 찾은 것은?

① A → B → C
② C → D → E
③ E → F → G
④ G → H → A
⑤ H → A → B

07 그림은 달이 공전하는 모습을 나타낸 것이다.

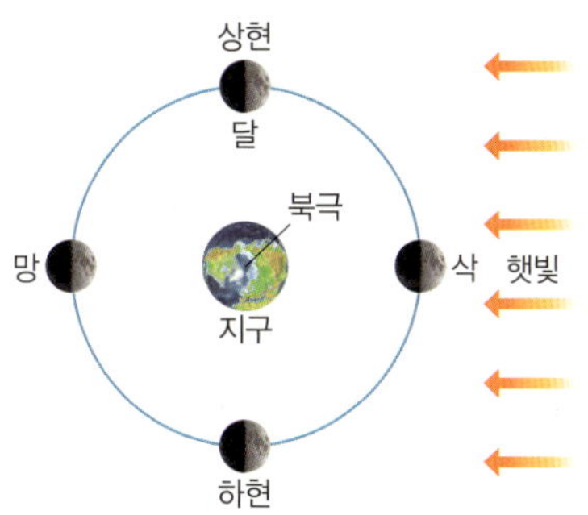

어느 맑은 날 밤 9시경에 반달을 보았을 때, (가) 달이 보이는 하늘과 (나) 달의 위상을 옳게 짝 지은 것은?

	(가)	(나)
①	남쪽 하늘	상현
②	남동쪽 하늘	상현
③	남동쪽 하늘	하현
④	남서쪽 하늘	상현
⑤	남서쪽 하늘	하현

[08~09] 다음은 일식과 월식의 발생 원리를 알아보기 위한 실험이다.

[실험 과정]

(1) 두 개의 종이컵에 철사를 꽂고 ㉠큰 스타이로폼 공과 ㉡작은 스타이로폼 공을 각각 끼운다.

(2) 어두운 방 안에서 ㉢전등을 켠 뒤 그림 (가), (나)와 같이 배치하여 공의 그림자를 관찰한다.

 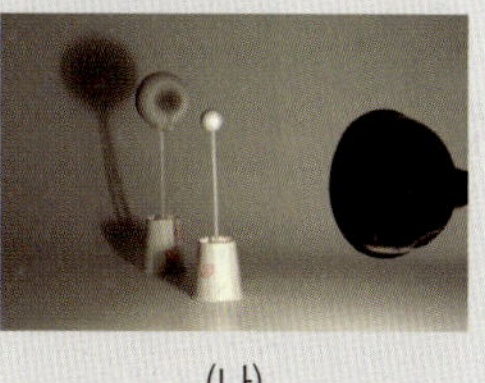

(가)　　　　　　(나)

08 ㉠~㉢을 각각 태양, 지구, 달과 옳게 짝 지은 것은?

	㉠	㉡	㉢
①	지구	태양	달
②	지구	달	태양
③	달	지구	태양
④	달	태양	지구
⑤	태양	달	지구

09 이 실험에 대한 설명으로 옳은 것을 보기에서 모두 고른 것은?

보기

ㄱ. (가)는 월식, (나)는 일식에 해당한다.

ㄴ. (가) 현상은 낮에 관측할 수 있다.

ㄷ. (가) 현상보다 (나) 현상을 더 오래 관측할 수 있다.

① ㄱ
② ㄷ
③ ㄱ, ㄴ
④ ㄴ, ㄷ
⑤ ㄱ, ㄴ, ㄷ

☞ 제시된 Keyword를 이용하여 문제를 해결해 보자.

1 그림은 우리나라에서 별자리의 일주 운동을 관측한 것이다.

(1) 이 별자리를 관측한 방향을 쓰고, 그렇게 생각한 까닭을 설명하시오.

Keyword 천구, 일주 운동, 왼쪽, 오른쪽

―――――――――――――――――――――
―――――――――――――――――――――
―――――――――――――――――――――

(2) 이 별자리를 구성하는 별 A의 이동 방향을 쓰고, 그렇게 생각한 까닭을 설명하시오.

Keyword 일주 운동, 자전, 겉보기 운동

―――――――――――――――――――――
―――――――――――――――――――――
―――――――――――――――――――――

2 그림은 우리나라의 어느 지방에서 약 2시간 동안 별의 일주 운동을 관측한 것이다.

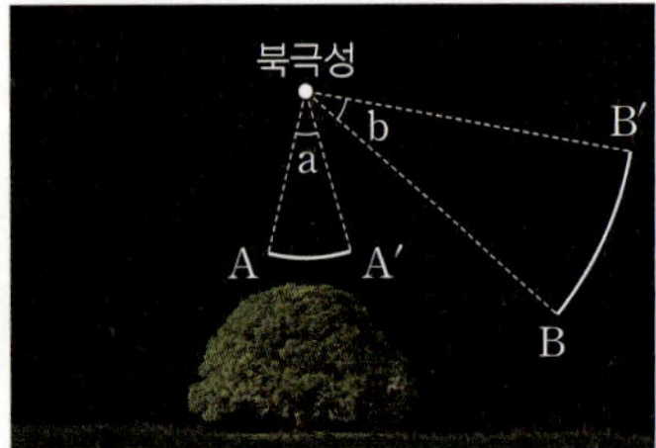

각 a와 각 b의 크기를 비교하고, 그렇게 생각한 까닭을 설명하시오.

Keyword 천구, 일주 운동, 15°

―――――――――――――――――――――
―――――――――――――――――――――

3 그림 (가)는 해가 진 직후 서쪽 하늘의 별자리를 15일 간격으로 관측한 것이고, (나)는 지구의 공전 궤도와 별자리를 나타낸 것이다.

(가)

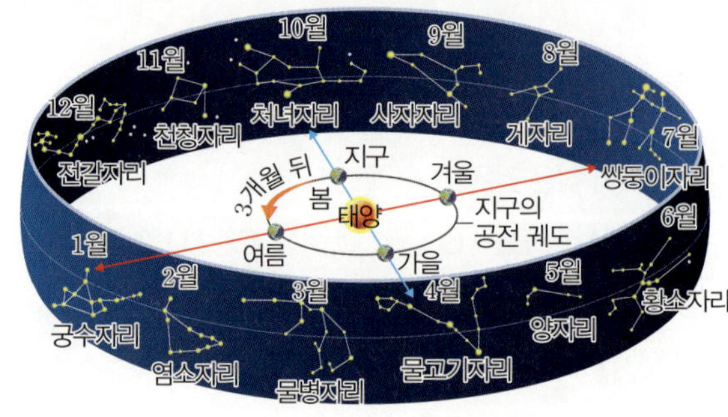

(나)

(1) (가)를 관측한 계절을 쓰고, 그렇게 생각한 까닭을 설명하시오.

Keyword 태양, 쌍둥이자리

―――――――――――――――――――――
―――――――――――――――――――――
―――――――――――――――――――――

(2) 겨울에 해가 진 직후 동쪽 지평선 부근에서 관측되는 별자리를 쓰고, 그렇게 생각한 까닭을 설명하시오.

Keyword 태양, 서쪽, 동쪽, 반대 방향

―――――――――――――――――――――
―――――――――――――――――――――

4 그림은 어느 해 9월에 3일 간격으로 같은 시각에 관측한 달의 모양과 위치를 나타낸 것이다.

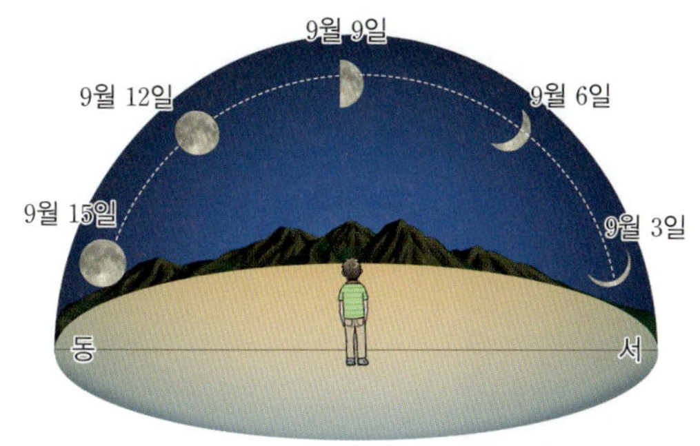

(1) 달의 모양이 매일 달라지는 까닭을 설명하시오.

Keyword 공전, 상대적인 위치, 태양 빛, 반사

____

____

____

(2) 달을 관측한 시각을 추론하고, 그 까닭을 설명하시오.

Keyword 위상, 망, 태양, 반대 방향

____

____

____

5 그림은 달이 지구 주변을 공전하는 모습을 나타낸 것이다.

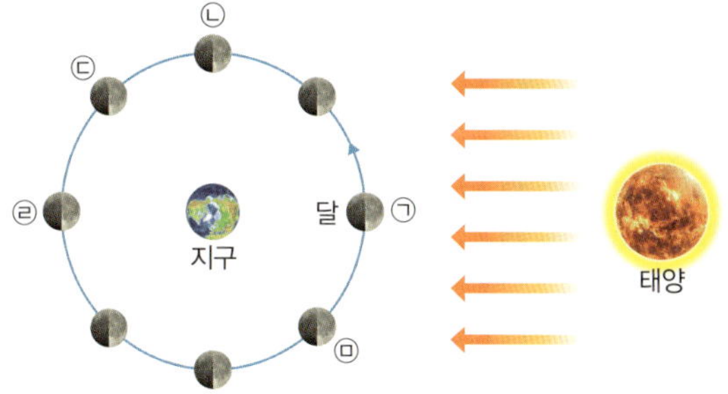

달을 관측할 수 있는 시간이 가장 길 때의 달의 위치와 하루 중 언제 관측할 수 있는지 설명하시오.

Keyword 태양, 반대 방향

____

____

 단계적 서술형

6 그림 (가)는 일식의 진행 과정을, (나)는 월식의 진행 과정을 나타낸 것이다. 일식과 월식은 모두 우리나라에서 관측한 것이다.

(가)

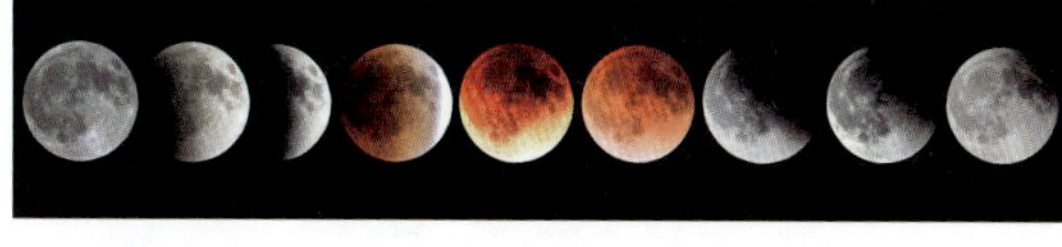

(나)

(1) **[자료 분석]** (가)와 (나)에서 일식과 월식이 일어날 때, 가려지는 대상을 각각 쓰시오.

- 일식: _______________________

- 월식: _______________________

(2) **[문제 이해]** 일식과 월식이 일어나기 위한 태양, 지구, 달의 위치 관계를 (1)에서 답한 내용을 근거로 각각 설명하시오.

Keyword 달의 위상, 삭, 망

____

____

(3) **[문제 해결]** 일식을 볼 수 있는 시간과 월식을 볼 수 있는 시간을 서로 비교하고, 각각의 현상을 관측할 수 있는 시간이 다른 까닭을 설명하시오.

Keyword 달, 지구, 그림자

____

____

(4) **[가산점 쭙쭙!]** (가)에서 개기일식이 일어날 때 태양 주변에서 무엇을 관찰할 수 있는지 설명하시오.

Keyword 광구, 태양의 대기

____

____

1 그림 (가)는 태양계를 이루는 천체 A~E의 형태와 운동을 모식적으로 나타낸 것이고, (나)는 행성 주변을 공전하는 어느 천체를 관측한 사진이다.

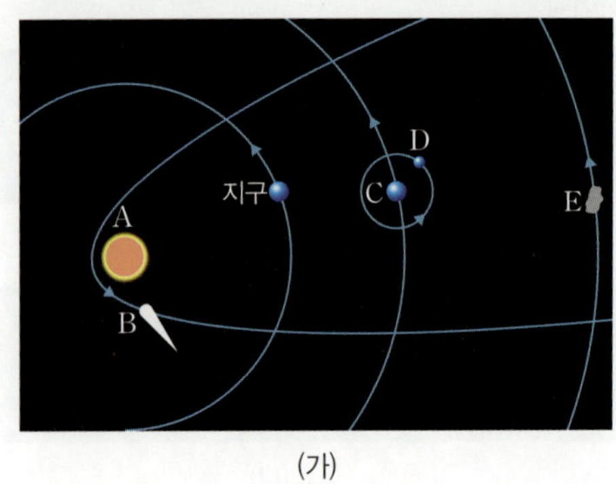

(가)

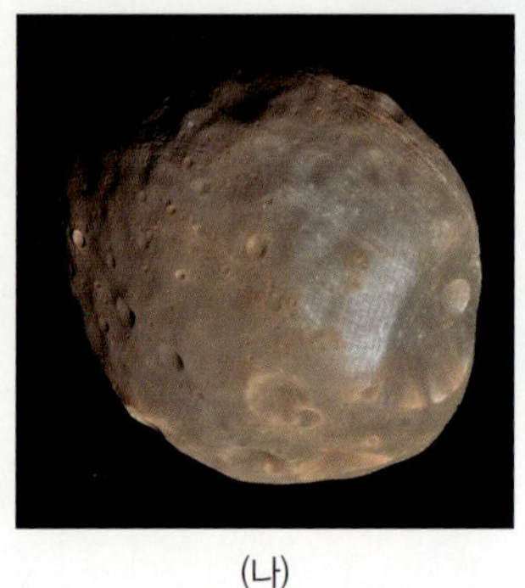

(나)

이에 대한 설명으로 옳은 것을 보기에서 모두 고른 것은?

보기

ㄱ. (가)에서 A, C, D의 모양은 모두 둥글다.

ㄴ. (가)의 B는 타원이나 포물선 궤도를 그리며 운동한다.

ㄷ. (나)는 (가)의 E와 같은 종류의 천체이다.

① ㄱ ② ㄴ ③ ㄱ, ㄷ

④ ㄴ, ㄷ ⑤ ㄱ, ㄴ, ㄷ

Solution Tip

태양계 천체 중 태양을 중심으로 공전하지 않고, 행성 주변을 공전하는 천체를 위성이라고 한다.

2 그림은 제임스 웹 우주 망원경으로 관측한 태양계 행성 A~D를 나타낸 것이다.

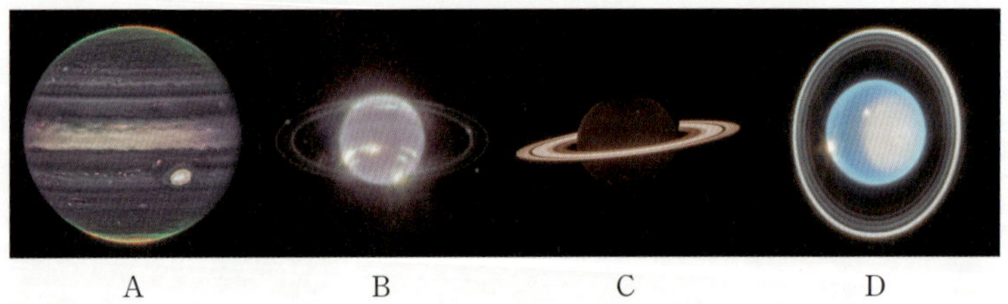

이에 대한 설명으로 옳은 것을 보기에서 모두 고른 것은? (단, 그림에서 행성의 크기는 실제 비율과 다르다.)

보기

ㄱ. A와 C는 모두 고리가 있다.

ㄴ. B의 자전축은 공전 궤도면과 거의 나란하다.

ㄷ. 태양계 행성 중 태양으로부터 거리가 가장 먼 것은 D이다.

① ㄱ ② ㄷ ③ ㄱ, ㄴ

④ ㄴ, ㄷ ⑤ ㄱ, ㄴ, ㄷ

Solution Tip

태양계 행성은 지구형 행성과 목성형 행성으로 구분할 수 있고, 목성형 행성 중 천왕성의 자전축은 공전 궤도면과 거의 나란하다.

3

그림 (가)는 천체 망원경과 태양을 관측하는 장치를, (나)는 태양 표면의 모습을 나타낸 것이다.

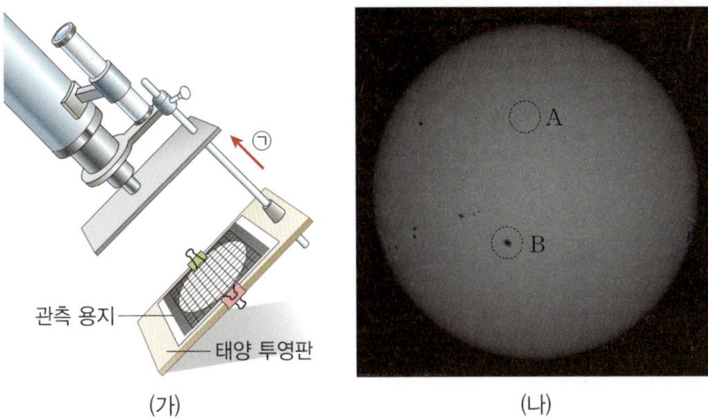

이에 대한 설명으로 옳은 것을 보기에서 모두 고른 것은?

보기

ㄱ. (가)에서 태양 투영판을 ㉠ 방향으로 옮기면 태양의 상은 작아진다.

ㄴ. (나)의 B는 A보다 태양의 자기장이 약한 부분이다.

ㄷ. 홍염은 (나)의 A보다 B 근처에서 잘 일어날 것이다.

① ㄱ 　② ㄴ 　③ ㄱ, ㄷ

④ ㄴ, ㄷ 　⑤ ㄱ, ㄴ, ㄷ

Solution Tip

태양 표면에는 흑점과 쌀알 무늬가 나타난다. 흑점은 태양의 자기장이 강하게 밀집된 곳으로 대류가 잘 일어나지 않아 주변보다 온도가 낮다. 흑점의 근처에서는 태양의 대기 현상으로 플레어와 홍염을 관측할 수 있다.

태양 관측법

태양은 너무 밝아 태양 필터를 이용하여 접안 렌즈로 관측하거나, 태양 투영판을 이용하여 태양의 상을 관측한다.

4

그림은 1995년 1월부터 2019년 12월까지 관측된 모든 흑점의 위도별 분포도이다.

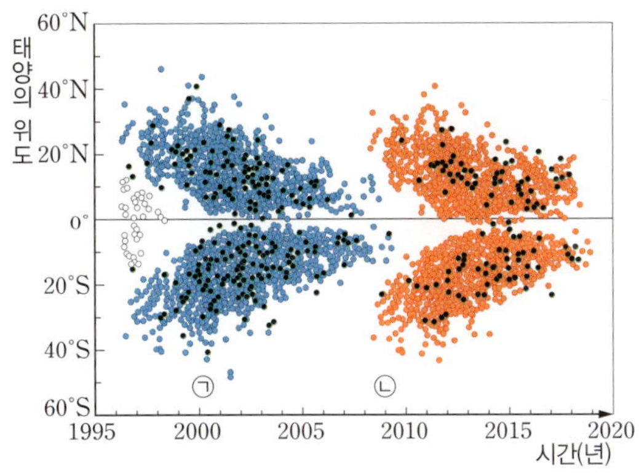

이에 대한 설명으로 옳은 것을 보기에서 모두 고른 것은?

보기

ㄱ. 코로나의 크기는 ㉠보다 ㉡일 때 더 크다.

ㄴ. 장거리 통신 오류는 ㉡보다 ㉠일 때 더 잘 일어난다.

ㄷ. 대부분의 흑점은 위도 40° 이내의 지역에서 나타난다.

① ㄱ 　② ㄷ 　③ ㄱ, ㄴ

④ ㄴ, ㄷ 　⑤ ㄱ, ㄴ, ㄷ

Solution Tip

흑점 수의 극대기에는 홍염과 플레어가 자주 나타나고 지구에서는 장거리 통신 오류 증가, 오로라의 발생 횟수 증가, 자기 폭풍의 강화 현상 등이 나타난다.

나비도표

태양의 흑점을 위도에 따라 표시하면 약 11년 주기로 나비의 형태를 보이는데, 이를 나비도표라고 한다.

5 그림은 어느 지역에서 관측한 북극성 P 주변의 별 A~D의 위치를 나타낸 것이다. 현재 별 A와 B의 고도는 같고 두 별을 이은 선은 지평선과 나란하다.

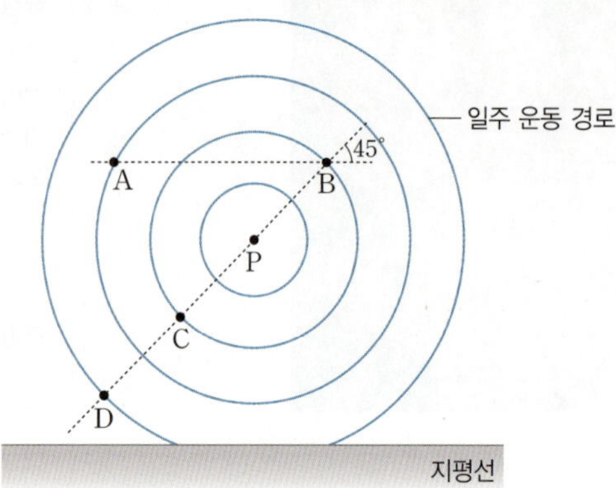

3시간 뒤 별의 위치에 대한 설명으로 옳은 것을 보기에서 모두 고른 것은?

보기

ㄱ. 별 A의 고도는 북극성 P보다 낮다.

ㄴ. 하루 중 별 B와 별 C의 고도 차는 가장 크게 나타난다.

ㄷ. 별 D는 관측할 수 없다.

① ㄴ   ② ㄷ   ③ ㄱ, ㄴ

④ ㄱ, ㄷ   ⑤ ㄱ, ㄴ, ㄷ

6 그림은 지구의 공전 궤도와 황도 12궁을 나타낸 것이다.

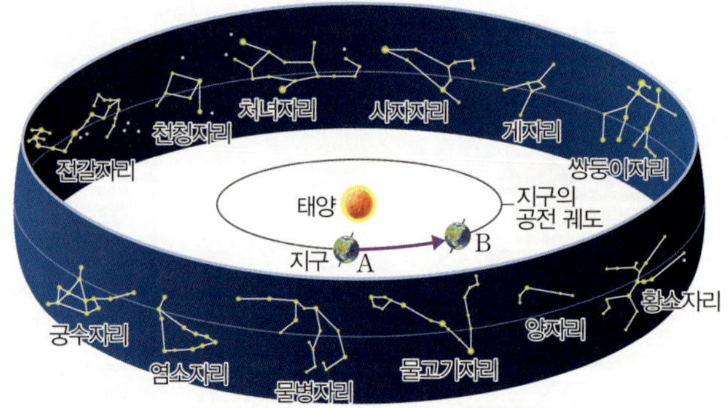

이에 대한 설명으로 옳은 것을 보기에서 모두 고른 것은?

보기

ㄱ. 지구가 A에 위치할 때 우리나라의 계절은 가을이다.

ㄴ. 지구가 B에 위치할 때 한밤중에 남쪽 하늘에서 황소자리를 볼 수 있다.

ㄷ. 지구가 A에서 B로 공전하는 동안 태양을 기준으로 별자리는 시계 방향으로 이동한다.

① ㄱ   ② ㄴ   ③ ㄱ, ㄷ

④ ㄴ, ㄷ   ⑤ ㄱ, ㄴ, ㄷ

7 그림 (가)는 어느 날 4시간 간격으로 관측한 보름달의 위치와 달이 남중했을 때 천체 망원경으로 관찰한 달의 모습을, (나)는 20시와 4시에 천체 망원경으로 관찰한 달의 모습을 순서 없이 나타낸 것이다.

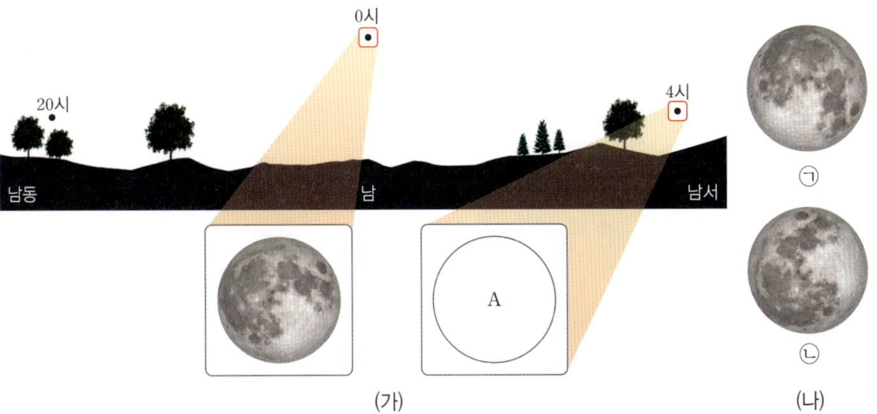

(1) (가)의 A에 들어갈 달의 모양을 (나)에서 고르고, 그렇게 생각한 까닭을 설명하시오.

(2) 4일 뒤 0시에 달의 위치와 위상은 어떻게 될지 쓰고, 그렇게 생각한 까닭을 설명하시오.

Solution Tip

하루 동안 달은 한 시간에 $15°$씩 동쪽에서 서쪽으로 이동하고, 매일 같은 시각에 달을 관측하면 하루에 약 $13°$씩 서쪽에서 동쪽으로 이동한다.

---

8 그림은 우리나라에서 어느 날 부분일식을 관측한 모습을 순서 없이 나타낸 것이다.

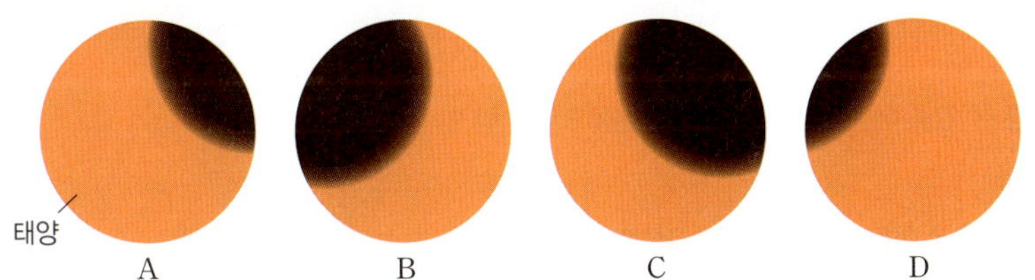

이에 대한 설명으로 옳은 것을 보기에서 모두 고른 것은? (단, 우리나라에서 개기일식은 관측되지 않았다.)

보기

ㄱ. 달의 위상이 삭일 때 매번 일어난다.

ㄴ. 달의 본그림자가 우리나라를 지나간다.

ㄷ. 일식의 진행 순서는 A → C → B → D이다.

① ㄴ   ② ㄷ   ③ ㄱ, ㄴ

④ ㄱ, ㄷ   ⑤ ㄱ, ㄴ, ㄷ

Solution Tip

일식은 태양, 달, 지구의 순서로 위치할 때 달의 그림자가 지구에 닿으면 일어난다. 이때 달은 시계 반대 방향으로 공전한다.

본그림자와 반그림자
- 본그림자: 광원에서 오는 모든 빛이 차단되어 생기는 어두운 그림자
- 반그림자: 광원에서 오는 빛 중 일부가 차단되어 생기는 약간 어두운 그림자

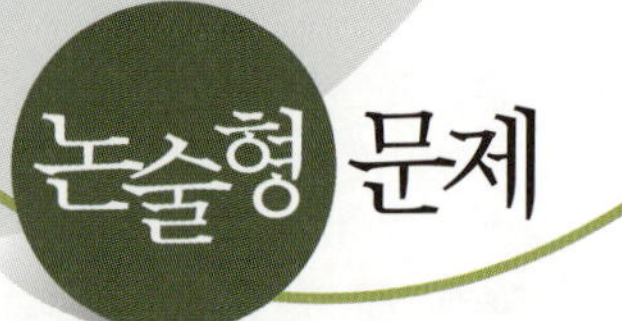

예제

그림 (가)는 반 고흐의 '론강의 별이 빛나는 밤'을, (나)는 북두칠성의 위치 변화를 나타낸 것이다.

(가)

(나)

(1) 밤 9시에 그림 (가)의 북두칠성과 같은 모양이 나타나는 날짜를 그림 (나)를 참고하여 추론하시오.

(2) 그림 (가)는 1888년 10월 1일쯤에 그려진 것으로 추정될 때, 이 그림을 그린 시각을 〈조건〉에 맞추어 설명하시오.

조건

- (1)에서 추론한 날짜를 바탕으로 그림을 그린 시각을 추론할 것
- 별의 일주 운동과 연주 운동을 관련지어 설명할 것

🧭 해결 전략

그림 (나)의 눈금 한 칸은 30°이다. 북두칠성이 눈금 한 칸을 이동하기 위하여 연주 운동으로는 약 한 달, 일주 운동으로는 두 시간이 걸린다.

❶ 9시 방향인 8월 1일 밤 9시에서 같은 시각 6시 방향으로 이동하려면 3개월이 걸린다.

❷ 10월 1일 밤 9시에는 7시 방향에 있으며, 6시 방향으로 이동하려면 두 시간이 걸린다.

📝 모범 답안

(1) 그림 (가) 속 북두칠성의 위치는 (나)에서 6시 방향에 위치할 때와 비슷하다. 매일 같은 시각에 북두칠성을 관찰하면 한 달에 약 30°씩 회전한다. 따라서 3개월 뒤인 11월 1일 밤 9시가 될 것이다.

(2) 별은 하루에 약 1°씩 연주 운동을 하고, 한 시간에 15°씩 일주 운동을 한다. 11월 1일 밤 9시에는 6시 방향에 북두칠성이 위치하므로, 10월 1일 밤 9시에 북두칠성은 7시 방향에 위치할 것이다. 10월 1일에 6시 방향에 있으려면 두 시간이 지난 밤 11시가 되어야 한다. 따라서 그림을 그린 시각은 10월 1일 밤 11시로 추정할 수 있다.

출제 의도
북두칠성의 일주 운동과 연주 운동을 이해하고 있는가?

문제 해결을 위한 배경 지식
- **겉보기 운동**: 지구의 자전으로 생기는 겉보기 운동을 일주 운동이라 하고, 공전으로 생기는 겉보기 운동을 연주 운동이라고 한다.
- **일주 운동**: 북쪽 하늘에서 별자리는 북극성을 기준으로 한 시간에 15°씩 시계 반대 방향으로 회전한다.
- **연주 운동**: 북쪽 하늘에서 별자리는 북극성을 기준으로 하루에 약 1°씩 시계 반대 방향으로 회전한다.

Keyword
일주 운동, 연주 운동

완벽한 답안 작성을 위한 Tip
(1) 시각이 같으므로 연주 운동으로 북두칠성의 이동을 설명하면 완벽한 답안이 될 수 있다.

(2) 〈조건〉에 따라 (1)에서 추론한 날짜인 11월 1일에서 10월 1일은 연주 운동으로 설명하고, 밤 9시에서 눈금 한 칸을 더 이동하는 것은 일주 운동으로 설명한다.

실전 문제

1 [과정·기능]

그림은 태양계 행성의 질량과 반지름을 막대그래프로 나타낸 것이다.

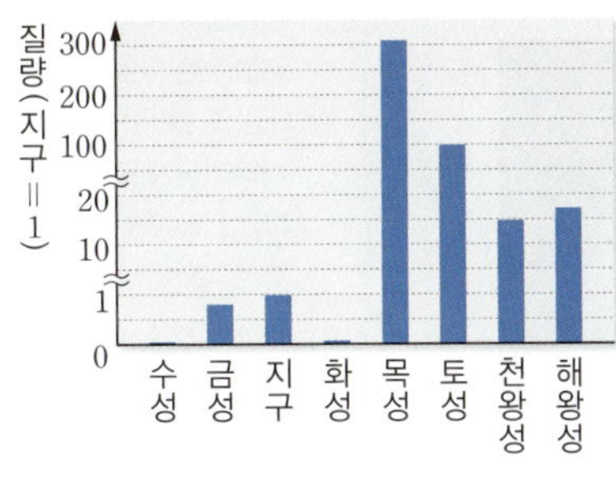

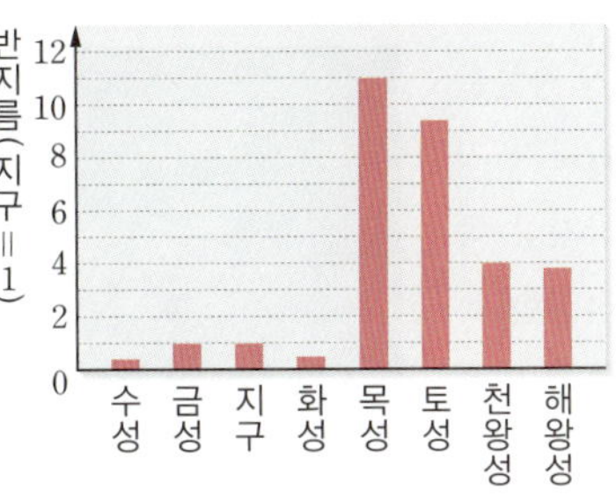

질량과 반지름 외에 태양계 행성을 분류할 수 있는 기준을 하나 더 추가하여 태양계 행성을 분류하고, 그렇게 분류한 까닭을 〈조건〉에 맞게 설명하시오.

> **조건**
> - 추가한 기준에 따라 예상되는 행성의 특징을 기술할 것
> - 질량과 반지름, 추가로 제시한 기준을 근거로 태양계 행성을 분류할 것

Solution Tip

태양계 행성은 질량과 반지름 외에 고리의 유무, 표면 상태, 위성의 수 등에 따라 분류할 수 있다.

Keyword

지구형 행성, 목성형 행성

2 [지식·이해]

그림은 북반구 중위도 어느 지역에서 3일 간격으로 같은 시각에 관측한 달의 모양과 위치 변화를 나타낸 것이다. 같은 기간 동안 남반구 중위도에서 같은 시각에 관측한 달의 모양과 위치 변화를 북반구와 비교하여 설명하시오. (단, 북반구의 관측자와 남반구의 관측자는 동일 경도선 상에 있다.)

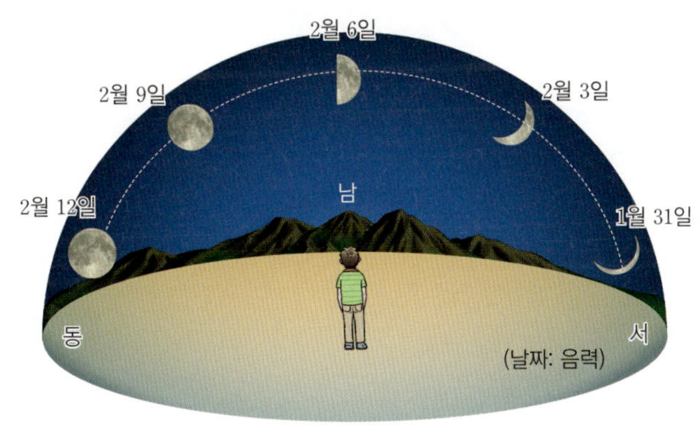

Solution Tip

북반구의 관측자와 남반구의 관측자를 우주에서 보았을 때 어떠한 차이가 있을지 생각해 본다.

Keyword

북반구, 남반구, 좌우, 북쪽 하늘

3 [가치·태도]

다음은 오로라와 태양 활동과의 관계에 대한 설명이다.

(가) 태양에서 방출되는 고에너지 입자들은 태양풍을 따라 지구 근처에 왔다가 지구 자기장에 이끌려 지구의 극지방 쪽으로 이동하여 대기권으로 진입한다. 이 입자들이 공기 입자와 충돌해 빛을 내는 현상을 오로라라고 한다. 오로라

가 나타나는 높이는 지상 약 80 km~수백 km의 초고층 대기이며, 남극 또는 북극에서 가까운 위도 65°~70°의 범위에서 오로라를 가장 잘 볼 수 있다.

(나) 2024년 5월 12일 새벽, 약 21년 만에 가장 강력한 태양 폭풍이 발생하면서 전 세계 곳곳에서 형형색색의 오로라가 관찰된 가운데, 우리나라 강원도의 일부 지역에서도 오로라가 포착됐다. 오로라가 많이 관측되는 까닭 중 하나는 태양 활동과 관련이 있다. 태양의 활동은 평균 약 11년 주기로 강약을 반복하는데 2025년경에 태양 활동이 정점에 이를 것으로 예측된다.

(1) 위 자료를 참고하여 오로라가 더 자주 나타날 때, 태양의 표면과 대기에서 일어나는 변화를 설명하시오.

____

____

____

(2) (나) 자료 외에 태양의 활동이 활발해질 때 지구에 미치는 영향을 〈조건〉에 맞게 제시하고, 그 피해를 줄이는 방안을 제안하시오.

조건
- 태양의 활동이 지구에 미치는 영향을 최소 3가지 이상 제안할 것
- 태양의 활동이 우리나라에 큰 피해를 줄 것으로 예상되는 때를 추론할 것
- 태양의 활동으로 발생하는 피해를 줄이는 방안을 제안할 것

____

____

____

Solution Tip

(1) 태양에서 고에너지 입자들이 방출되는 현상이 무엇인지 생각해 본다.

(2) 태양의 활동이 활발해지면 더 넓은 지역에서 오로라가 더 자주 나타난다. 그 외에 인공위성, 우주인, 무선 통신, 송전 시설 등에서 일어날 수 있는 일을 생각해 본다.

Keyword

(1) 흑점, 코로나, 홍염, 플레어

(2) 무선 통신 오류, 인공위성, 정전, 예보

4 가치·태도
다음 글을 읽고 물음에 답하시오.

2024년 4월 8일(현지 시각), 멕시코와 미국을 지나 캐나다 동부를 가로지르는 개기일식이 진행된다. 이번 개기일식은 ㉠태양 활동이 극대기인 무렵에 미국의 ㉡여러 대도시를 가로지르며 진행되므로 여느 때보다 많은 관심을 받고 있다.

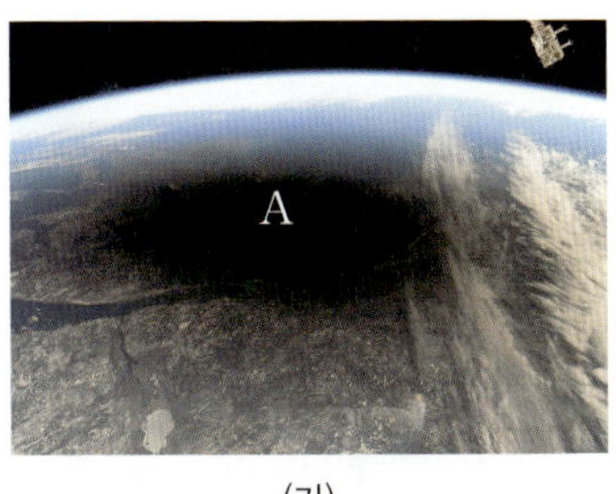

(가)

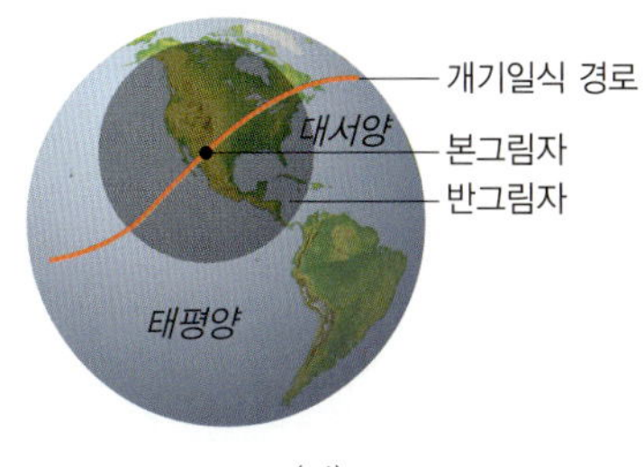

(나)

개기일식은 달에 의해 햇빛이 완전히 가려져 생긴 달의 본그림자가 지구를 가로지르면서 발생하는 현상이다. 개기일식이 특별한 까닭은 부분일식에 비해 하늘이 현저하게 어두워지기 때문이다. ㉢개기일식으로 어두워진 하늘은 태양의 코로나를 선명하게 볼 수 있는 기회이다.

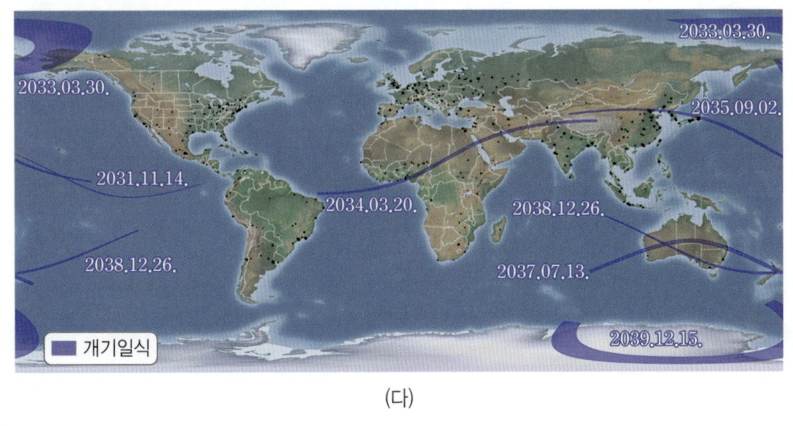

(다)

(1) 그림 (가)에서 A가 나타나는 조건과 그림 (나)에서 개기일식이 진행되는 방향을 설명하시오.

（2) 과학자들이 코로나를 관측하기 좋은 장소와 날짜를 ㉠~㉢을 참고하여 그림 (다)에서 고르고, 그렇게 생각한 까닭을 설명하시오.

Solution Tip

(1) 개기일식이 일어날 때, 달의 위치와 이동 방향을 생각해 본다.

(2) 2024년 4월에 태양 활동이 극대기 무렵이라면, 다음 태양 활동의 극대기가 언제일지 생각해 본다.

Keyword

(1) 달의 그림자, 위상, 공전

(2) 활동 주기, 육지

미리 만나는 통합과학

태양을 구성하는 원소의 형성

태양은 태양계에서 유일하게 스스로 빛을 내는 천체이며, 주로 수소와 헬륨으로 이루어져 있다. 태양에 직접 갈 수 없음에도 불구하고 태양이 수소와 헬륨으로 구성되어 있다는 것은 어떻게 알아내었을까? 수소와 헬륨은 언제 어떻게 만들어졌을까? 고등학교에서 배우게 될 『통합과학1』의 '물질과 규칙성' 단원의 내용을 미리 살펴보자.

중1

태양은 태양계에서 유일하게 스스로 빛을 내는 천체이며, 주로 수소와 헬륨으로 이루어져 있다.

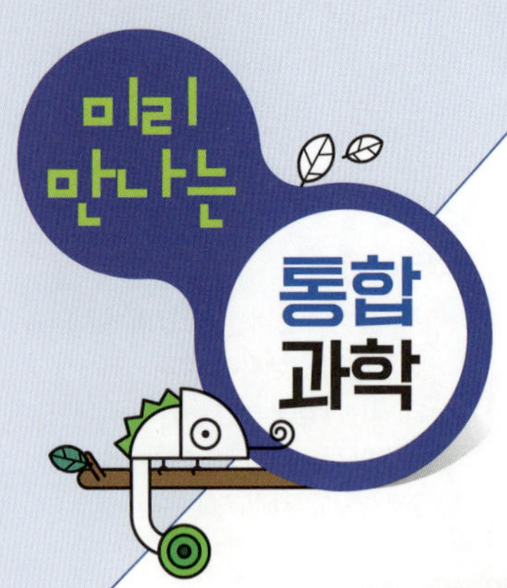

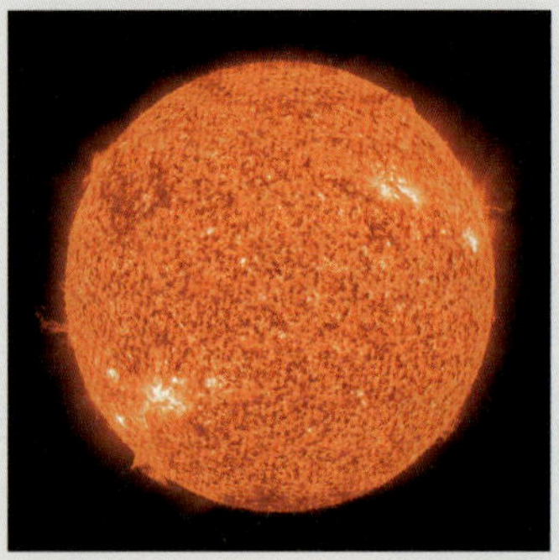

통합과학

태양의 스펙트럼에서 나타나는 검은 선인 흡수선을 분석하면 태양을 구성하고 있는 원소의 종류를 알 수 있다.

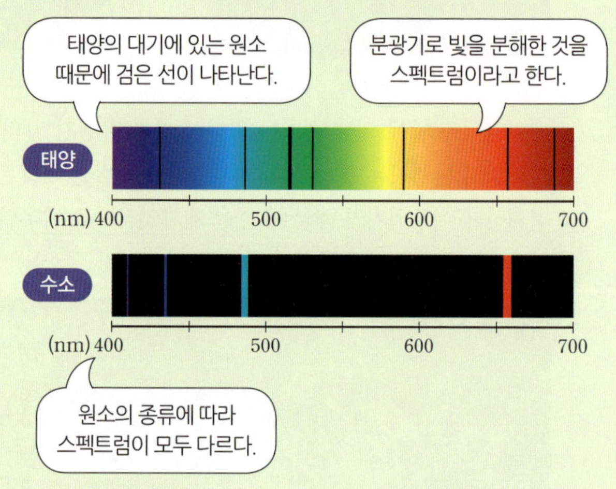

빅뱅으로 기본 입자가 만들어지고, 이 입자들이 결합해 수소와 헬륨 원자가 만들어졌다.

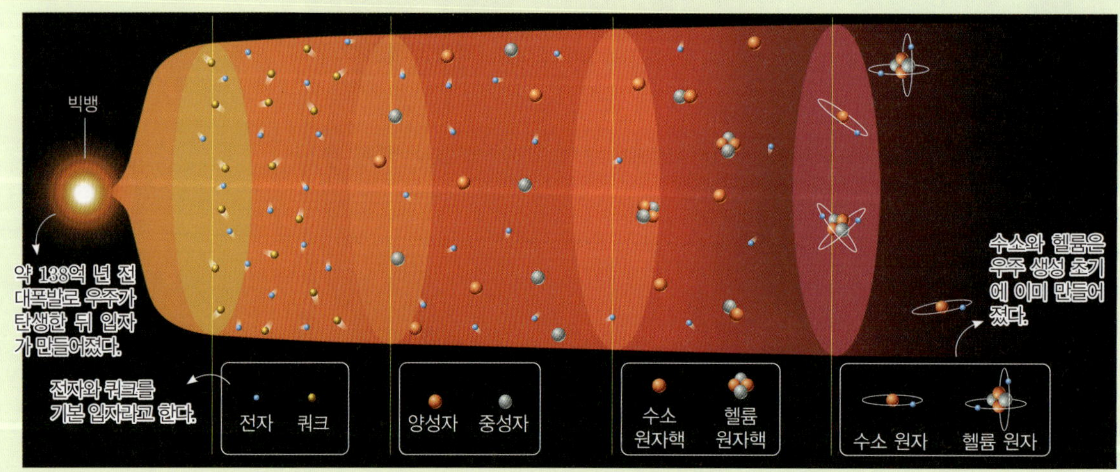

분광기를 활용하여 다양한 물질이 방출하는 스펙트럼을 관찰·비교하기

과정

❶ 분광기로 백열등의 스펙트럼을 관찰한 뒤, 스펙트럼을 스마트 기기로 촬영한다.

❷ 분광기로 수소와 헬륨 방전관에서 방출되는 빛의 스펙트럼을 관찰한 뒤, 스펙트럼을 스마트 기기로 촬영한다.

❸ 과정 ❶과 ❷에서 촬영한 스펙트럼을 비교한다.

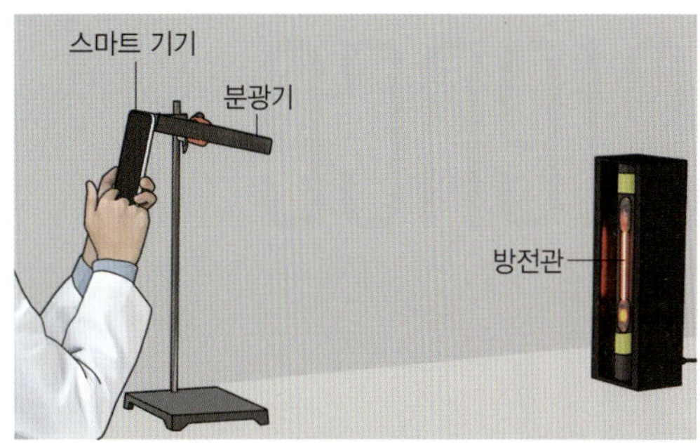

결과 및 정리

- 백열등에서는 연속적인 색의 띠 모습인 연속 스펙트럼이 나타난다.

- 수소와 헬륨 방전관에서 나타나는 방출선의 위치와 굵기, 개수는 서로 다르다.

→ 원소의 스펙트럼을 관찰하면 원소의 종류를 알 수 있고, 별과 은하 등 천체의 스펙트럼을 분석하면 천체를 구성하고 있는 원소를 알 수 있다.

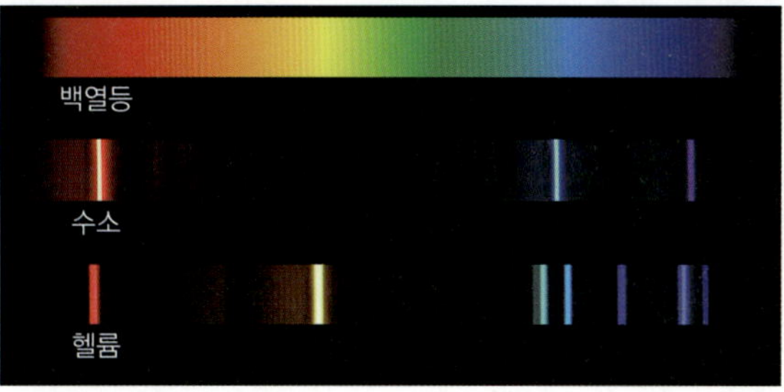

학교 시험 맛보기

그림은 별 (가)와 여러 원소의 스펙트럼을 나타낸 것이다.

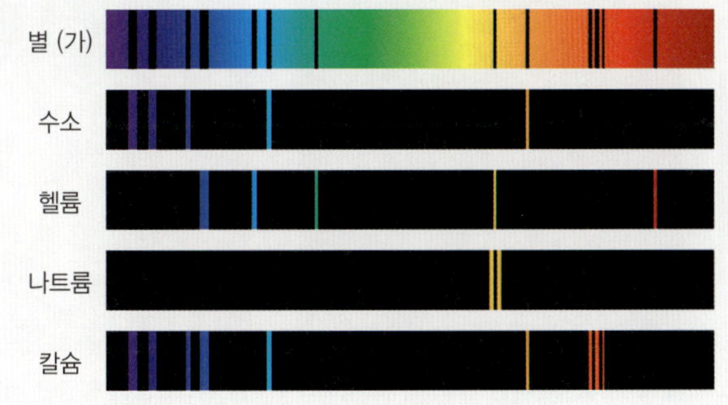

별 (가)의 구성 원소를 바르게 묶은 것은?

① 수소, 헬륨

② 수소, 나트륨

③ 헬륨, 칼슘

④ 수소, 헬륨, 나트륨

⑤ 수소, 헬륨, 칼슘

정답 ⑤

풀이

별 (가)의 스펙트럼에 나타난 흡수선과 각 원소의 스펙트럼에 나타난 방출선이 서로 같은 위치에 있는 원소를 찾으면, 별 (가)는 수소와 헬륨, 칼슘으로 구성되어 있음을 알 수 있다.

Science Talk

갈릴레이부터 다누리호까지

태양계 탐사의 역사

1610년 갈릴레이는 볼록렌즈와 오목렌즈를 조합하여 직접 망원경을 만들고, 이를 사용하여 달, 목성, 금성 등을 관측하였다. 갈릴레이는 인류 최초로 망원경을 이용해 천체를 관측한 사람으로 기록되었다. 그는 목성 주변을 도는 네 개의 위성을 발견하였고, 금성의 모습이 변하는 것도 관측했다.

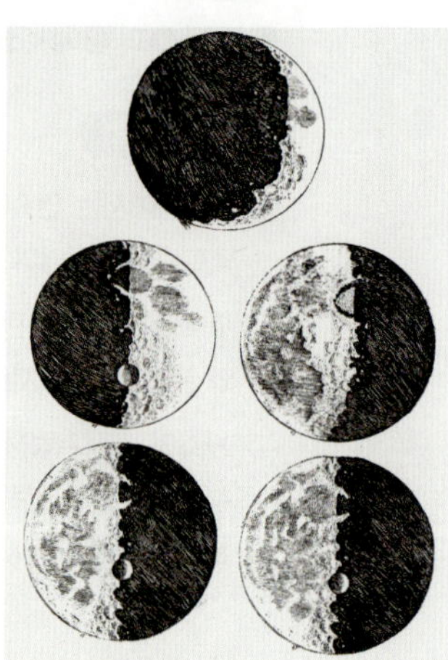

갈릴레이가 만든 망원경과 그가 그린 달 그림

이후 1969년에는 아폴로 11호에 탑승한 닐 암스트롱과 버즈 올드린이 인류 최초로 달에 발을 딛게 되었다.

달에 설치한 반사경 지구와 달 사이의 거리를 측정하는 데 사용하였다.

닐 암스트롱이 촬영한 버즈 올드린의 모습

달에서 가져온 현무암 태양계의 나이 등을 연구하는 데 활용하였다.

1972년 아폴로 17호를 끝으로 유인 우주 탐사는 막을 내리고, 무인 탐사선 위주로 태양계의 여러 행성을 탐사하였다. 그중 가장 유명한 탐사선은 보이저 1호와 2호이다. 보이저 1호에는 골드 레코드라 불리는 LP 3장이 실려 있는데, 지구인이 우주인에게 보내는 메시지가 담겨 있다.

보이저호와 골드 레코드

보이저 계획에 따라 보이저 1호는 1977년에 발사되었으며, 1979년에 목성, 1980년에 토성을 탐사하였다. 보이저 2호는 1977년에 발사되었으며, 목성과 토성을 거쳐 1986년에 천왕성, 1989년에 해왕성을 탐사하였다. 보이저 1호와 2호는 갈릴레이 위성 중 하나인 이오에서 화산 활동이 일어난다는 것을 알려주었으며, 두 탐사선의 성공으로 목성형 행성에 대한 많은 비밀이 밝혀졌다.

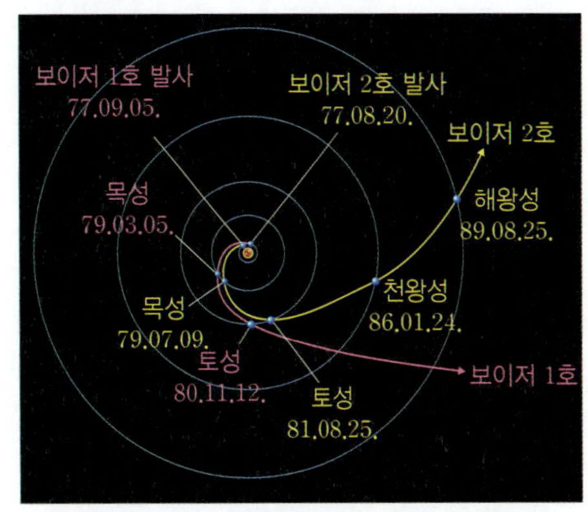

보이저 1호와 2호의 비행 경로와 각 행성 도달 일자

이후 명왕성 탐사 임무를 수행할 뉴호라이즌스호가 2006년 1월에 발사되었다. 이후 2015년 7월에 명왕성을 통과하였으며, 인간이 만들어낸 물체 중 가장 빠르게 지구를 탈출한 것으로 기록되었다.

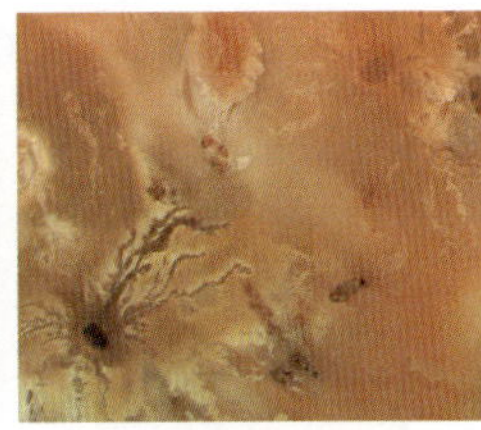
보이저 1호가 촬영한 목성의 대적점과 위성 이오의 표면

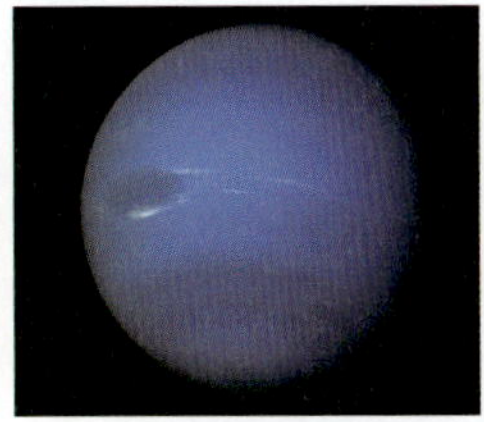
보이저 2호가 촬영한 해왕성

뉴호라이즌스호가 촬영한 명왕성

우리나라도 나로호와 누리호의 성공적인 발사로 우주 탐사에 본격적으로 뛰어들었다. 2022년 우리나라 최초의 달 탐사 궤도선인 다누리호가 달 궤도 진입에 성공하여 달의 표면을 탐사하고 있다. 또한 누리호보다 성능이 뛰어난 발사체를 개발하여 달과 화성으로 착륙선을 실어 보낼 계획을 하고 있다.

HIGH TOP 부록

단위

과학에서 단위란 어떤 양을 측정하여 수치로 나타낼 때 기초가 되는 기준을 의미한다. 자연에는 수많은 양이 있는데 이를 물리량이라고 하며, 기본량과 유도량으로 나눌 수 있다.

기본량은 다른 물리량으로 바꿔서 사용할 수 없는 고유한 양으로 길이, 시간, 온도, 질량, 전류, 물질량, 광도의 일곱 개가 있다. 국제단위계(SI)는 이 일곱 개 기본량의 기본 단위를 정하여 전 세계가 공통으로 사용한다.

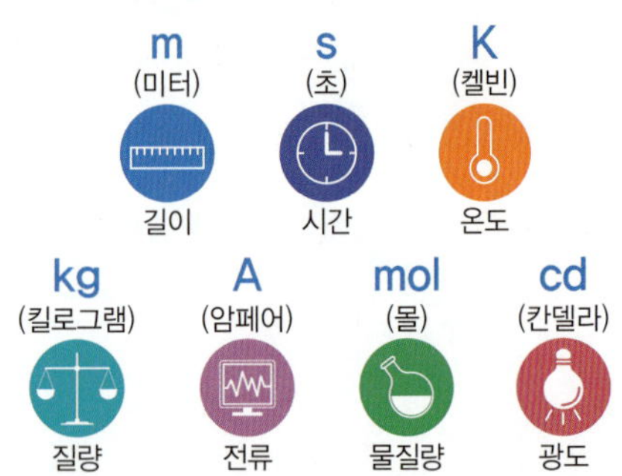

유도량은 기본량을 조합해 유도하는 물리량으로, 기본량 이외의 모든 물리량이 이에 해당한다. 유도량의 단위는 모두 기본 단위를 곱하거나 나눠서 나타낼 수 있다.

	유도량		유도 단위	
			명칭	기호
기본 단위 조합	넓이	길이×길이	제곱미터	m^2
	속력, 속도	$\dfrac{길이}{시간}$	미터 매 초	m/s
	가속도	$\dfrac{속도 변화량}{시간}$	미터 매 제곱초	m/s^2
특별한 명칭	힘	질량×가속도	뉴턴	$N=kg \cdot m/s^2$
	압력	$\dfrac{힘}{넓이}$	파스칼	$Pa=kg/(m \cdot s^2)$

힘의 평형

어떤 물체에 여러 힘이 작용할 때, 작용하는 모든 힘의 합인 알짜힘이 0인 상태를 힘의 평형이라고 한다. 만약 한 물체에 두 개의 힘이 동시에 작용할 때 힘의 평형을 이루기 위해서는 작용한 두 힘의 크기가 같고, 방향이 반대이어야 한다.

그런데 알짜힘이 0이지만 실제 물체가 움직이는 경우가 생길 수 있다. 그 까닭은 두 힘의 작용선이 다르기 때문이다. 따라서 한 물체에 작용하는 두 힘이 평형을 이루기 위해서는 두 힘의 크기가 같고, 방향이 반대이며 같은 작용선상에 있어야 한다.

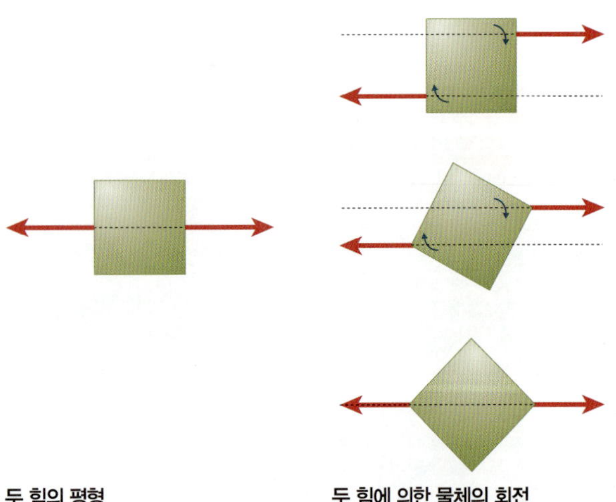

두 힘의 평형   두 힘에 의한 물체의 회전

중력은 서로 끌어당기는 것이다.

뉴턴이 생각한 중력

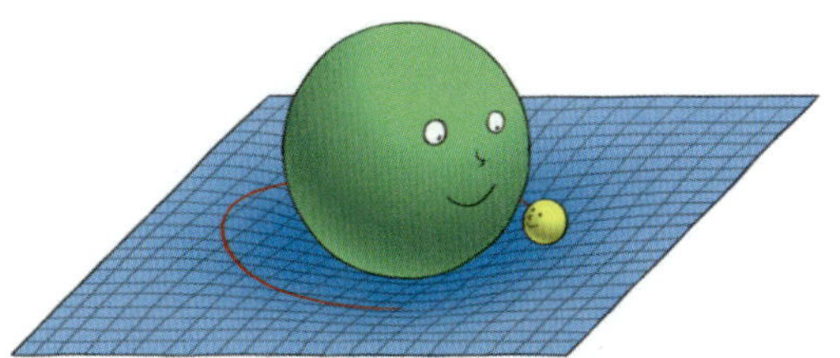

중력은 무거운 물체로 인해 공간이 휘어지는 것이다.

아인슈타인이 생각한 중력

중력

중력은 지구가 물체를 잡아당기는 힘이다. 중력은 크게 보면 지구뿐만 아니라 질량을 가지는 물체 사이에 작용하는 힘이다. 중력에 대해 뉴턴과 아인슈타인은 서로 다르게 설명하였다.

뉴턴은 중력을 질량을 가진 물체 사이에 작용하는 서로 끌어당기는 힘이라고 설명하였다. 지구와 사과 사이에 작용하는 힘은 달과 행성, 나아가 우주에 있는 모든 물체 사이의 끌어당기는 힘과 같다는 통찰을 통해 중력이 지구만의 현상이 아니라 우주 전체에 작용하는 보편적인 현상이라는 것을 밝혀내었다. 하지만 아인슈타인은 중력을 힘으로 간주하지 않고 질량에 의한 시공간의 굽어짐에 의해 발생한다고 설명하였다. 예를 들어 사과를 손에서 놓으면 아래로 떨어지는 현상이 있다고 할 때 뉴턴의 설명에 의하면 지구가 사과를 땅으로 끌어당기는 것이고, 아인슈타인의 설명에 의하면 지구의 질량이 만들어 놓은 시공간의 깊은 웅덩이로 사과가 떨어지는 것이다.

마찰력

마찰력은 두 물체의 접촉면에서 물체의 운동을 방해하는 힘이다. 물체에 작용하는 힘의 크기를 서서히 크게 하여 물체를 잡아당기면 물체는 멈춰 있다가 어느 순간 움직이기 시작한다. 물체에 힘을 작용해도 물체가 움직이지 않을 때 작용하는 마찰력을 정지 마찰력이라고 한다. 이때 마찰력의 크기는 물체에 작용하는 힘의 크기와 같다. 물체에 힘을 작용하여 물체가 움직이고 있을 때에 작용하는 마찰력은 운동 마찰력이라고 한다. 물체가 움직이는 동안 물체에는 일정한 크기의 운동 마찰력이 작용한다. 그리고 물체가 움직이기 직전에 작용한 마찰력을 최대 정지 마찰력이라고 한다.

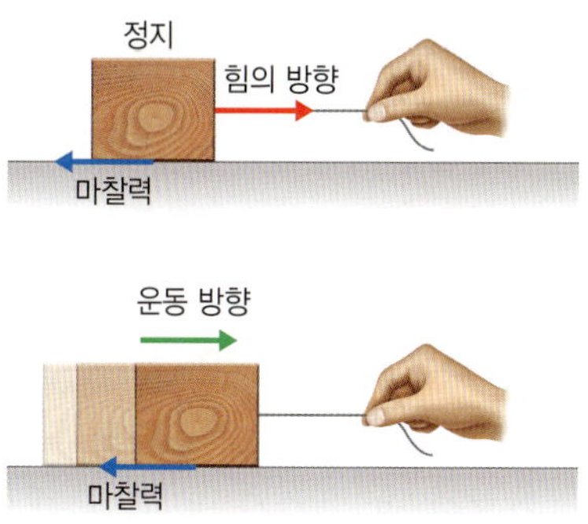

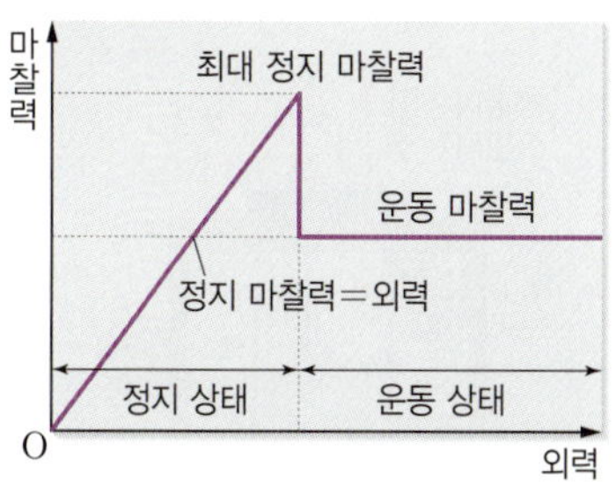

잠수함

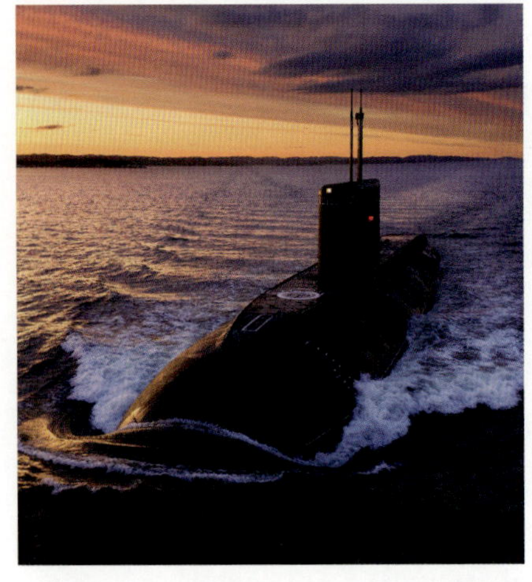

잠수함 내부에는 공기탱크가 있다. 이 공기탱크에 물을 담거나 빼서 잠수함을 물 위에 뜨게 하거나 물속에 가라앉힐 수 있다.

물에 뜬 잠수함에는 중력과 부력이 작용한다. 이때 잠수함의 부피는 항상 같으므로 물속에서 잠수함이 받는 부력의 크기는 변하지 않는다. 따라서 잠수함에 작용하는 중력의 크기를 부력의 크기보다 크게 조절하면 잠수함은 물속에 가라앉고, 중력의 크기를 부력의 크기보다 작게 조절하면 잠수함은 물 위에 뜨게 된다. 그래서 잠수함을 물속에 가라앉히기 위해서는 공기탱크에 바닷물을 채워 잠수함에 작용하는 중력을 크게 조절하고, 잠수함을 물 위에 뜨게 하기 위해서는 공기 펌프로 공기탱크에 압축 공기를 넣어 공기탱크 안에 있는 바닷물을 잠수함 밖으로 밀어내 잠수함에 작용하는 중력을 작게 조절한다.

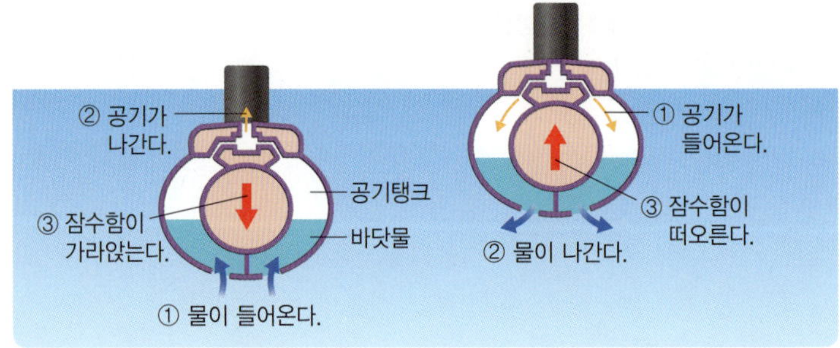

책상이 책을 떠받치는 힘

책이 책상 위에 놓여 있을 때 책에는 책상이 떠받치는 힘이 작용한다. 이렇게 접촉해 있는 물체의 표면에서 물체에 수직 위 방향으로 작용하는 힘을 수직항력이라고 한다. 수직항력은 물체가 표면을 누르는 힘의 반작용으로 표면이 물체를 떠받치는 힘이다. 만약 기울어진 경사면 위에 물체가 놓여 있다면 수직항력은 접촉한 경사면에 수직 위 방향을 향한다.

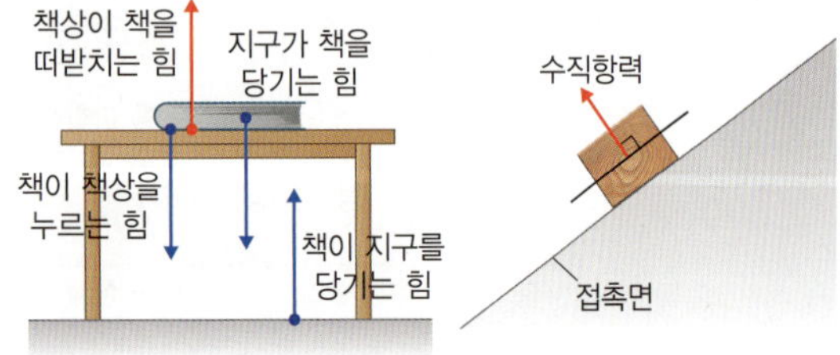

줄을 당기는 힘

줄과 같은 연속된 물체의 양쪽 끝이 힘을 받아 팽팽할 때 그 줄의 각 점에 작용하는 당기는 힘을 장력이라고 한다. 장력은 줄의 방향과 나란하게 작용한다. 벽에 연결된 줄을 손으로 잡고 당기거나 줄에 물체를 매달면 손으로 당기거나 물체에 작용하는 중력과 반대 방향으로 장력이 작용한다. 질량이 없다고 가정할 때 장력은 그 줄의 각 점에 균일하게 작용한다.

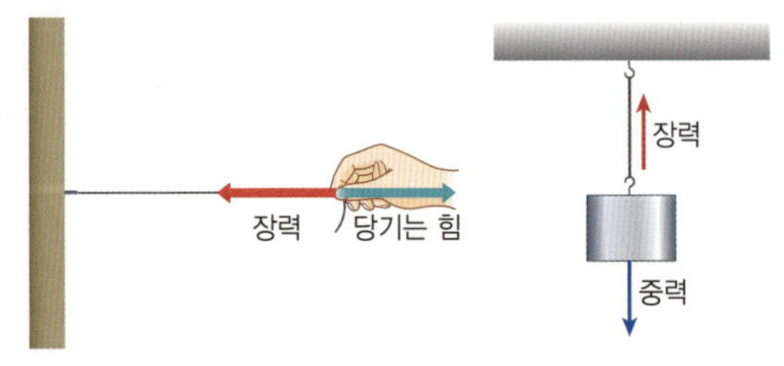

관성 법칙

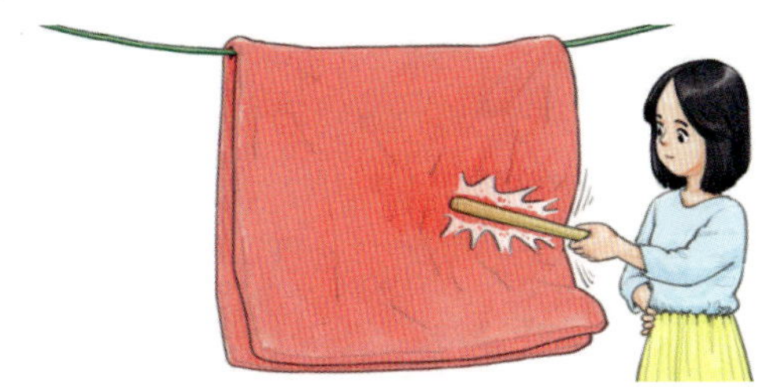
이불을 막대로 두드리면 떨어지는 먼지

돌부리에 걸려 앞으로 넘어지는 사람

관성 법칙은 뉴턴의 운동 법칙 중 제1법칙으로, 알짜힘이 0일 때 물체의 운동 상태가 변하지 않는다는 법칙이다. 즉, 물체는 알짜힘이 작용하지 않으면 현재의 운동 상태를 그대로 유지하려고 한다. 따라서 멈춰 있는 물체는 계속 멈춰 있으려고 하는데 이를 정지 관성이라고 한다. 예를 들어 버스가 급출발할 때 몸이 뒤로 쏠리거나, 이불을 막대로 두드리면 먼지가 떨어지거나, 두루마리 휴지를 빠르게 잡아당기면 끊어진다. 그리고 운동하고 있는 물체는 계속 운동하려고 하는데 이를 운동 관성이라고 한다. 예를 들어 버스가 급정거하면 몸이 앞으로 쏠리거나, 달리던 사람이 돌부리에 걸리면 앞으로 넘어지거나, 양념통을 흔들다가 멈추면 양념통 안의 양념이 나온다.

다중 섬광 사진

어두운 곳에서 카메라의 셔터를 열어 놓고 플래시를 같은 시간 간격으로 점멸시켜 찍는 사진이다. 물체의 시간에 따른 움직임을 한 장의 사진에 담을 수 있다. 움직이는 물체의 연속적인 모습을 한 장의 사진에 담을 수 있어 생동감이나 역동적인 표현이 가능하다. 비슷하게 다중 노출 사진이 있다.

기체의 압력

기체 입자 사이에는 인력이 거의 작용하지 않기 때문에 기체는 고체나 액체보다 매우 자유롭고 활발하게 운동한다. 기체 입자는 자유롭고 활발하게 운동하면서 용기의 안쪽 벽면에 충돌하여 힘을 가한다. 이와 같이 기체 입자가 충돌할 때 일정한 면적에 가하는 힘을 기체의 압력이라고 한다.

기체 입자는 모든 방향으로 불규칙하게 운동하기 때문에 기체의 압력은 모든 방향으로 똑같이 작용한다. 예를 들어 풍선에 기체를 넣으면 기체 입자의 개수가 많아져 기체 입자가 풍선의 안쪽 벽면에 더 많이 충돌한다. 따라서 풍선 속 기체의 압력이 커져 풍선의 부피가 늘어난다. 이때 풍선 속 기체 입자는 모든 방향으로 운동하여 풍선의 안쪽 벽면에 기체의 압력이 작용하므로 풍선이 둥근 모양으로 부풀어 오른다.

대기압

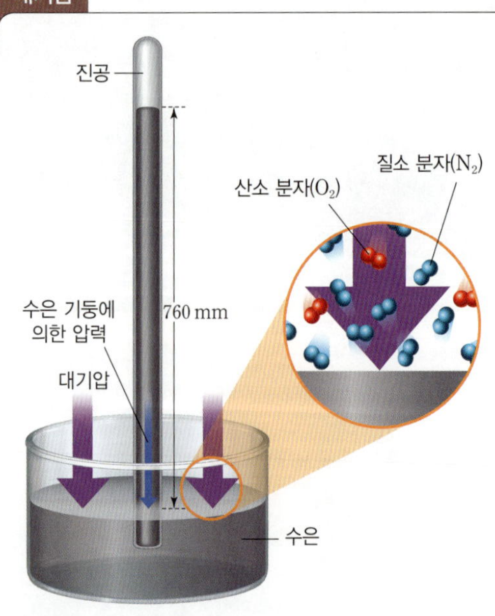

토리첼리의 대기압 측정

대기압은 지구를 둘러싸고 있는 대기가 지표면에 가하는 압력을 의미한다. 지구를 둘러싼 대기는 지구의 중력에 의해 지표면으로 끌려오며, 이로 인해 공기의 무게만큼 지표면에 압력을 가한다. 대기압은 모든 방향에서 같은 크기로 작용하며, 일반적으로 해수면에서의 평균 대기압을 1 기압(atm)으로 정의한다. 1 기압은 76 cm(=760 mm)의 수은 기둥이 누르는 압력과 같으며, 약 1000 km 높이의 공기 기둥이 누르는 압력과도 같다. 1 mmHg는 1 torr(토르)라고도 하는데, torr는 대기압을 최초로 측정한 과학자인 토리첼리(Torricelli, E., 1608~1647)의 이름을 따서 만든 단위이다.

$$1 \text{ 기압} = 1 \text{ atm} = 760 \text{ mmHg} = 760 \text{ torr} = 1013 \text{ hPa}$$

고도가 높아질수록 공기의 밀도가 작아지므로 지표면에 가하는 공기의 압력이 줄어들어 대기압이 작아진다. 예를 들어 에베레스트산 정상에서의 대기압은 해수면에서 측정한 대기압의 약 $\frac{1}{3}$에 해당한다.

대기압은 일상생활에도 많은 영향을 미친다. 고도가 높은 산에서는 대기압이 작아져 물이 100 ℃보다 낮은 온도에서 끓고, 하늘 높이 나는 비행기에서는 대기압이 작아져 귀가 먹먹해지는 증상이 나타난다.

보일 법칙

보일(Boyle, R., 1627~1691)은 실험을 통해 일정한 온도에서 용기 속에 들어 있는 기체의 부피가 줄어들 때 용기 속 기체의 압력이 커지는 것을 알아내었다. 이로부터 '온도가 일정할 때 일정한 양의 기체의 부피와 압력은 반비례한다.'라는 것을 밝혀냈는데, 이를 보일 법칙이라고 한다. 보일 법칙에 따르면 기체의 온도를 일정하게 유지하면서 압력이 P_1, 부피가 V_1인 기체의 압력을 P_2로 변화시켰을 때 부피가 V_2로 변했다면 $P_1V_1 = P_2V_2$의 관계가 성립한다.

보일은 공기에 관한 연구를 주로 하였는데, 1657년 공기 펌프와 관련된 책을 읽고 그의 조수인 훅(Hooke, R., 1635~1703)의 도움을 받아 공기 펌프를 만들기 위해 노력하였다. 2년 뒤인 1659년 보일의 공기 펌프가 만들어졌고, 보일은 공기 펌프를 이용하여 여러 가지 실험을 하였다. 이러한 실험 결과를 바탕으로 1662년 『공기의 탄력과 무게에 관한 학설의 옹호』라는 논문을 통해 보일 법칙을 발표하였다. 이후 19세기에 맥스웰과 볼츠만에 의해 기체 분자 운동론이 등장하여 기체의 부피와 압력의 관계가 더욱 정밀한 방정식으로 서술되면서 보일 법칙이 재조명받게 되었다.

보일

수압

수압은 물의 무게에 의한 압력으로, 물속에 잠긴 물체의 모든 방향에서 같은 영향을 미치는 힘을 의미한다. 온도가 4 °C인 물의 질량은 1 cm³당 1 g으로, 밀도는 1 g/cm³이다. 물은 공기보다 무거우므로 수압은 공기의 압력인 기압보다는 느끼기 쉽다. 예를 들어 비닐봉지에 손을 넣고 물에 담그면, 비닐봉지가 손에 달라붙는 것으로 수압을 느낄 수 있다.

수압은 물의 깊이에 비례하여 증가한다. 대기압을 고려하지 않았을 때 물의 깊이가 10 m 깊어질 때마다 수압은 1 기압씩 커진다. 현재 발견된 해구 중에서 가장 깊은 마리아나 해구(약 11000 m)는 이론상으로 수압이 1100 기압을 넘는다. 따라서 마리아나 해구의 가장 깊은 곳까지 잠수한다고 가정할 때 인체는 약 1 t(톤)의 무게를 온몸으로 받게 되는 것이다. 이처럼 수압이 큰 곳에 잠수하였다가 급하게 수면으로 올라올 때는 급격한 수압 차로 인해 혈액 속에 녹은 기체가 폐를 통과하지 못하고 혈관 내에서 기포를 발생시켜 잠수병을 유발하기도 한다.

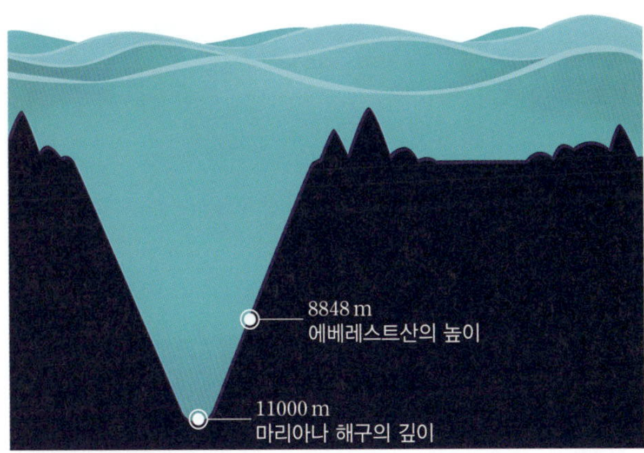

마리아나 해구의 깊이

샤를의 첫 기구 비행

1702년 아몽통(Amontons, G., 1663~1705)이 공기에 열을 가하면서 압력을 측정하는 실험을 통해 공기 온도계를 만들어 냈다. 이에 영감을 받은 샤를(Charles, J. A. C., 1746~1823)은 기체의 온도와 부피 관계에 관해 연구하기 시작하여 1783년 처음으로 수소 기구를 제작하고 시승하였다. 그리고 1787년경 수소, 산소, 질소, 이산화 탄소 등의 기체를 각각 넣은 기구들에 열을 가하여 온도가 일정하게 높아질 때 기체의 종류와 관계없이 기구의 부피가 같은 비율로 늘어난다는 사실을 발견하였다.

이후 1801년 돌턴(Dalton, J., 1766~1844)과 1802년 게이뤼삭(Gay-Lussac, J. L., 1778~1850)이 각각 독립적으로 기체의 온도와 부피 관계에 관한 논문을 발표하였다. 당시 게이뤼삭은 1787년 샤를이 미발표한 논문을 인용하면서 이 법칙에 샤를의 이름을 붙여 '샤를 법칙'이라고 하였다. 이 법칙은 게이뤼삭에 의해 확립되었으므로 '게이뤼삭 법칙'이라고도 한다.

샤를 법칙에 따르면 기체의 압력이 일정한 상태에서 기체의 부피가 V, 기체의 절대 온도가 T라고 할 때, $\dfrac{V}{T}$는 일정한 값을 가진다.

일반적으로 온도는 뜨겁거나 차가운 정도를 숫자로 표시한 것이다. 온도를 표시하는 방법은 단위에 따라 다른데, 섭씨온도(℃), 화씨온도(℉), 절대 온도(K, 켈빈) 등이 있다.

섭씨온도는 가장 널리 쓰이는 온도 단위로, '섭씨'라는 이름은 단위를 최초로 도입한 셀시우스(Celsius, A., 1701~1744)의 이름에서 유래하였다. 셀시우스는 1 기압에서 물의 어는점을 100 ℃, 끓는점을 0 ℃로 정하고, 그 사이를 100등분하여 1 ℃를 나타내었다. 셀시우스가 이러한 방식을 사용한 까닭은 그가 살던 스웨덴의 기온이 매우 낮아서 물의 끓는점을 100 ℃로 정할 경우 1년 기온의 대부분을 음수로 표기해야 했기 때문이다. 현재는 당시와는 반대로 1 기압에서 물의 어는점을 0 ℃, 끓는점을 100 ℃로 정의한다.

화씨온도의 '화씨'도 단위를 최초로 도입한 파렌하이트(Fahrenheit, D. G., 1686~1736)의 이름에서 유래하였다. 파렌하이트는 물의 어는점을 32 ℉, 끓는점을 212 ℉로 정하고, 그 사이를 180등분하여 1 ℉로 나타내었다.

온도계

절대 온도는 1848년 톰슨(Thomson, W., 1824~1907)이 도입하였으며, 켈빈 온도 또는 열역학적 온도라고도 한다. 절대 온도는 -273 ℃를 0으로 정한 온도로, 단위는 K(켈빈)을 사용한다. 절대 온도의 눈금 간격은 섭씨온도와 같으며, 섭씨온도에 273을 더하여 절대 온도를 구할 수 있다.

왜소 행성

태양을 중심으로 공전하며 둥근 형태를 유지할 만큼 충분한 중력을 가지고 있지만, 행성과 달리 공전 궤도에서 지배적인 역할을 하지 못하는 천체를 왜소 행성이라고 한다. 행성은 자신의 공전 궤도 주변에 있는 다른 천체를 중력으로 끌어당겨 흡수하거나 밀어내어 정리할 수 있지만, 왜소 행성은 자신의 공전 궤도 주변을 정리할 만큼 충분한 중력을 가지지 못한다. 이 때문에 왜소 행성은 화성과 목성의 공전 궤도 사이에 소행성이 집중적으로 분포하는 소행성대, 해왕성 바깥 영역에서 태양 주변을 도는 작은 천체가 모여있는 카이퍼대와 같이 복잡한 환경에서 다른 천체와 함께 존재하는 경우가 많다. 현재까지 국제천문연맹(IAU)에서 왜소 행성으로 분류하고 있는 천체는 명왕성을 포함하여 총 5개이다.

왜소 행성

운석

우주의 유성체가 지구의 중력에 이끌려 낙하하여 지구 표면에서 발견된 것을 운석이라고 한다. 유성체는 대부분 지구 대기권에서 공기와의 마찰로 타서 사라진다. 하지만 일부 유성체는 사라지지 않고 지구 표면까지 도달하여 운석이 된다. 운석은 대부분 유성체가 부서진 조각이지만, 화성이나 달 표면에서 떨어져 나온 암석도 있다. 운석은 철, 니켈, 규산염 등의 다양한 물질로 이루어져 있으며, 과학자들에게 태양계의 형성과 진화에 관한 중요한 정보를 제공한다.

운석 충돌구

지구에서 방출되는 열이 우주로 나가지 못하고 지구 안에서 순환하는 현상을 온실 효과라고 한다. 태양 복사 에너지는 지구의 대기를 통과하여 지구 표면에 흡수되고, 지구는 흡수한 에너지의 일부를 다시 방출한다. 이때 대기 중의 수증기, 이산화 탄소, 메테인과 같은 입자가 지구에서 방출된 에너지를 흡수하였다가 지구로 재방출한다. 이와 같은 온실 효과로 지구는 대기가 없는 경우와 비교하여 15 ℃ 정도 기온이 상승한다. 이러한 온실 효과는 다른 행성에서도 일어나며, 온실 효과가 매우 강한 금성의 경우 표면 온도가 약 470 ℃까지 높아진다.

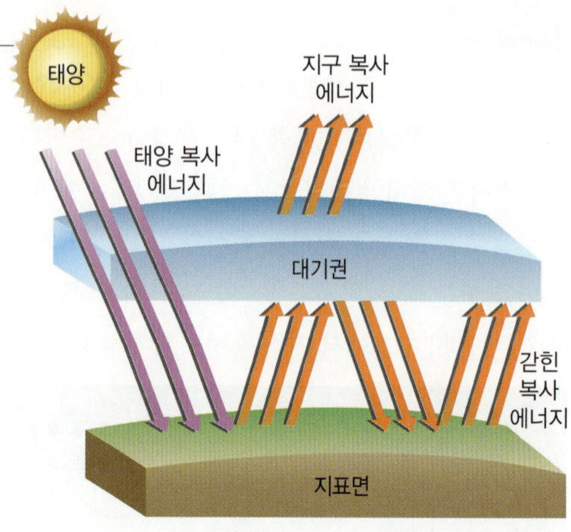

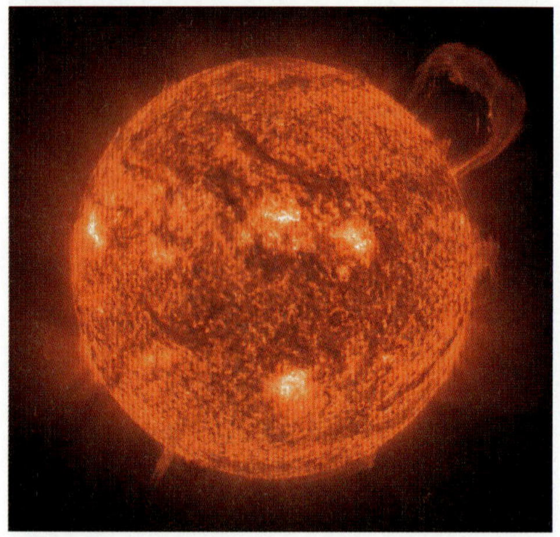

태양 표면의 물질이 채층이나 코로나로 솟아올랐다가 다시 가라앉는 태양 활동 현상을 홍염이라고 하며, 태양의 자기장이 꼬이거나 얽히면서 방출되는 고에너지 덩어리이다. 홍염은 보통 수천에서 수십만 km에 이르는 크기로 뻗어나가며, 밝고 불타는 고리 모양 등으로 관측된다. 이 현상은 태양의 활동이 활발해지는 극대기에 더 자주 발생하며, 때로는 태양풍과 함께 지구에 도달해 전자기적 교란을 일으킨다. 이러한 홍염은 수 시간에서 며칠 동안 지속될 수 있으며, 우주 날씨에 큰 영향을 미친다.

흑점 주변에서 짧은 시간 동안 대량의 에너지가 방출되는 폭발 현상을 플레어라고 한다. 플레어가 발생하면 흑점 위의 채층 일부가 급격히 밝아지며, 동시에 많은 양의 대전 입자(전기를 띠고 있는 입자)가 우주 공간으로 방출된다. 주로 흑점 근처에서 발생하는 이 현상으로 태양 우주선 입자의 방출이 급격히 늘어난다. 이러한 방출은 지구의 전리층에 영향을 미쳐 장거리 무선 통신이 끊기는 현상을 유발할 수 있으며, 우주선 입자가 지구 대기권에 도달해 오로라가 자주 발생하기도 한다.

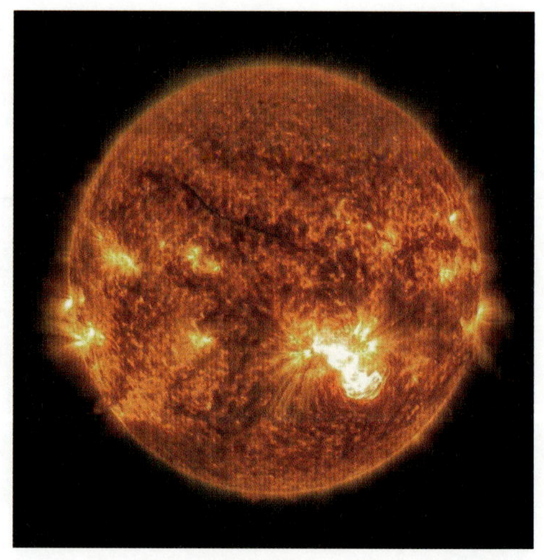

오로라

태양에서 방출된 우주선 입자가 지구 대기권으로 들어와 극지방 상공에서 지구 대기와 충돌하여 빛이 생기는 현상을 오로라라고 한다. 주로 위도 60°~80°의 고위도 지역에서 넓게 나타나며, 오로라의 크기와 발생 범위는 태양의 활동에 따라 변한다. 특히 태양의 활동이 활발해지는 극대기에는 극지방에서 오로라가 자주 발생하며, 발생 범위가 넓어져 평소보다 낮은 위도에서도 오로라를 볼 수 있다. 오로라는 우주선 입자가 부딪히는 공기의 성분에 따라 초록색, 빨간색, 노란색, 보라색 등 다양한 색을 띤다.

지상에서 관측한 오로라의 모습

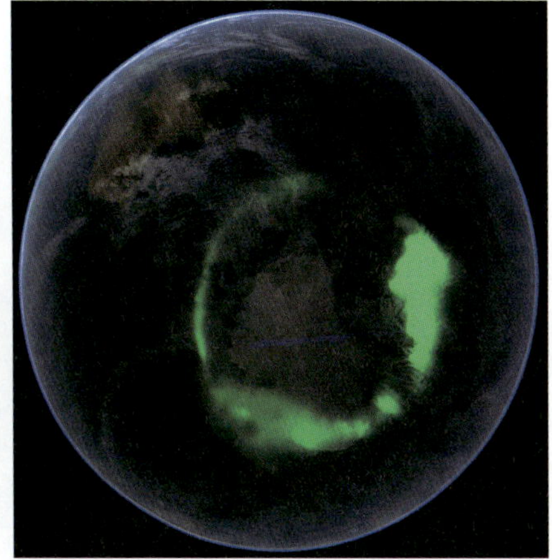

우주에서 관측한 오로라의 모습

겉보기 운동

지구의 자전과 공전으로 하늘에 있는 천체가 마치 직접 움직이는 것처럼 보이는 현상을 천체의 겉보기 운동이라고 한다. 실제 별은 천구에 고정되어 있지만, 지구의 자전으로 하루 동안 별이 회전하는 것처럼 보이고, 지구의 공전으로 1년 동안 천체가 이동하는 것처럼 보인다. 이는 마치 달리는 기차 안에서 창밖을 보면 풍경이 열차와 반대 방향으로 움직이는 것처럼 보이는 것과 비슷한 원리이다.

달리는 기차 안에서 보았을 때 바깥의 풍경이 움직이는 것처럼 보인다.

지구에서 보았을 때 별이 하루를 주기로 일주 운동하는 것처럼 보인다.

천구

하늘을 구형으로 가정한 가상의 구체를 천구라고 하며, 별과 천체는 천구의 표면에 붙어있는 것처럼 생각할 수 있다. 천구는 지구 중심에서 바라본 하늘을 구형의 표면에 투영한 것이며, 이 구체의 중심은 지구 중심 또는 관측자의 위치로 볼 수 있다. 천구의 주요 요소로는 천구의 적도와 천구의 북극 및 천구의 남극 등이 있는데, 이는 천문학에서 천체의 위치와 운동을 설명하고 예측하는 데 사용된다. 천구의 개념은 고대부터 사용되어 온 천문학의 중요한 도구로서, 현대에도 천체의 좌표계를 설정하는 기초로 활용된다.

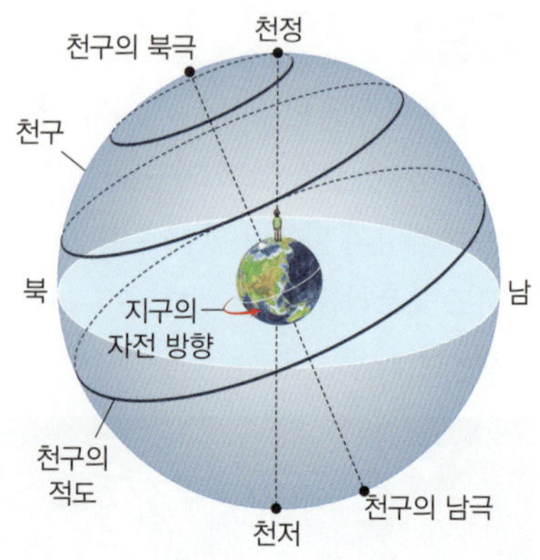

황도

태양이 지구를 중심으로 1년 동안 하늘을 가로질러 이동하는 경로를 나타내는 가상의 선을 황도라고 한다. 실제로는 지구가 태양을 공전하기 때문에 생기는 현상으로, 하늘에서 태양이 별 사이를 이동하는 것처럼 보인다. 황도는 천구상에서 천구의 적도와 약 23.5° 기울어진 경로를 따르며, 이 기울기는 지구의 자전축이 기울어져 있어 생긴다. 황도는 고대 천문학에서 태양, 달, 행성의 위치를 설명하고 예측하는 데 중요한 역할을 했다.

위상

주기적인 변화 과정에서 어느 특정한 시점이나 위치를 위상이라 하며, 주로 달의 모양 변화나 파동의 진동에서 사용된다. 달의 위상은 달이 지구를 공전하면서 위치에 따라, 지구에서 관측한 태양 빛을 받는 부분의 모습이 달라지는 것을 의미한다. 이러한 변화는 초승달, 상현달, 보름달, 하현달, 그믐달 등의 형태로 나타나며, 약 29.5일의 주기를 따라 반복된다. 이러한 달의 주기를 바탕으로 한 달을 설정한 달력 체계를 태음력(음력)이라고 한다.

일식

달이 태양과 지구 사이에 위치하여 태양의 일부 또는 전부가 가려지는 현상을 일식이라고 하며, 달의 그림자가 지구에 드리워지면서 발생한다. 일식은 크게 개기일식, 부분일식, 금환일식으로 나뉜다. 개기일식은 달이 태양을 완전히 가릴 때 발생하며, 이때는 태양이 완전히 가려져 주변이 어두워지고 태양의 대기층인 코로나를 관측할 수 있다. 부분일식은 달이 태양의 일부만 가릴 때 발생한다. 금환일식은 달이 개기일식 때보다 지구에서 상대적으로 멀리 있어 태양의 가장자리 부분이 고리 모양으로 보이는 현상이다.

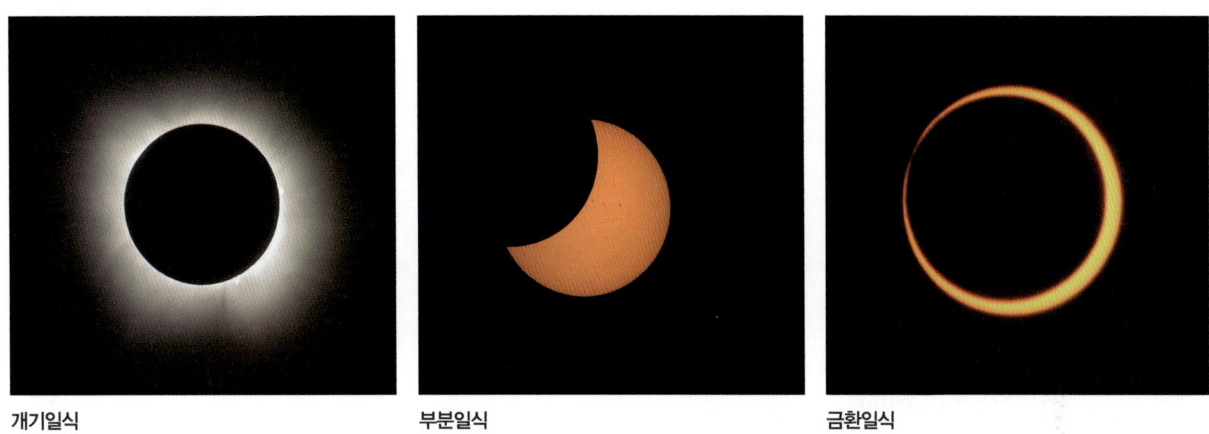

개기일식   부분일식   금환일식

월식

지구가 태양과 달 사이에 위치하여 달이 지구의 그림자에 가려지는 현상을 월식이라고 하며, 달이 지구의 그림자로 들어갈 때 발생한다. 월식은 크게 개기월식, 부분월식, 반영식으로 나뉜다. 개기월식은 달의 전체가 지구의 어두운 그림자인 본그림자에 가려지는 현상으로, 이때 태양 빛 중 붉은색 빛이 지구 대기를 통과하면서 굴절되어 달에 도달하기 때문에 달이 완전히 어두워지지 않고 붉게 보인다. 부분월식은 달의 일부만 지구의 본그림자에 가려지는 현상으로, 가려진 부분이 어둡게 보인다. 반영식은 달이 지구의 약간 어두운 그림자인 반그림자에 들어가 달의 밝기가 약간 어두워지는 현상으로, 밝기 변화가 매우 적어 맨눈으로는 그 차이를 느끼기 어렵다.

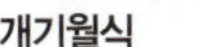

개기월식   부분월식   반영식

정답과 해설 095쪽

01 과학에서의 힘이 작용하여 나타나는 현상으로 옳지 <u>않은</u> 것은?

① 축구공이 굴러오다가 멈췄다.

② 물을 끓였더니 수증기가 되었다.

③ 야구공을 던지니 멀리 날아갔다.

④ 빈 플라스틱 병을 밟으니 찌그러졌다.

⑤ 잡고 있던 농구공을 놓으니 아래로 떨어졌다.

02 물체에 힘이 작용하여 나타나는 현상 중 물체의 모양과 운동 상태가 동시에 변하는 경우를 보기에서 모두 고른 것은?

> 보기
>
> ㄱ. 용수철을 잡아 당겼더니 길이가 늘어났다.
>
> ㄴ. 자동차가 벽과 충돌하여 찌그러지고 정지했다.
>
> ㄷ. 날아오는 야구공을 야구 방망이로 세게 쳐서 반대 방향으로 날아갔다.

① ㄱ   ② ㄷ   ③ ㄱ, ㄴ

④ ㄴ, ㄷ   ⑤ ㄱ, ㄴ, ㄷ

03 다음은 힘의 표시에 대한 학생의 발표 자료이다.

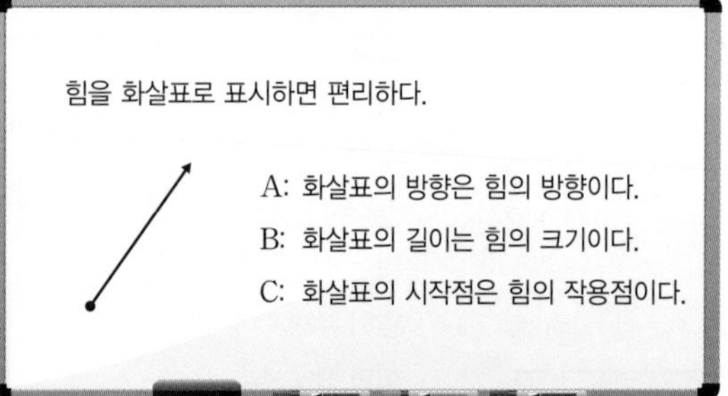

학생이 발표한 내용 A~C 중 옳은 것을 모두 고른 것은?

① A   ② C   ③ A, B

④ B, C   ⑤ A, B, C

04 그림과 같이 화살표를 이용하여 힘을 나타냈다. 이때 힘의 크기와 방향을 옳게 연결한 것은? (단, 1 cm는 2 N이다.)

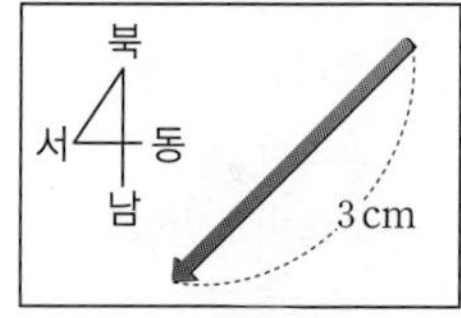

크기	방향		크기	방향
① 3 N	남서쪽		② 3 N	북동쪽
③ 3 N	남쪽		④ 6 N	남서쪽
⑤ 6 N	북동쪽			

05 그림 (가), (나)와 같이 마찰이 없는 수평면에 놓인 물체에 수평 방향으로 두 힘이 각각 작용하고 있다.

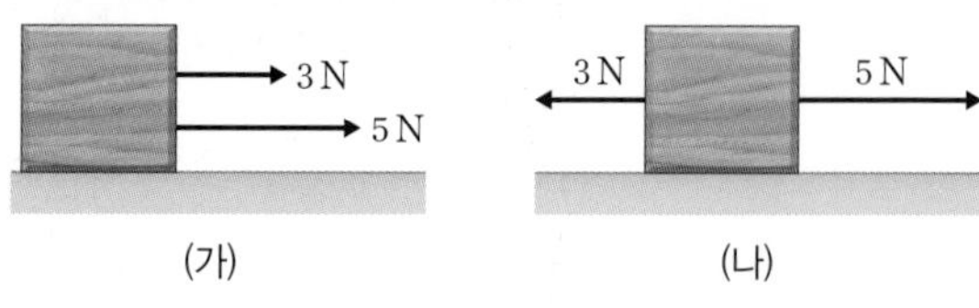

(가)와 (나)에 작용하는 알짜힘의 크기를 구하시오.

(가) _______________ , (나) _______________

06 그림과 같이 마찰이 없는 수평면 위에 놓인 상자를 A와 B가 힘을 주어 밀었지만 상자가 움직이지 않았다.

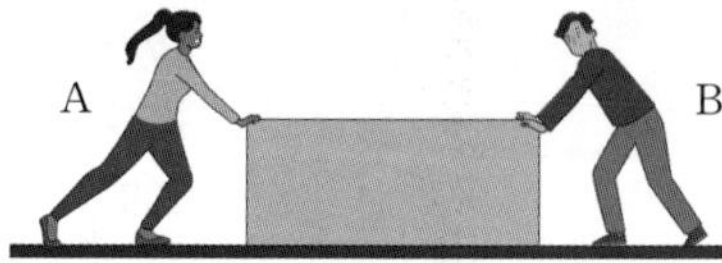

이에 대한 설명으로 옳은 것을 보기에서 모두 고른 것은?

> 보기
>
> ㄱ. A가 상자를 미는 힘의 크기는 B가 상자를 미는 힘의 크기보다 크다.
>
> ㄴ. A가 상자를 미는 힘의 방향과 B가 상자를 미는 힘의 방향은 반대이다.
>
> ㄷ. A가 상자를 미는 힘과 B가 상자를 미는 힘은 같은 작용선상에 있다.

① ㄱ   ② ㄴ   ③ ㄱ, ㄴ

④ ㄴ, ㄷ   ⑤ ㄱ, ㄴ, ㄷ

07 그림의 현상과 공통적으로 관계있는 힘에 대한 설명으로 옳지 <u>않은</u> 것은?

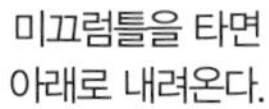

미끄럼틀을 타면 아래로 내려온다.

스카이다이빙을 하면 아래로 떨어진다.

① 지구가 물체를 미는 힘이다.

② 지구 중심 방향으로 작용한다.

③ 물체의 질량이 클수록 이 힘의 크기가 크다.

④ 물체를 무겁거나 가볍다고 느끼게 하는 힘이다.

⑤ 물체에 작용하는 이 힘의 크기를 무게라고 한다.

08 지구에서 무게가 294 N인 물체가 있다. 지구에서 물체의 질량과 달에서 물체의 무게를 옳게 연결한 것은? (단, 지구에서 질량이 1 kg인 물체의 무게는 9.8 N이며, 달 중력은 지구 중력의 $\frac{1}{6}$이다.)

	지구에서의 질량	달에서의 무게
①	30 kg	49 N
②	30 kg	98 N
③	30 kg	147 N
④	60 kg	49 N
⑤	60 kg	98 N

09 그림과 같이 질량이 10 kg인 물체를 지구 위에서 가만히 놓았다. 이 물체에 대한 설명으로 옳은 것을 보기에서 모두 고른 것은? (단, 지구에서 질량 1 kg인 물체의 무게는 9.8 N이다.)

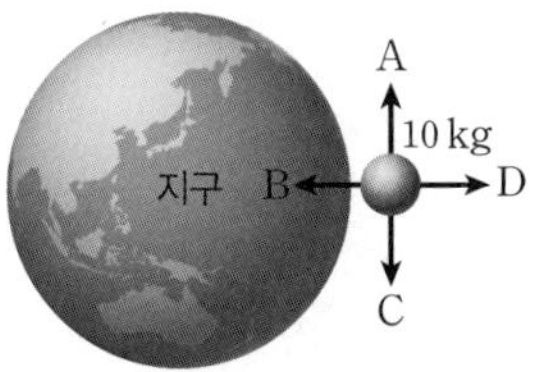

― 보기 ―

ㄱ. 물체의 무게는 98 N이다.

ㄴ. 물체는 C 방향으로 떨어진다.

ㄷ. 물체에 작용하는 중력의 방향은 B이다.

① ㄱ   ② ㄷ   ③ ㄱ, ㄴ

④ ㄱ, ㄷ   ⑤ ㄱ, ㄴ, ㄷ

10 탄성력에 대한 설명으로 옳은 것은?

① 탄성체의 변형이 작을수록 탄성력이 크다.

② 물체가 변형되려는 성질인 탄성에 의한 힘이다.

③ 탄성력의 크기는 탄성체를 변형시킨 힘의 크기와 같다.

④ 탄성력은 탄성체를 변형시킨 힘과 같은 방향으로 작용한다.

⑤ 물체의 종류에 관계없이 변형된 정도가 같으면 탄성력의 크기는 같다.

11 그림과 같이 서로 다른 용수철 A, B, C에 질량이 다른 물체를 각각 매달았다.

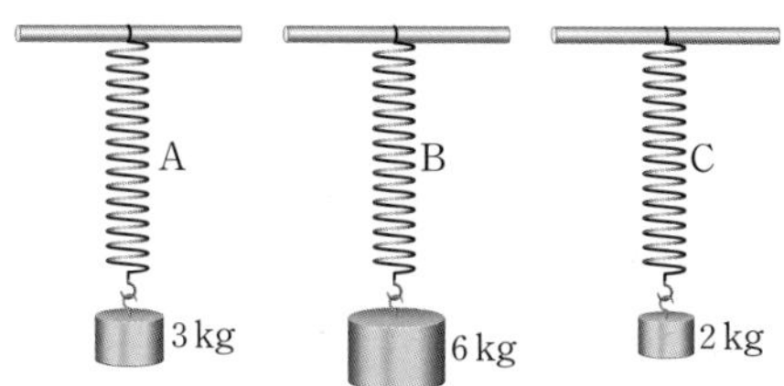

A, B, C에 작용하는 탄성력의 크기를 옳게 비교한 것은?

① A>B>C   ② B>A>C

③ B>C>A   ④ C>A>B

⑤ C>B>A

12 그림과 같이 용수철의 한쪽 끝을 고정하고 다른 쪽을 힘 센서에 연결하여 7 N의 힘으로 당겼다.

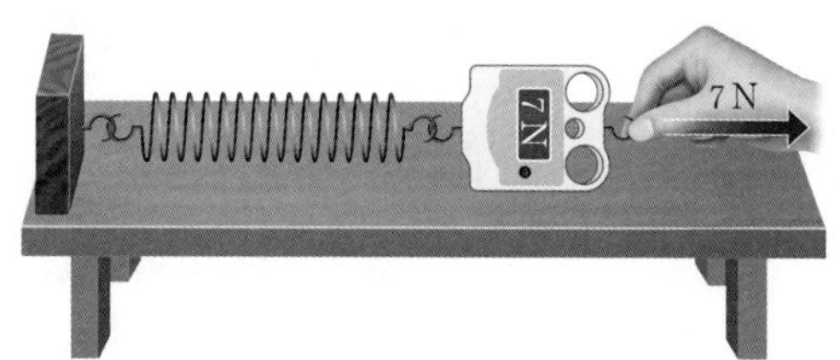

이에 대한 설명으로 옳은 것을 보기에서 모두 고른 것은? (단, 공기의 저항과 모든 마찰은 무시한다.)

― 보기 ―

ㄱ. 탄성력의 크기는 7 N이다.

ㄴ. 탄성력의 방향은 왼쪽이다.

ㄷ. 오른쪽으로 더 당기면 탄성력의 크기는 더 커진다.

① ㄱ   ② ㄴ   ③ ㄱ, ㄷ

④ ㄴ, ㄷ   ⑤ ㄱ, ㄴ, ㄷ

13 그림과 같이 수평면 위에 놓인 무게가 100 N인 나무 도막에 30 N의 힘을 작용해 일정한 속력으로 운동시켰다.

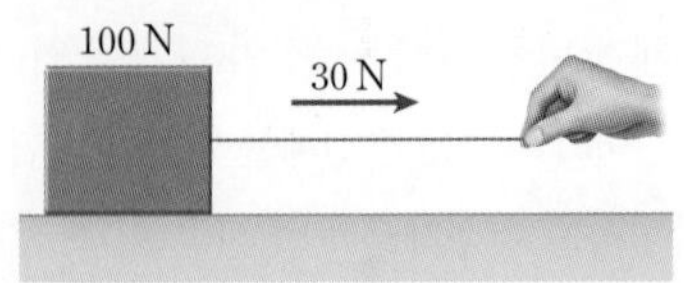

이때 나무 도막에 작용하는 마찰력의 크기로 옳은 것은?

① 0 N   ② 30 N   ③ 70 N

④ 100 N   ⑤ 130 N

14 그림과 같이 매끄러운 빗면을 내려온 병뚜껑을 수평의 사포와 책상 위에서 미끄러지게 하였더니 병뚜껑이 미끄러진 거리가 달랐다.

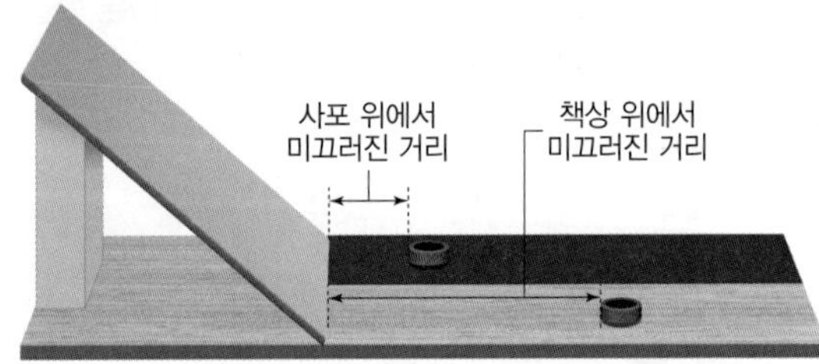

이에 대한 설명으로 옳은 것을 보기에서 모두 고른 것은?

보기

ㄱ. 접촉면이 거칠수록 마찰력의 크기가 크다.

ㄴ. 병뚜껑이 미끄러지는 방향과 마찰력의 방향은 반대이다.

ㄷ. 병뚜껑에 작용하는 마찰력이 클수록 병뚜껑이 미끄러지는 거리가 길다.

① ㄱ   ② ㄷ   ③ ㄱ, ㄴ

④ ㄴ, ㄷ   ⑤ ㄱ, ㄴ, ㄷ

15 부력에 대한 설명으로 옳은 것은?

① 중력과 같은 방향으로 작용한다.

② 공기 속에 있는 물체에는 작용하지 않는다.

③ 액체 속에 가라앉아 있는 물체에는 작용하지 않는다.

④ 물체가 물속에 잠겨있을 때 물이 물체를 밀어 올리는 힘이다.

⑤ 액체나 기체가 그 속에 있는 물체를 아래쪽으로 당기는 힘이다.

16 부피가 같은 두 물체 A, B를 물속에 넣었더니 그림과 같이 A는 반쯤 잠긴 채 물에 떠 있고, B는 바닥으로 가라앉았다.

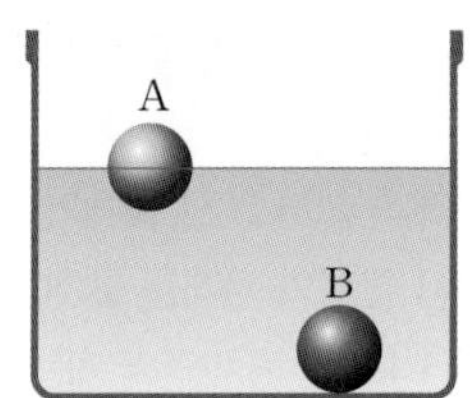

이에 대한 설명으로 옳은 것은?(단, 공기의 부력은 무시한다.)

① A와 B에 작용하는 부력의 크기는 같다.

② B에 작용하는 중력과 부력의 크기는 같다.

③ A와 B에 작용하는 부력의 방향은 서로 반대이다.

④ A에 작용하는 부력의 크기가 중력의 크기보다 작다.

⑤ A에 작용하는 중력의 크기가 B에 작용하는 중력의 크기보다 작다.

17 그림과 같이 물을 가득 채운 비커에 무게가 10 N인 물체를 넣은 후 흘러넘친 물의 무게를 측정하였더니 2 N이었다.

이 물체에 작용하는 부력의 크기로 옳은 것은?

① 0 N   ② 2 N   ③ 6 N

④ 10 N   ⑤ 12 N

18 그림 (가)는 물에 띄운 사과가 정지한 모습을, (나)는 용수철에 매단 사과가 정지한 모습을 나타낸 것이다.

(가)   (나)

(가)와 (나)에서 사과에 작용하는 힘의 관계를 옳게 짝 지은 것은?

	(가)	(나)
①	중력 > 부력	중력 > 탄성력
②	중력 = 부력	중력 < 탄성력
③	중력 = 부력	중력 = 탄성력
④	중력 < 부력	중력 = 탄성력
⑤	중력 < 부력	중력 < 탄성력

19 그림 (가)~(다)는 여러 가지 운동을 나타낸 것이다.

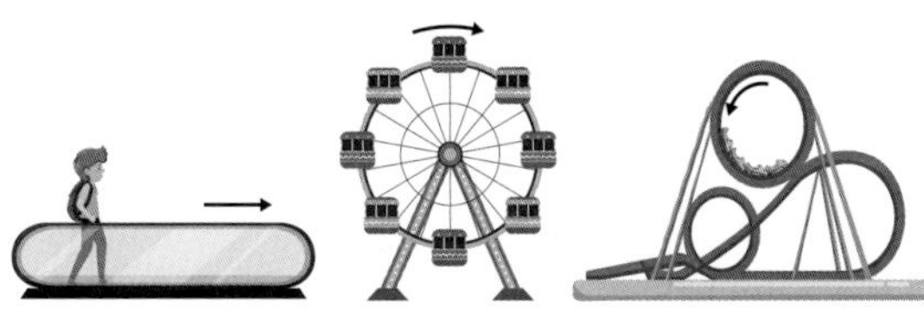

(가) 일정한 빠르기로 움직이는 무빙워크   (나) 일정한 빠르기로 회전하고 있는 대관람차   (다) 휘어지고 경사진 레일을 따라 내려오는 롤러코스터

(가)~(다) 중 속력과 운동 방향이 모두 일정한 운동 A와 속력은 일정하고 운동 방향만 변하는 운동 B를 옳게 짝 지은 것은?

	A	B			A	B
①	(가)	(나)		②	(가)	(다)
③	(나)	(가)		④	(다)	(가)
⑤	(다)	(나)				

20 그림은 지구에서 수직 아래로 낙하하는 공 A, 지구 주위를 일정한 속력으로 원운동 하는 인공위성 B, 지구에서 진자 운동을 하는 쇠구슬 C를 나타낸 것이다.

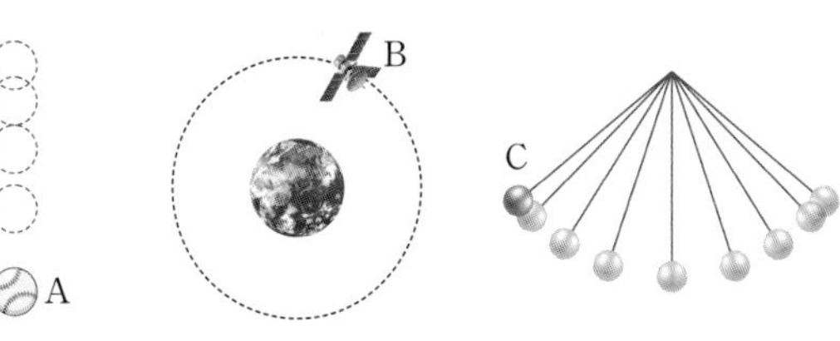

이에 대한 설명으로 옳은 것을 보기에서 모두 고른 것은? (단, 공기의 저항과 모든 마찰은 무시한다.)

> **보기**
> ㄱ. B에는 중력이 작용하지 않는다.
> ㄴ. A는 속력이 변하는 운동을 한다.
> ㄷ. C는 운동 방향이 변하는 운동을 한다.

① ㄱ   ② ㄷ   ③ ㄱ, ㄴ
④ ㄴ, ㄷ   ⑤ ㄱ, ㄴ, ㄷ

21 영희는 승강기를 타고 내려갈 때 승강기의 운동을 (가)~(라) 구간으로 나누어 정리하였다.

> (가) 승강기가 출발하여 속력이 점점 증가한다.
> (나) 승강기가 일정한 속력으로 내려간다.
> (다) 승강기의 속력이 점점 감소한다.
> (라) 승강기가 1층에 정지한다.

이에 대한 설명으로 옳은 것을 보기에서 모두 고른 것은? (단, 공기의 저항과 모든 마찰은 무시한다.)

> **보기**
> ㄱ. 알짜힘이 0인 구간은 (나)와 (라)이다.
> ㄴ. (가)에서 승강기에 작용하는 알짜힘의 방향은 위쪽이다.
> ㄷ. (나)에서 영희에 작용하는 중력과 승강기 바닥이 영희를 떠받치는 힘의 크기는 같다.

① ㄱ   ② ㄷ   ③ ㄱ, ㄴ
④ ㄱ, ㄷ   ⑤ ㄱ, ㄴ, ㄷ

서술형 문제

22 다음은 '달에 가서 운동 경기를 한다면?'이라는 주제로 상상해서 쓴 글의 일부이다.

> 달에서 역도 경기를 할 때, ㉠역기의 질량은 지구의 $\frac{1}{6}$ 이고, ㉡역기에 작용하는 중력의 크기는 지구의 $\frac{1}{6}$ 이다. 역기를 천천히 들어 올릴 때 ㉢중력만큼의 힘을 중력과 반대 방향으로 계속 가해야 한다. 따라서 ㉣달에서는 지구에서 작용하는 힘의 6배의 힘을 역기에 작용해야 한다.

㉠~㉣에서 틀린 내용을 모두 찾아 옳게 고치고, 그 까닭을 설명하시오.

____

____

23 그림 (가)는 힘 센서에 연결한 용수철을 천천히 잡아당기면서 용수철이 늘어난 길이를 측정하는 모습을, (나)는 용수철이 늘어난 길이에 따른 힘 센서의 측정값을 나타낸 것이다.

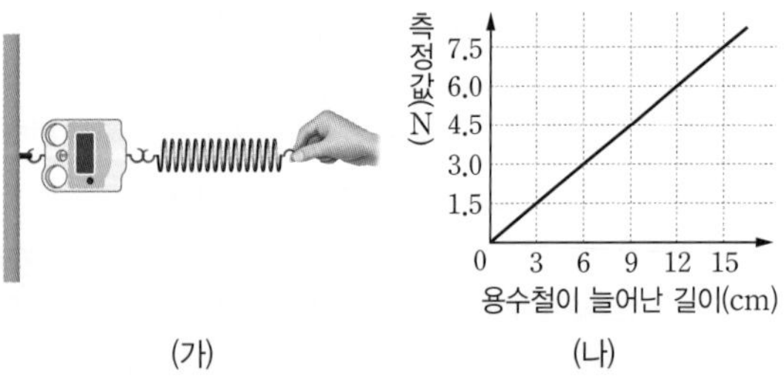

힘 센서가 측정한 힘의 종류를 쓰고, 용수철을 잡아당겨 용수철이 18 cm 늘어났을 때 용수철을 당기는 힘의 크기를 그 까닭과 함께 설명하시오.

____

____

24 다음은 마찰력에 영향을 주는 요인을 알아보기 위해 설계한 실험이다.

[실험 과정]
(가) 나무 도막 한 개를 유리판 위에 놓고 서서히 당겨 움직이는 순간의 용수철저울의 눈금을 측정한다.
(나) 나무 도막 두 개를 사포 위에 놓고 서서히 당겨 움직이는 순간의 용수철저울의 눈금을 측정한다.

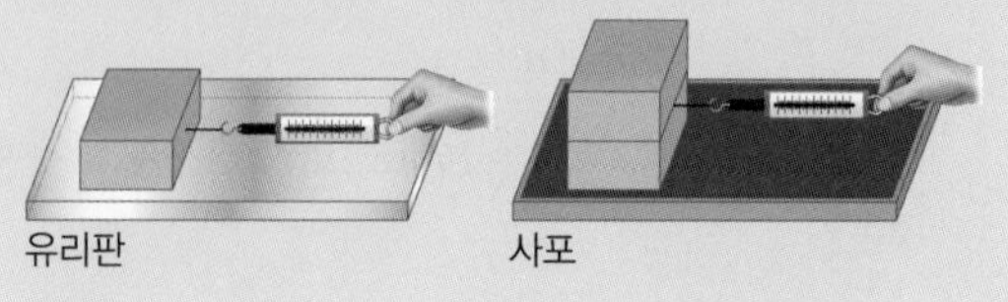

마찰력의 크기와 물체의 무게와의 관계를 알아보려면 실험 과정의 어느 부분을 수정해야 할지 고르고, 옳게 고쳐 쓰시오.

____

____

25 그림 (가)는 무게가 1 N인 추가 공기 중에 있을 때, (나)는 추가 물에 반만 잠겨 있을 때, (다)는 추가 물속에 완전히 잠겼을 때의 모습을 나타낸 것이다.

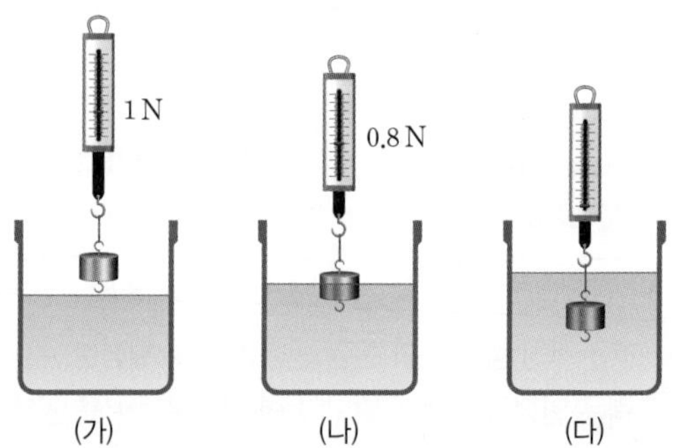

(다)에서 용수철저울의 측정값을 구하고, 그 까닭을 설명하시오. (단, 공기의 부력과 실의 부피는 무시한다.)

____

____

정답과 해설 097쪽

01 그림은 같은 무게의 사람이 바닥 면이 서로 다른 두 신발을 신고 찰흙 위에 올라갔을 때 찰흙이 눌린 모습을 나타낸 것이다.

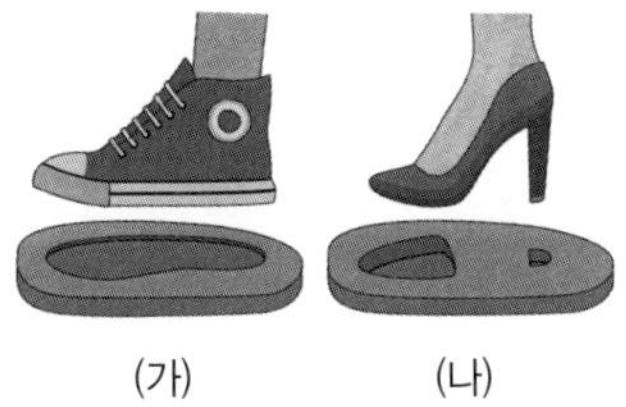

이에 대한 설명으로 옳은 것을 보기에서 모두 고른 것은? (단, 두 신발의 무게는 같다.)

> **보기**
>
> ㄱ. 찰흙이 눌린 정도로 보아 찰흙에 가해진 압력은 (나)가 (가)보다 크다.
> ㄴ. 실험 결과로부터 작용하는 힘의 크기가 클수록 압력이 크다는 것을 알 수 있다.
> ㄷ. 실험 결과로부터 힘을 받는 면적이 좁을수록 압력이 크다는 것을 알 수 있다.

① ㄱ   ② ㄴ   ③ ㄱ, ㄷ
④ ㄴ, ㄷ   ⑤ ㄱ, ㄴ, ㄷ

02 그림은 동일한 삼각 플라스크에 물을 넣어 스펀지 위에 올려놓았을 때의 모습을 나타낸 것이다.

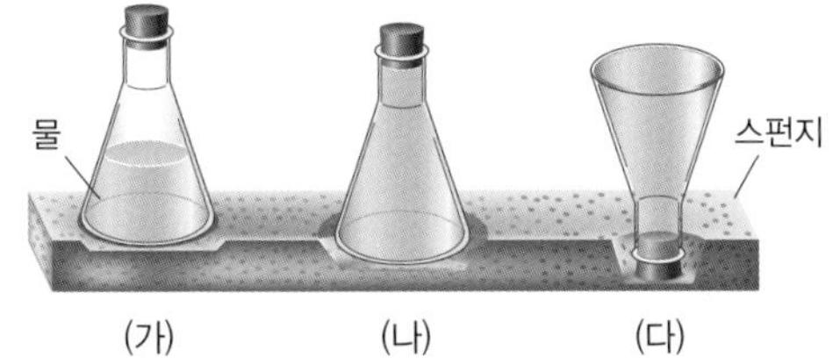

(가)~(다) 중 힘을 받는 면적이 압력에 미치는 영향을 알아보기 위해서 비교해야 하는 것을 고르시오.

03 생활 속에서 압력을 이용한 원리가 나머지와 <u>다른</u> 하나는?

① 가위의 날을 날카롭게 만든다.
② 탄산음료 병의 밑바닥을 꽃잎 모양으로 만든다.
③ 얼음판 위를 걸어가는 것보다 기어가는 것이 안전하다.
④ 눈에 발이 빠지지 않도록 신발 바닥에 설피를 덧대어 신는다.
⑤ 눈썰매는 바닥의 면적이 넓어서 눈밭에 빠지지 않고 쉽게 이동한다.

04 그림은 일정한 온도에서 풍선에 공기를 불어 넣을 때 풍선 속 기체 입자의 운동을 모형으로 나타낸 것이다.

이때 풍선 속에서 일어나는 변화에 대한 설명으로 옳은 것을 모두 고르면? (정답 2개)

① 풍선 속 기체 입자의 크기가 커진다.
② 풍선 속 기체 입자의 개수가 많아진다.
③ 풍선 속 기체 입자의 운동이 느려진다.
④ 풍선 속 기체의 압력은 모든 방향으로 작용한다.
⑤ 풍선 속에서 기체 입자가 안쪽 벽면에 충돌하는 횟수가 감소한다.

05 그림과 같이 일정한 온도에서 용기 속에 들어 있는 일정한 양의 기체에 가하는 압력을 증가시켰다.

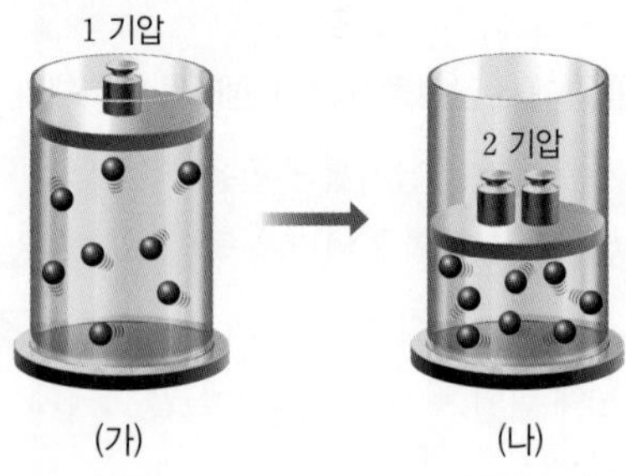

(가)와 (나)에서 용기 속 기체의 변화를 옳게 비교한 것은?

① 기체의 압력: (가)>(나)

② 기체 입자의 개수: (가)>(나)

③ 기체 입자의 충돌 횟수: (가)<(나)

④ 기체 입자 사이의 거리: (가)<(나)

⑤ 기체 입자 운동의 빠르기: (가)<(나)

06 그림과 같이 장치한 다음, 주사기의 피스톤을 눌러 주사기 속 공기의 부피를 변화시키면서 압력을 측정하여 표와 같은 결과를 얻었다.

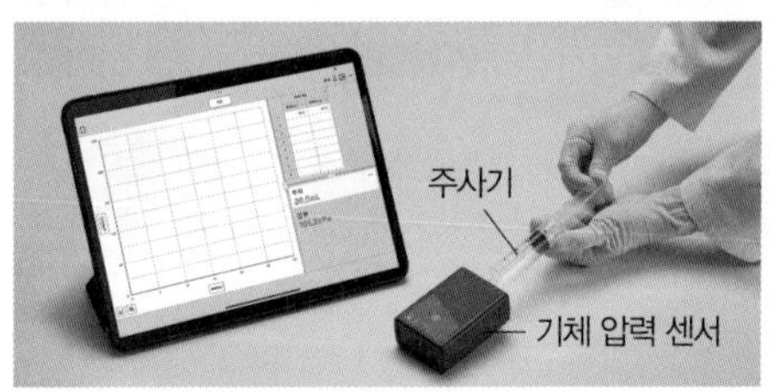

부피(mL)	20	18	16	14	12
압력(기압)	1.00	1.11	㉠	1.43	1.66

이 실험에 대한 설명으로 옳은 것은? (단, 온도는 일정하다.)

① ㉠은 1.35이다.

② 샤를 법칙을 설명할 수 있다.

③ 주사기 속 기체의 부피와 압력은 비례한다.

④ 주사기 속 기체의 부피와 압력을 곱한 값은 거의 일정하다.

⑤ 주사기 속 기체의 부피가 줄어들면 기체 입자의 질량이 증가한다.

07 다음은 기체의 압력과 부피 관계를 기체 입자의 운동으로 설명한 것이다.

> (㉠)이/가 일정할 때 일정한 양의 기체에 가해지는 압력이 증가하면 기체의 (㉡)이/가 감소하여 기체 입자의 충돌 횟수가 증가하므로 기체의 (㉢)이/가 증가한다.

㉠~㉢에 알맞은 말을 옳게 짝 지은 것은?

	㉠	㉡	㉢		㉠	㉡	㉢
①	부피	온도	압력	②	부피	질량	온도
③	온도	부피	질량	④	온도	부피	압력
⑤	온도	질량	압력				

08 보일 법칙으로 설명할 수 있는 현상이 <u>아닌</u> 것을 모두 고르면? (정답 2개)

① 열기구 속 기체를 가열하면 열기구가 떠오른다.

② 공기를 채운 공기 침대 위에 누우면 침대의 부피가 줄어든다.

③ 풍선이 하늘 높이 올라갈수록 점점 커지다가 결국에는 터진다.

④ 충격에 의해 물건이 파손되지 않도록 뽁뽁이로 물건을 포장한다.

⑤ 물이 채워진 오줌싸개 인형 위에 뜨거운 물을 부으면 인형 속 물이 뿜어져 나온다.

09 온도가 일정할 때 일정한 양의 기체의 압력과 부피 관계를 나타낸 그래프로 옳은 것은?

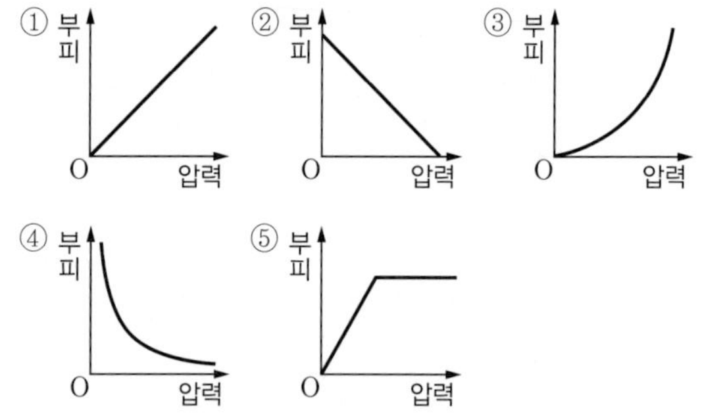

10 오른쪽 그림은 풍선을 넣은 주사기의 피스톤을 각각 누를 때와 당길 때 주사기 속 풍선의 변화를 나타낸 것이다. (가)와 (나)에서 풍선 속 기체에 대한 설명으로 옳지 <u>않은</u> 것은? (단, 온도는 일정하다.)

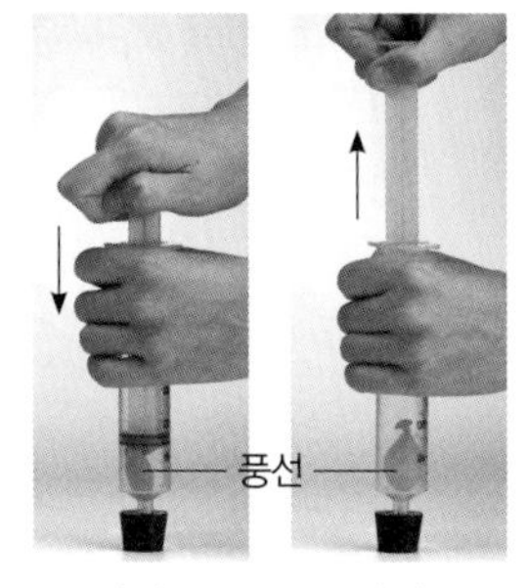

① (가)에서 기체의 압력이 커진다.

② (나)에서 기체의 부피가 늘어난다.

③ (가)에서 기체 입자의 충돌 횟수가 감소한다.

④ (가)와 (나)에서 기체 입자의 개수는 같다.

⑤ (가)와 (나)에서 기체 입자 운동의 빠르기는 같다.

11 그림 (가)는 하늘을 나는 비행기 안에서, (나)는 집 안에서 뜯지 않은 똑같은 과자 봉지의 부피가 달라진 모습을 나타낸 것이다.

(가)　　　　　　　(나)

이에 대한 설명으로 옳은 것을 보기에서 모두 고른 것은? (단, 두 장소에서 온도는 같다.)

> **보기**
> ㄱ. 압력에 따른 기체의 부피 변화를 알 수 있다.
> ㄴ. 과자 봉지 속 기체의 압력은 (가)가 (나)보다 작다.
> ㄷ. 과자 봉지 속 기체 입자 사이의 거리는 (가)가 (나)보다 멀다.
> ㄹ. 과자 봉지 속 기체 입자의 운동은 (나)가 (가)보다 빠르다.

① ㄱ, ㄴ　　　② ㄱ, ㄹ　　　③ ㄷ, ㄹ

④ ㄱ, ㄴ, ㄷ　　　⑤ ㄴ, ㄷ, ㄹ

12 다음은 부피가 1 L로 일정한 용기에 들어 있는 기체를 입자 모형으로 나타낸 것이다. 이때 기체의 압력이 가장 큰 것은? (단, 기체 입자의 종류는 모두 같다.)

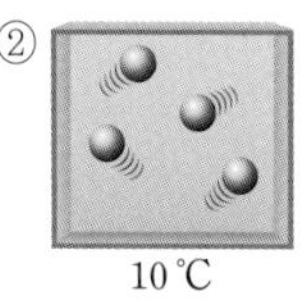 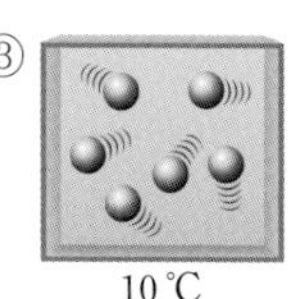
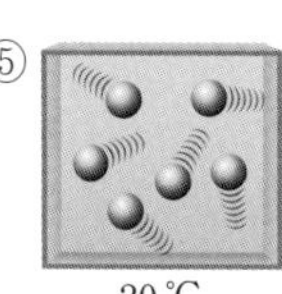

13 그림은 압력을 일정하게 유지하면서 일정한 양의 기체가 들어 있는 용기의 온도를 변화시킬 때 기체의 변화를 입자 모형으로 나타낸 것이다.

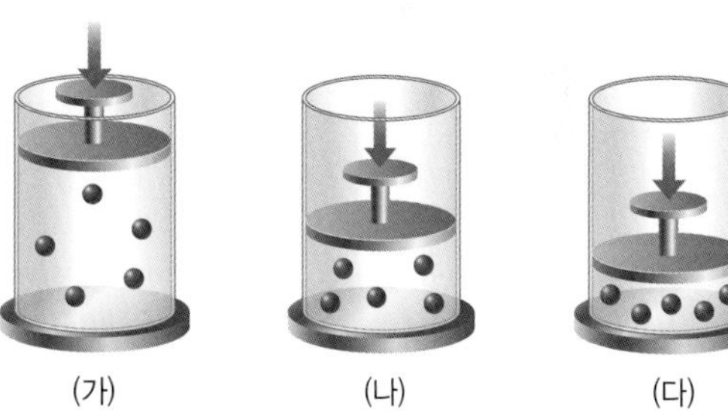

(가)~(다)에 대한 설명으로 옳은 것을 보기에서 모두 고른 것은?

> **보기**
> ㄱ. 기체의 온도는 (가)에서 가장 높다.
> ㄴ. 기체 입자의 운동은 (다)에서 가장 느리다.
> ㄷ. 기체 입자 사이의 거리는 (다)에서 가장 멀다.
> ㄹ. 기체 입자의 크기는 (가)=(나)=(다)이다.

① ㄱ, ㄴ　　　② ㄱ, ㄷ　　　③ ㄷ, ㄹ

④ ㄱ, ㄴ, ㄹ　　　⑤ ㄴ, ㄷ, ㄹ

14 그림은 일정한 압력에서 온도에 따른 일정한 양의 기체의 부피 변화를 나타낸 것이다.

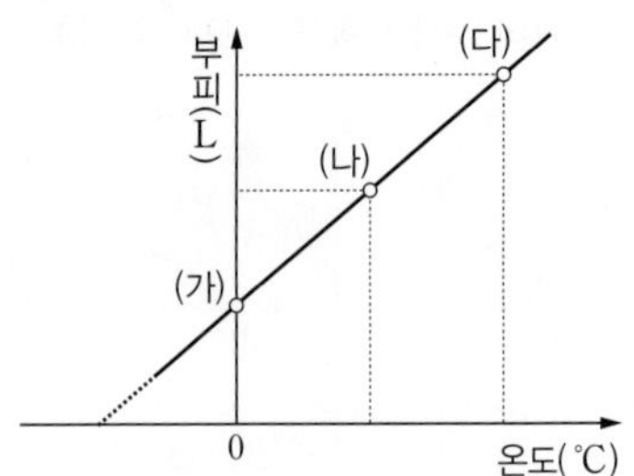

(가)~(다)에서 기체 입자 운동의 빠르기를 옳게 비교한 것은?

① (가) > (나) > (다)
② (가) > (다) > (나)
③ (나) > (가) > (다)
④ (나) > (다) > (가)
⑤ (다) > (나) > (가)

15 오른쪽 그림과 같이 차가운 유리병의 입구에 물에 적신 동전을 올려놓고, 양손으로 유리병을 감싸 쥐었더니 동전이 움직였다. 이러한 현상이 나타나는 까닭을 옳게 설명한 것은?

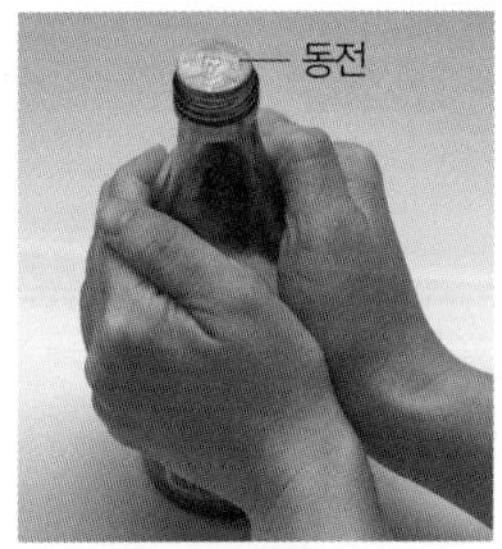

① 유리병 속 기체 입자의 크기가 커지기 때문
② 유리병 속 기체 입자의 개수가 많아지기 때문
③ 유리병 속 기체 입자의 질량이 증가하기 때문
④ 유리병 속 기체 입자의 운동이 빨라지기 때문
⑤ 유리병 속 기체 입자 사이의 거리가 가까워지기 때문

[16~17] 빈 삼각 플라스크 입구에 풍선을 씌운 다음, 이 플라스크를 각각 뜨거운 물과 얼음물에 넣었더니 그림과 같이 되었다. (단, 대기압은 일정하다.)

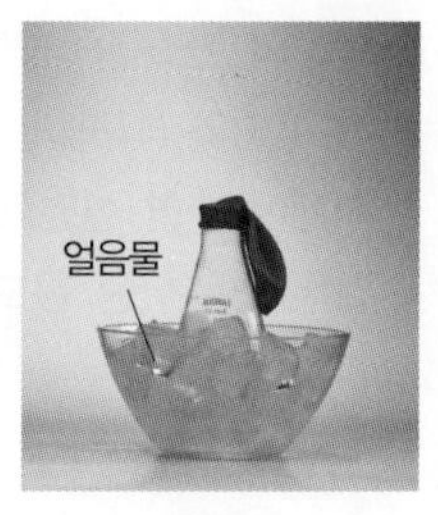

16 (나)보다 (가)에서 더 큰 값을 가지는 것을 보기에서 모두 고른 것은?

> **보기**
> ㄱ. 풍선의 부피
> ㄴ. 풍선 속 기체 입자의 크기
> ㄷ. 풍선 속 기체 입자 운동의 빠르기
> ㄹ. 플라스크와 풍선 속 기체 입자의 전체 개수

① ㄱ, ㄷ
② ㄴ, ㄹ
③ ㄷ, ㄹ
④ ㄱ, ㄴ, ㄷ
⑤ ㄴ, ㄷ, ㄹ

17 위 실험과 같은 원리로 설명할 수 있는 현상은?

① 높은 산에 올라가면 과자 봉지가 팽팽해진다.
② 시간이 지남에 따라 어항의 물이 점점 줄어든다.
③ 뜨거운 물에 차 티백을 넣고 흔들지 않아도 차가 우러난다.
④ 뜨거운 음식이 들어 있는 그릇에 비닐 랩을 씌우면 비닐 랩이 부풀어 오른다.
⑤ 물속에서 잠수부가 내뿜은 공기 방울은 수면 가까이 올라갈수록 점점 커진다.

18 그림 (가)와 같이 뜨거운 바람을 불어 넣어 가열한 컵의 입구를 풍선에 완전히 밀착시켰더니 시간이 지나면서 (나)와 같이 컵 속에 풍선이 빨려 들어가 풍선에 컵이 붙었다.

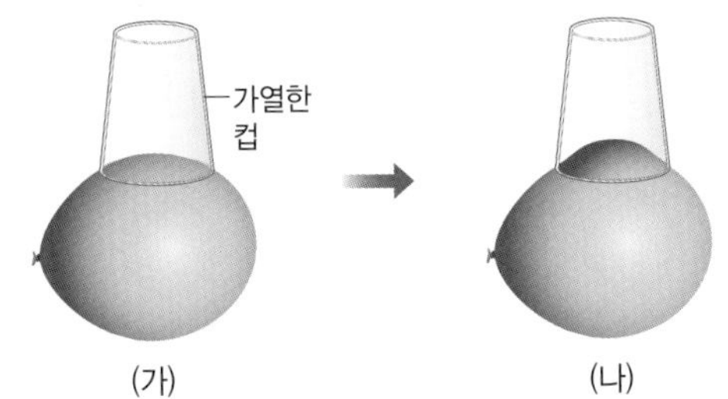

(가)에서 (나)로 될 때의 변화에 대한 설명으로 옳은 것을 보기에서 모두 고른 것은?

보기
ㄱ. 보일 법칙을 설명할 수 있다.
ㄴ. 컵 속 기체의 온도가 낮아진다.
ㄷ. 컵 속 기체 입자의 운동이 빨라진다.
ㄹ. 컵 속 기체 입자 사이의 거리가 가까워진다.

① ㄱ, ㄷ　　② ㄱ, ㄹ　　③ ㄴ, ㄹ
④ ㄱ, ㄴ, ㄷ　　⑤ ㄴ, ㄷ, ㄹ

19 온도에 따라 기체 입자 운동의 빠르기가 달라지기 때문에 일어나는 현상을 보기에서 모두 고른 것은?

보기
ㄱ. 일정한 온도에서 부피가 큰 기체를 압축하여 저장 용기에 보관한다.
ㄴ. 냉장고에서 꺼낸 달걀을 바로 끓는 물에 넣으면 달걀 껍데기가 쉽게 터진다.
ㄷ. 감압 용기에 풍선을 넣고 온도를 일정하게 유지하면서 용기 속 공기를 빼내면 풍선의 크기가 커진다.

① ㄱ　　② ㄴ　　③ ㄷ
④ ㄱ, ㄴ　　⑤ ㄴ, ㄷ

20 오른쪽 그림과 같이 장치하고 둥근바닥 플라스크를 양손으로 감싸 쥐었다. 이때 ㉠ 잉크 방울이 움직이는 방향과 ㉡ 이 실험을 통해 알아보고자 하는 것을 옳게 짝 지은 것은?

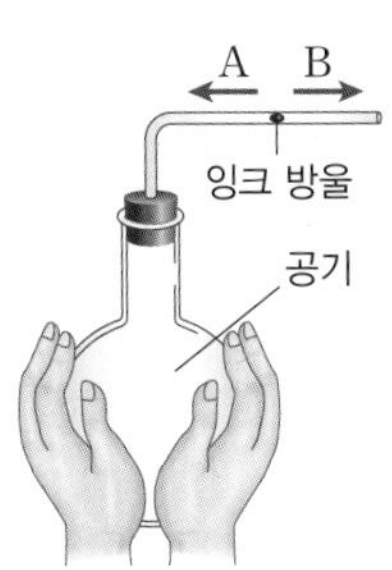

	㉠	㉡
①	A	기체의 온도와 부피 관계
②	A	기체의 압력과 부피 관계
③	A	기체의 질량과 부피 관계
④	B	기체의 온도와 부피 관계
⑤	B	기체의 압력과 부피 관계

21 그림과 같이 기체가 들어 있는 용기에서 어떤 조건을 변화시켰더니 (가)에서 (나)로 변하였다.

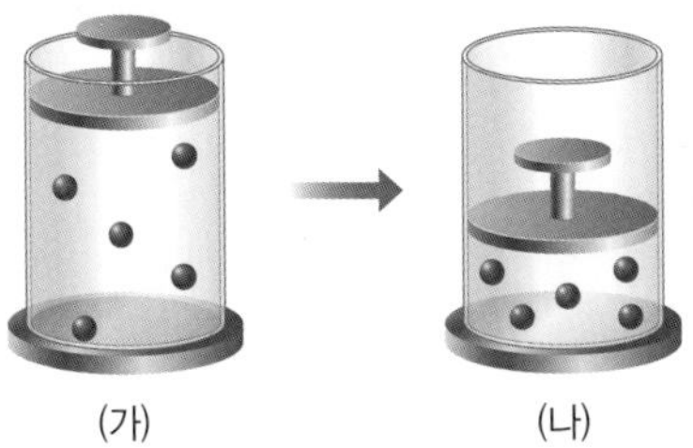

이때 변화시킨 조건으로 옳은 것은? (단, 기체 입자의 종류는 변하지 않는다.)

① 일정한 압력에서 일정한 양의 기체의 온도를 높였다.
② 일정한 온도와 압력에서 기체 입자의 개수를 증가시켰다.
③ 일정한 온도와 압력에서 기체 입자의 크기를 증가시켰다.
④ 일정한 온도에서 일정한 양의 기체에 가하는 압력을 증가시켰다.
⑤ 일정한 압력에서 일정한 양의 기체 입자 운동의 빠르기를 증가시켰다.

서술형 문제

22 연필의 양쪽을 같은 크기의 힘으로 눌렀더니 그림과 같이 손가락이 눌리는 정도가 서로 달랐다.

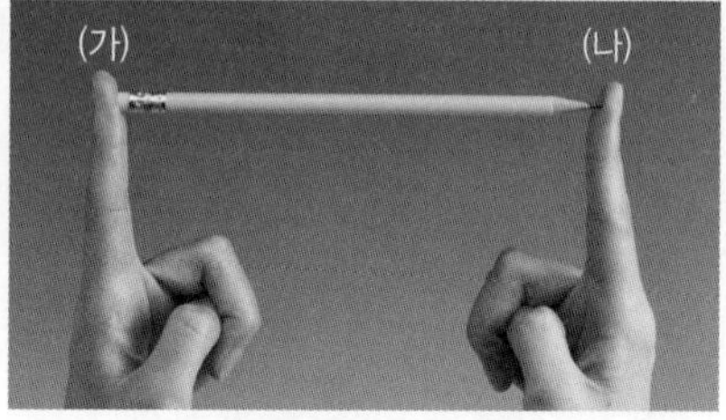

(가)와 (나) 중 손가락에 작용하는 압력이 더 큰 곳을 고르고, 그 까닭을 설명하시오.

____

____

____

23 그림은 온도가 일정한 조건에서 감압 용기에 뜯지 않은 과자 봉지를 넣고 용기 속 공기를 빼내었을 때 과자 봉지의 변화를 나타낸 것이다.

이러한 변화가 나타난 까닭을 다음 용어를 모두 이용하여 설명하시오.

> 기체 입자의 개수   기체 입자의 충돌 횟수
> 기체의 압력   과자 봉지 속 기체의 부피

____

____

24 그림과 같이 기체를 넣은 주사기의 끝을 고무마개로 막은 다음, 얼음물과 뜨거운 물에 주사기를 각각 담갔더니 피스톤이 움직였다.

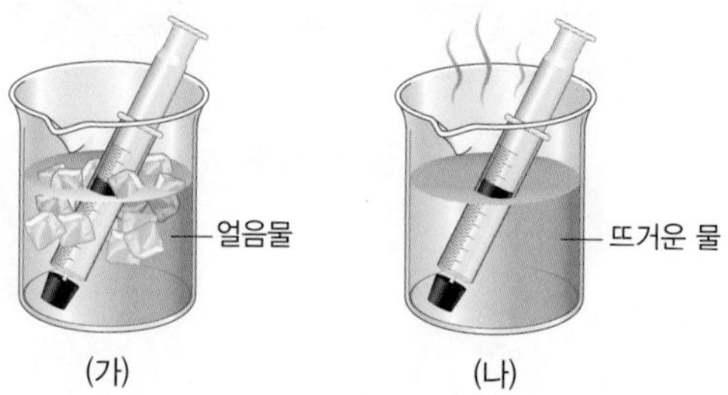

(1) (가)와 (나)에서 피스톤의 움직임을 각각 설명하시오.

____

____

____

(2) 위 (1)과 같이 피스톤이 움직인 까닭을 기체의 온도와 부피 관계를 이용하여 각각 설명하시오.

____

____

____

25 그림과 같이 스포이트의 끝에 액체 방울이 남아 있을 때, 이 액체 방울을 빼내는 방법을 기체의 온도와 부피 관계를 이용하여 설명하시오.

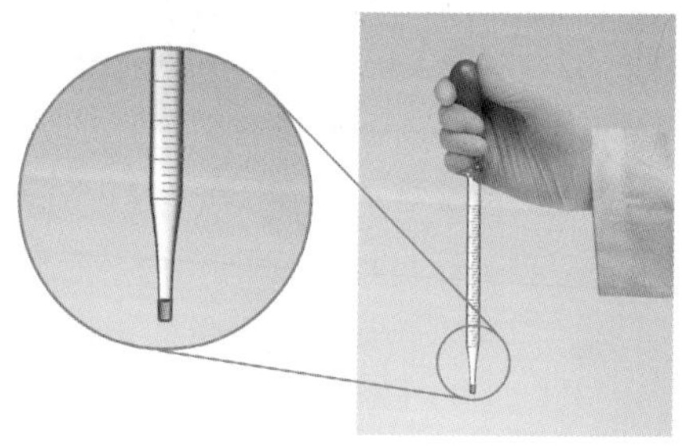

____

____

____

정답과 해설 100쪽

01 태양계 천체 중 공전하는 중심의 천체가 <u>다른</u> 것은?

① 위성 ② 행성 ③ 혜성
④ 소행성 ⑤ 왜소 행성

02 태양계 행성과 왜소 행성에 대한 설명으로 옳은 것은?

① 태양계 행성은 총 9개이다.
② 왜소 행성은 행성을 중심으로 공전한다.
③ 행성과 왜소 행성은 모두 불규칙한 형태이다.
④ 모든 행성의 표면은 단단한 암석으로 이루어져 있다.
⑤ 왜소 행성의 공전 궤도 주변에서는 다른 천체도 발견된다.

03 그림 (가)~(다)는 태양계 행성의 모습 일부를 나타낸 것이다.

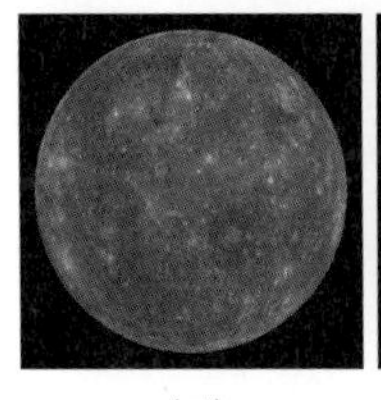  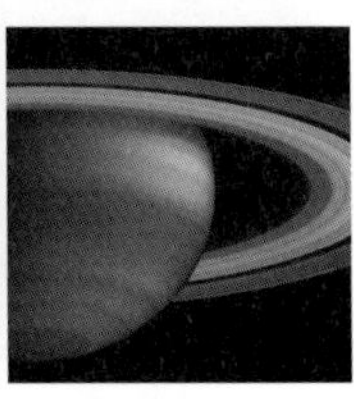

(가) (나) (다)

이에 대한 설명으로 옳은 것은?

① (가)는 화성이다.
② (나)는 고리가 없다.
③ (다)는 지구형 행성이다.
④ (가)는 (다)보다 태양과의 거리가 멀다.
⑤ (나)와 (다)는 많은 수의 위성을 가지고 있다.

04 표는 태양계 행성을 (가), (나)로 분류한 것이다.

구분	행성의 종류
(가)	수성, 금성, 지구, 화성
(나)	목성, 토성, 천왕성, 해왕성

(가)가 (나)보다 더 큰 물리량을 가지는 것을 보기에서 모두 고른 것은?

보기
ㄱ. 반지름
ㄴ. 위성의 개수
ㄷ. 표면이 단단한 정도

① ㄱ ② ㄴ ③ ㄷ
④ ㄱ, ㄴ ⑤ ㄴ, ㄷ

05 그림은 태양계 행성을 반지름과 질량에 따라 두 집단 A, B로 분류한 것이다. 이에 대한 설명으로 옳은 것을 보기에서 모두 고른 것은?

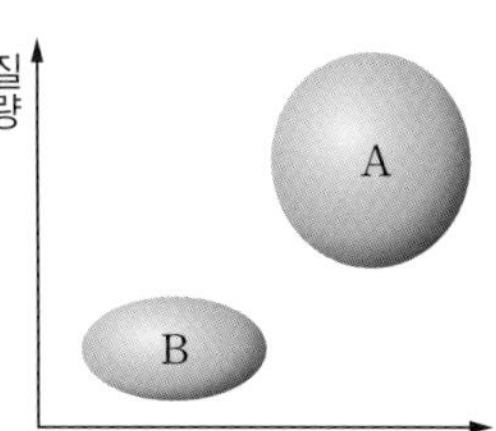

보기
ㄱ. A는 목성형 행성이다.
ㄴ. 금성은 B에 포함된다.
ㄷ. B는 A보다 많은 위성을 갖고 있다.

① ㄱ ② ㄴ ③ ㄷ
④ ㄱ, ㄴ ⑤ ㄴ, ㄷ

06 태양에 대한 설명으로 옳지 <u>않은</u> 것은?

① 표면 온도는 약 6000 ℃이다.
② 광구 바로 아래에서는 대류가 일어난다.
③ 태양의 표면에서는 플레어를 볼 수 있다.
④ 광구에서는 검게 보이는 부분을 볼 수 있다.
⑤ 태양계에서 유일하게 스스로 빛을 내는 천체이다.

07 그림은 태양의 표면 중 일부를 촬영한 것이다.

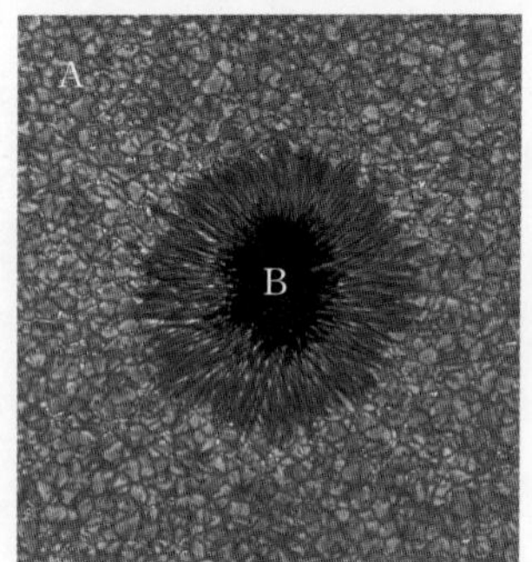

A와 B의 이름을 각각 쓰시오.

A: ______________ , B: ______________

08 태양의 대기에서 볼 수 있는 현상으로만 옳게 짝 지은 것은?

① 광구, 채층

② 홍염, 흑점

③ 홍염, 플레어

④ 흑점, 플레어

⑤ 코로나, 쌀알 무늬

09 그림은 흑점의 개수 변화를 나타낸 것이다.

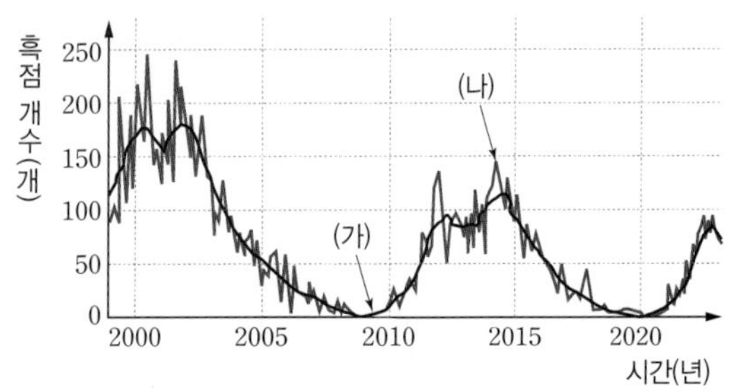

(가) 시기보다 (나) 시기에 더 잘 일어날 수 있는 현상으로 옳은 것을 보기에서 모두 고른 것은?

┌─ 보기 ─────────────────────────
ㄱ. 플레어가 발생한다.

ㄴ. 코로나의 영역이 좁게 나타난다.

ㄷ. 인공위성이 궤도를 이탈하거나 고장이 난다.
└────────────────────────────

① ㄱ　　　　② ㄴ　　　　③ ㄷ

④ ㄱ, ㄴ　　　⑤ ㄱ, ㄷ

10 그림은 지구의 대기가 녹색, 보라색 등으로 빛나는 현상을 나타낸 것이다.

이에 대한 설명으로 옳은 것을 보기에서 모두 고른 것은?

┌─ 보기 ─────────────────────────
ㄱ. 주로 고위도 지역에서 볼 수 있다.

ㄴ. 플레어가 발생할 때 나타날 수 있다.

ㄷ. 태양 흑점이 적을 때 더 자주 발생한다.
└────────────────────────────

① ㄱ　　　　② ㄴ　　　　③ ㄷ

④ ㄱ, ㄴ　　　⑤ ㄴ, ㄷ

11 천체의 일주 운동에 대한 설명으로 옳지 <u>않은</u> 것은?

① 천구가 회전하기 때문에 나타난다.

② 천체는 한 시간에 15°씩 움직인다.

③ 지구의 자전에 의한 겉보기 운동이다.

④ 모든 천체는 동쪽에서 떠서 서쪽으로 진다.

⑤ 북극성 주변의 별은 시계 반대 방향으로 회전한다.

12 지구의 자전과 공전에 대한 설명으로 옳은 것을 보기에서 모두 고른 것은?

┌─ 보기 ─────────────────────────
ㄱ. 지구의 자전 방향과 공전 방향은 반대이다.

ㄴ. 태양의 연주 운동은 지구의 자전 때문에 나타난다.

ㄷ. 계절에 따른 별자리 변화는 지구의 공전 때문에 나타난다.
└────────────────────────────

① ㄱ　　　　② ㄴ　　　　③ ㄷ

④ ㄱ, ㄴ　　　⑤ ㄱ, ㄷ

13 그림은 우리나라 어느 지역에서 별의 일주 운동을 촬영한 것이다.

이에 대한 설명으로 옳은 것을 보기에서 모두 고른 것은?

보기

ㄱ. 북쪽 하늘을 촬영한 것이다.

ㄴ. 별은 한 시간에 10°씩 회전한다.

ㄷ. 별은 북극성을 중심으로 시계 반대 방향으로 회전한다.

① ㄱ   ② ㄴ   ③ ㄱ, ㄷ

④ ㄴ, ㄷ   ⑤ ㄱ, ㄴ, ㄷ

14 그림은 지구 공전 궤도와 태양이 지나는 길 주위에 있는 별자리를 나타낸 것이다.

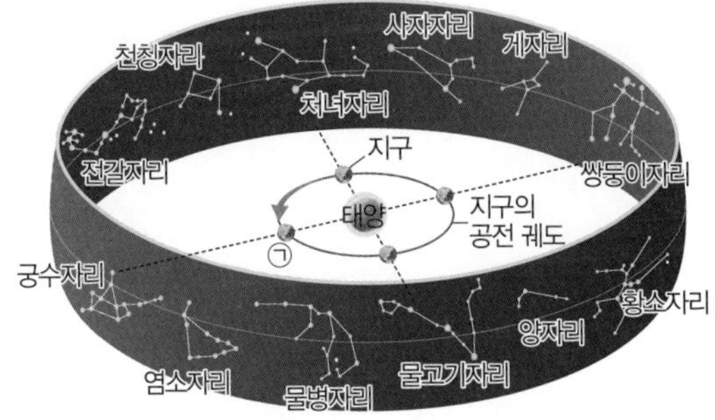

지구가 ㉠에 위치할 때, 한밤중 남쪽 하늘에서 보이는 별자리를 쓰시오.

15 그림 (가)와 (나)는 어느 날 해가 진 직후 서쪽 하늘의 별자리를 한 달 간격으로 관측한 것을 순서 없이 나타낸 것이다.

이에 대한 설명으로 옳은 것을 보기에서 모두 고른 것은?

보기

ㄱ. (가)는 (나)보다 먼저 관측한 것이다.

ㄴ. 태양은 별자리를 기준으로 서쪽에서 동쪽으로 움직인다.

ㄷ. 별자리의 위치가 달라지는 까닭은 지구의 자전 때문이다.

① ㄴ   ② ㄷ   ③ ㄱ, ㄴ

④ ㄱ, ㄷ   ⑤ ㄱ, ㄴ, ㄷ

16 그림은 달이 지구 주변을 공전하는 모습을 나타낸 것이다.

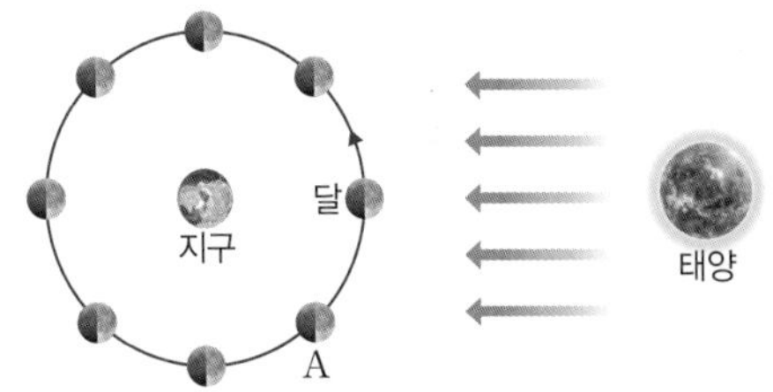

달이 A에 위치할 때, ㉠ 달의 모양과 ㉡ 위상을 옳게 짝 지은 것은?

	㉠	㉡		㉠	㉡
①		초승달	②		그믐달
③		초승달	④		그믐달
⑤		초승달			

17 달의 공전과 위상 변화에 대한 설명으로 옳은 것을 보기에서 모두 고른 것은?

> **보기**
> ㄱ. 달은 스스로 빛을 낸다.
> ㄴ. 달은 하루에 약 1°씩 공전한다.
> ㄷ. 달의 위상 변화는 태양, 지구, 달의 상대적인 위치가 달라지기 때문에 일어난다.

① ㄱ   ② ㄷ   ③ ㄱ, ㄴ
④ ㄴ, ㄷ   ⑤ ㄱ, ㄴ, ㄷ

18 일식과 월식에 대한 설명으로 옳은 것은?

① 일식은 달의 위상이 망일 때 일어난다.
② 개기일식 때 코로나를 관측할 수 있다.
③ 일식은 태양의 그림자 때문에 발생한다.
④ 부분월식은 달의 위상 변화로 나타나는 현상이다.
⑤ 월식이 일어날 때, 달은 태양과 지구 사이에 위치한다.

19 그림은 지구의 그림자 속으로 달 전체가 들어가 달이 붉게 보이는 현상을 나타낸 것이다. 이 현상은 무엇인지 쓰시오.

20 그림 (가)~(다)는 북반구의 어느 지역에서 관측한 일식의 진행 과정을 순서 없이 나타낸 것이다.

(가)   (나)   (다)

이에 대한 설명으로 옳은 것을 보기에서 모두 고른 것은?

> **보기**
> ㄱ. (가)일 때 달의 위상은 초승달이다.
> ㄴ. (나)일 때 태양의 쌀알 무늬를 볼 수 있다.
> ㄷ. 일식은 (다) → (나) → (가) 순으로 진행된다.

① ㄴ   ② ㄷ   ③ ㄱ, ㄴ
④ ㄱ, ㄷ   ⑤ ㄱ, ㄴ, ㄷ

21 그림은 식현상의 원리를 알아보기 위한 모형실험을 나타낸 것이다.

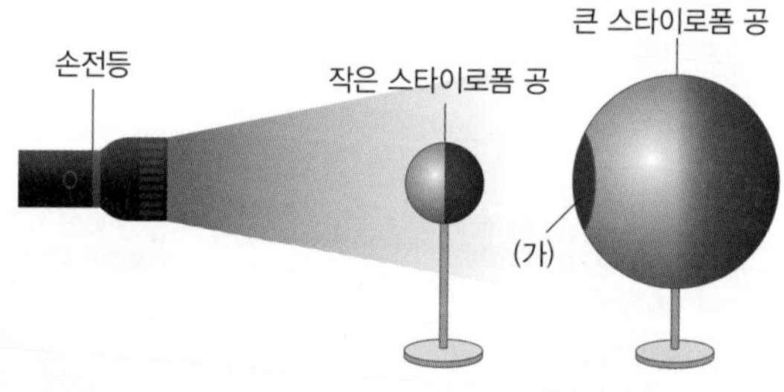

이에 대한 설명으로 옳지 <u>않은</u> 것은?

① 손전등은 태양을 나타낸다.
② 이 실험에서 달의 위상은 삭이다.
③ 큰 스타이로폼 공은 지구를 나타낸다.
④ 월식의 원리를 알아보기 위한 실험이다.
⑤ (가)는 작은 스타이로폼 공의 그림자이다.

서술형 문제

22 그림 (가)와 (나)는 태양계 천체 중 왜소 행성과 행성을 나타낸 것이다.

 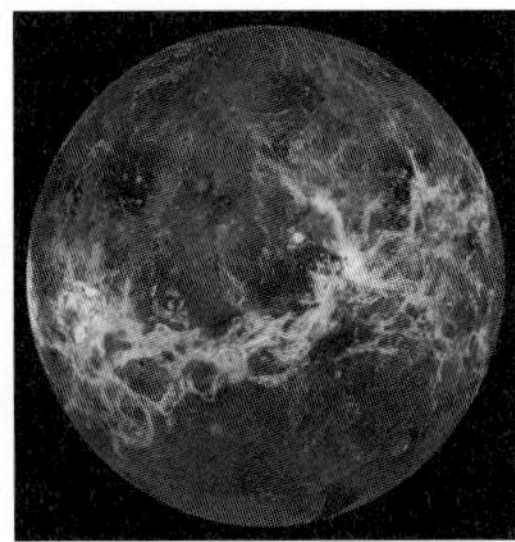

(가) 왜소 행성　　　　　(나) 행성

(가)와 (나)를 구분하는 기준을 설명하시오.

---

24 그림은 어느 해 7월 밤 9시경 남쪽 하늘의 궁수자리와 전갈자리를 나타낸 것이다.

같은 날 2시간 동안 별자리의 이동과, 같은 시각 한 달 동안 별자리의 이동을 설명하시오.

---

23 그림 (가)와 (나)는 서로 다른 시기의 태양 표면을 나타낸 것이다.

 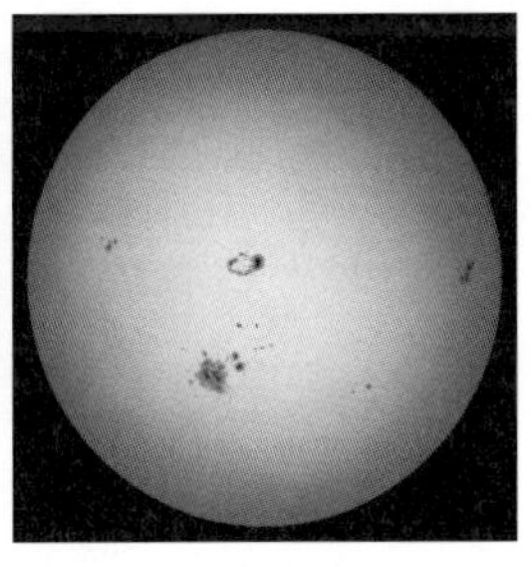

(가)　　　　　　　(나)

(가) 시기일 때보다 (나) 시기일 때, 태양과 지구에서 더 잘 나타나는 현상을 각각 한 가지씩 설명하시오.

---

25 그림 (가)는 월식 중 관측한 달의 모습을, (나)는 월식이 일어나는 동안 달의 위치 변화를 나타낸 것이다.

 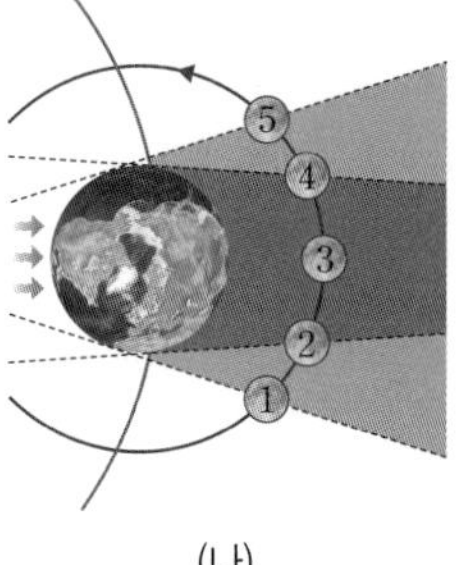

(가)　　　　　　　(나)

달이 (가)처럼 보일 때의 위치를 (나)의 ①~⑤ 중에서 고르고, 그렇게 생각한 까닭을 설명하시오.

HIGH
TOP